#1 BEST-SELLER DO THE NEW YORK TIMES

BRENDON BURCHARD

O MENSAGEIRO MILIONÁRIO

Faça a diferença e enriqueça ao compartilhar seus conhecimentos

Editora Novo Conceito

Capítulo 1

Uma explicação rápida sobre o compartilhamento de minha mensagem

Quando acordei, Kevin gritava:

— Saia do carro, Brendon! Saia do carro!

Sentado no banco dos passageiros, observei-o rapidamente com o canto dos olhos. Kevin estava esmagado pela direção, gritava comigo e tentava desvencilhar-se da janela lateral amassada do lado do motorista. Todo o seu rosto estava coberto de sangue.

Tínhamos feito a curva a pouco mais de 130 quilômetros por hora. Nos Estados Unidos, essa curva seria indicada por uma placa amarela brilhante com uma seta no formato de "U", um sinal de alerta mostrando a aproximação de uma curva fechada, de modo que seria aconselhável que as pessoas reduzissem a velocidade.

No entanto, estávamos na República Dominicana, numa estrada recém-pavimentada. Não havia sinalização. E aquela curva estava prestes a se tornar um divisor de águas em nossas vidas.

(Continua...)

Capítulo 2

Por trás da cortina do guru

Agora, você já conhece um pouco de minha história e de meu sonho.

Eu apenas queria ajudar as pessoas com o que sabia sobre a vida, por mais que esse conhecimento fosse limitado por eu ser um rapaz tão jovem. Havia uma agitação, enraizada em meu interior, para compartilhar uma mensagem com as pessoas. Essa é a forma como, no meu caso, tudo começou: uma experiência que desejava expressar e revelar a outras pessoas, mas sem saber como proceder.

Possivelmente, você deve ter alguma ideia do que seja isso. Talvez tenha aprendido algo sobre a vida ou sobre os negócios que gostaria de compartilhar. Você percebe que ajudar e ensinar outras pessoas é a trajetória para uma vida significativa. Uma emoção percorre sua alma e pede para compartilhar sua voz, seu conhecimento e as lições de sua vida, que estão enraizadas em seu interior. Mas, como é possível promover um efetivo impacto quando se tem de trabalhar tão arduamente para obter uma renda regular? Como ter sua mensagem transmitida ao mundo e influenciar outras pessoas de modo profundo e significativo?

Ficava acordado em meu diminuto quarto-dormitório, fazendo essas perguntas a mim mesmo durante meses quando voltei da República Dominicana. Então, numa

A Próxima Década

A Próxima Década

Onde estamos...
E para onde iremos

George Friedman

Tradução
Celso Roberto Paschoa

Editora Novo Conceito

Tradução publicada sob acordo com Doubleday, um selo de The Knopf Doubleday Publishing Group, uma divisão de Random House, Inc.

1ª impressão — 2012

Edição: Edgar Costa Silva
Preparação de Texto: Ana Oliveira
Revisão de Texto: Elisabete B. Pereira, Helô Beraldo (coletivo pomar), Tamires Cianci
Projeto Gráfico: Lucas Busatto, Vanúcia Santos
Capa: Sérgio Campante

Este livro segue as regras da Nova Ortografia da Língua Portuguesa.

Dados Internacionais de Catalogação na Publicação (CIP)
(Câmara Brasileira do Livro, SP, Brasil)

Friedman, George
Os próximos 10 anos / George Friedman; [tradução Celso Roberto Paschoa].
-- Ribeirão Preto, SP: Novo Conceito Editora, 2012.

Título original: The next decade.
ISBN 978-85-63219-95-4

1. Política internacional - Século 21 - Previsões I. Título.

12-01756 CDD-909.83

Índices para catálogo sistemático:
1. Política internacional : Século 21 :
Previsões : Civilização : História 909.83

Editora Novo Conceito

Rua Dr. Hugo Fortes, 1885 – Parque Industrial Lagoinha
14095-260 – Ribeirão Preto – SP
www.editoranovoconceito.com.br

Para Don Kuykendall,

Amigo

"Espero ter Deus do meu lado, mas tenho de ter Kentucky."

ABRAHAM LINCOLN

"As regras não são necessariamente sagradas, os princípios são."

FRANKLIN ROOSEVELT

"Não podemos nos fazer de inocentes em nossas relações exteriores num mundo que não é inocente."

RONALD REAGAN

"É necessário, para um príncipe que deseja manter sua posição, aprender a não ser bom, e usar ou não este conhecimento de acordo com a necessidade."

NICOLAU MAQUIAVEL

Sumário

Lista de ilustrações

Nota do autor

Este livro trata da relação entre império, república e o exercício de poder nos próximos dez anos. Trata-se de um livro mais pessoal que *Os próximos 100 anos,* pois estou abordando minha maior preocupação, que é: o poder dos Estados Unidos no mundo minará a república. Não sou o tipo de pessoa que evita o poder. Entendo que sem poder não pode haver república. Mas a questão que levanto é como os Estados Unidos devem se comportar no mundo enquanto exercem seu poder e preservam, concomitantemente, a república.

Convido os leitores a considerarem dois temas. O primeiro é o conceito do império não planejado. Eu argumento que os Estados Unidos se tornaram um império não porque pretendiam, mas porque a história tem trabalhado dessa maneira. A questão se este país deve ser ou não um império é insignificante. Ele é um império.

O segundo tema trata de como administrar o império e, para mim, a questão mais importante por trás desta é se a república pode sobreviver. Os Estados Unidos foram fundados contra o imperialismo britânico. É irônico, e sob muitos aspectos estarrecedor, que o que os fundadores nos deram enfrente esse dilema. Pode haver saídas para esse destino, mas elas não são prováveis. As nações se tornam o que são graças às limitações da história, e a história tem pouca sentimentalidade quando se trata de ideologia ou preferências. Somos o que somos.

Não me é claro se a república consegue suportar a pressão do império ou se os Estados Unidos pode sobreviver a um império mal administrado. Colocado de forma diferente, pode a gestão de um império se tornar compatível com as normas de uma república? Sei que os Estados Unidos serão uma força poderosa no mundo nessa próxima década — e no próximo século, aliás —, mas não sei que tipo de regime terão.

Defendo fervorosamente a república. A justiça pode não ser objeto da história, mas é com o que eu me preocupo. Tenho passado bastante tempo pensando sobre a relação entre império e república, e a única conclusão a que cheguei é que, se a república deve sobreviver, a única instituição que pode salvaguardá-la é a presidência. Sei que é algo estranho de se dizer, já que a presidência é, sob muitos aspectos, a mais imperial de nossas instituições (é a única instituição representada por uma única pessoa). No entanto, também é a mais democrática, pois a presidência é o único cargo para o qual o povo, como um todo, escolhe um único e poderoso líder.

Para entender esse cargo, examino três presidentes que definiram a grandeza norte-americana. O primeiro é Abraham Lincoln, que salvou a república. O segundo é Franklin Roosevelt, que deu aos Estados Unidos os mares do mundo. O terceiro é Ronald Reagan, que solapou a União Soviética e preparou o terreno para o império. Cada um deles foi um homem profundamente moral, mas que estava preparado para mentir, violar a lei ou trair princípios com o único objetivo de atingir esses fins. Eles personificaram o paradoxo do que chamo de "presidência maquiavélica", uma instituição que, na melhor das hipóteses, reconcilia a duplicidade e o direito a fim de redimir a promessa dos Estados Unidos.

Não considero que ser justo seja algo simples, nem que o poder seja apenas a personificação de boas intenções. O tema deste livro, aplicado a regiões do planeta, é que a justiça deriva do poder e o poder somente é possível graças a um nível de crueldade que a maioria de nós não consegue suportar. A tragédia da vida política é o conflito entre o limite de boas intenções e a necessidade do poder. Às vezes, esse conflito gera frutos. Foi o que aconteceu nos casos dos presidentes Lincoln, Roosevelt e Reagan, mas não há qualquer garantia de que ocorrerá o mesmo no futuro. É preciso haver excelência.

A geopolítica descreve o que acontece às nações, mas diz pouco sobre os tipos de regime que elas terão. Estou convencido de que, a menos que entendamos a natureza do poder e dominemos a arte de governar, talvez não consigamos direcionar nosso regime. Portanto, não é contraditório dizer que os Estados Unidos dominarão o próximo século, ainda que possam perder a alma de sua república. Não estou convencido de que o império valha o preço de uma república, mas, por outro lado, estou certo de que a história não se preocupa com o que eu, ou outros, penso.

Este livro, portanto, examinará os problemas, as oportunidades e os desafios inerentes da próxima década. Alianças surpreendentes serão formadas, tensões inesperadas se desenvolverão e haverá ondas de ascensão e queda econômicas. Não surpreendentemente, o modo como os Estados Unidos (particularmente o presidente norte-americano) abordam esses eventos orientará a saúde ou a deterioração da república. Uma década interessante está por vir.

Introdução

O reequilíbrio da América

Um século trata de eventos. Uma década, de pessoas.

Escrevi *Os próximos 100 anos* para explorar as forças impessoais que formatam a história no longo prazo, mas os seres humanos não vivem no longo prazo. Vivemos num intervalo de tempo muito mais curto no qual nossas vidas são moldadas nem tanto pelas vastas tendências históricas, mas pelas decisões específicas de indivíduos específicos.

Este livro trata do curto prazo dos próximos dez anos: as realidades específicas a serem confrontadas, as decisões específicas a serem tomadas e as prováveis consequências dessas decisões. A maioria das pessoas pensa que, quanto maior o período de tempo, mais imprevisível o futuro. Adoto a perspectiva oposta. O que é mais difícil de se prever são as ações individuais. No curso de um século, tantas decisões individuais são tomadas que nenhuma delas jamais é crítica. Cada decisão é perdida na torrente de julgamentos que forma um século. Mas, dentro de uma década, as decisões pessoais tomadas por determinados indivíduos, particularmente por aqueles com poder político, podem ter uma enorme importância. O que trato em *Os próximos 100 anos* é de um enquadramento para entender essa década e apenas disso.

Prever um século é a arte de reconhecer o impossível eliminando, portanto, da consideração, todos os eventos que, ao menos logicamente, não acontecerão. A razão é a seguinte, como já foi apontado por Sherlock Holmes: "Quando você tiver eliminado o impossível, o que restar, por mais que seja improvável, deve ser a verdade".

É sempre possível que um líder faça ou algo inesperadamente tolo ou brilhante, razão pela qual as previsões são mais convenientes para o longo prazo, intervalo sobre o qual as decisões individuais não carregam tanto peso. Mas, tendo previsto para o longo prazo, você pode refilmar seu cenário e tentar ver como ele é reconstruído, digamos, numa década. O que torna essa estrutura de tempo interessante é que ela é suficientemente longa para as forças impessoais, maiores, se desenvolverem, mas curta o bastante para que as decisões individuais de líderes individuais distorçam resultados que, de outra forma, poderiam parecer inevitáveis. Uma década é o ponto em que a história e os estadistas se cruzam, e um intervalo no qual as políticas ainda têm importância.

Não sou normalmente uma pessoa que se envolve em debates políticos, estou mais interessado no que ocorrerá do que no que desejo ver ocorrer. Mas, dentro do intervalo de uma década, eventos que possivelmente não interessam no longo prazo podem ainda nos afetar pessoal e profundamente. Eles podem também ter um significado real ao supostamente definir que caminho tomaremos no futuro. Este livro é, por conseguinte, tanto uma previsão como uma discussão das políticas que devem ser seguidas.

Começamos com os Estados Unidos pela mesma razão que um estudo de 1910 teria começado com a Grã-Bretanha. Independentemente de qual seria o futuro, o sistema global, hoje, é centrado em torno dos Estados Unidos, a exemplo da Grã-Bretanha, que era o eixo central nos anos que levaram à Primeira Guerra Mundial. Em *Os próximos 100 anos*, escrevi sobre o poder de longo prazo dos Estados Unidos. Neste livro, tenho de escrever sobre as deficiências norte-americanas, que, penso, não são problemas no longo prazo; o tempo cuidará da maior parte delas. Mas como você e eu não vivemos no longo prazo, para nós esses problemas são muito reais. A maioria deles é baseada em desequilíbrios estruturais que exigem soluções. Alguns são problemas de liderança, pois, como afirmei no início, uma década trata de pessoas.

Essa discussão envolvendo problemas e pessoas é particularmente urgente neste instante. Na primeira década após os Estados Unidos se tornarem a única potência global, o mundo era, comparado a outras eras, relativamente tranquilo. Em termos de problemas genuínos de segurança para o país, Bagdá e os Bálcãs eram incômodos, não ameaças. Os Estados Unidos não tinham necessidade de estratégia para um mundo que aparentava ter aceitado sua liderança sem reclamações. Passados dez anos, o 11 de setembro fez com que essa ilusão se despedaçasse. O mundo estava mais perigoso do que imaginávamos e as possibilidades também pareciam mais reduzidas. Os Estados Unidos não articularam uma estratégia global em resposta. Em vez disso, desenvolveram uma estratégia político-militar estreitamente focada, que planejava derrotar o terrorismo com a exclusão de praticamente todas as outras coisas.

Agora, aquela década também está findando, e está acontecendo uma busca para uma retirada do Iraque, do Afeganistão, e, de fato, do mundo que se iniciou quando aqueles aviões sequestrados colidiram nos edifícios em Nova York e Washington. O impulso dos Estados Unidos é sempre se afastar do mundo, gozando dos prazeres de uma nação segura, protegida pelas barreiras de amplos oceanos em ambos os lados. Mas o território em si não é seguro, quer dos terroristas ou das ambições de nações-Estado que taxam os Estados Unidos como perigoso e imprevisível.

Seja na administração Bush ou na administração Obama, os Estados Unidos têm perdido de vista a estratégia que serviu muito bem para a maior parte do último século. Ao contrário, os presidentes recentes têm partido em aventuras pontuais e têm fixado metas inatingíveis, pois estruturam as questões incorretamente, como se acreditassem em suas próprias retóricas. Como resultado, os Estados Unidos têm supervalorizado sua habilidade de projetar seu poder mundo afora, o que tem possibilitado que inclusive jogadores menores façam parte do rabo que abana o cachorro.

A necessidade prioritária para a política norte-americana na próxima década é um retorno à estratégia equilibrada, global, que os Estados Unidos aprenderam com o exemplo da Roma antiga e da Grã-Bretanha do século passado. Esses imperialistas da velha escola não governavam por uma força principal: eles mantinham seus domínios ao colocarem os jogadores regionais uns contra os outros e mantê-los em oposição a outros que poderiam também instigar resistência. Definiam o equilíbrio do poder, utilizando essas forças opositoras para se cancelarem mutuamente enquanto asseguravam os interesses maiores do império. Mantinham, ainda, suas nações-clientes agrupadas por interesse econômico e diplomacia, o que não é o mesmo que cortesias de rotina entre nações, e sim uma manipulação sutil que leva vizinhos e clientes assemelhados a desconfiarem mutuamente uns dos outros mais do que desconfiam dos poderes imperiais. Uma intervenção direta que se baseava nas próprias tropas do império era um recurso remoto e último.

Aderindo a essa estratégia, os Estados Unidos intervieram na Primeira Guerra Mundial somente quando o estado de equilíbrio entre as potências europeias estava falhando, e somente quando, aparentemente, os alemães, com a Rússia colapsando no Leste, poderiam derrotar os ingleses e franceses no Oeste. Quando a luta terminou, os Estados Unidos ajudaram a forjar um tratado de paz que prevenia a dominação da Europa pós-guerra pela França.

Durante os primórdios da Segunda Guerra Mundial, os Estados Unidos permaneceram fora de um envolvimento direto pelo maior tempo possível, dando suporte aos britânicos em seus esforços de conter os alemães no Oeste enquanto estimulavam os russos a sangrar os alemães no Leste. Em seguida, os Estados Unidos elaboraram uma estratégia de equilíbrio de poderes para evitar que a União Soviética dominasse a Europa ocidental, o Oriente Médio e, finalmente, a China. Ao longo do grande intervalo desde o primeiro aparecimento da “Cortina de Ferro” até o fim da Guerra Fria, essa estratégia norte-americana de desviar a atenção e manipulação foi coerente, racional e, efetivamente, divergente.

Após o colapso da União Soviética, no entanto, os Estados Unidos mudaram de uma estratégia voltada a conter as principais potências para uma tentativa não concentrada de conter potenciais hegemonias regionais, quando seus comportamentos ofendiam as sensibilidades norte-americanas. No período de 1991 a 2001, o país invadiu ou interveio em cinco nações: Kuwait, Somália, Haiti, Bósnia e Iugoslávia, o que tomou um extraordinário tempo de operações militares. Às vezes, a estratégia norte-americana parecia ser orientada por preocupações humanitárias, mas a meta nem sempre fora clara. Qual o sentido, por exemplo, da invasão do Haiti, em 1994, para o interesse nacional?

Mas o país tinha uma reserva enorme de poder, na década de 1990, que lhe forneceu um amplo espaço para manobras, bem como espaço para condescender a seus caprichos ideológicos. Quando se é excessivamente dominante, não é preciso operar com a precisão de um cirurgião. Nem os Estados Unidos, quando lidavam com potenciais hegemonias regionais, tinham de vencer, no sentido de derrotar um exército inimigo e ocupar sua terra natal. Sob um ponto de vista militar, as incursões norte-americanas durante a década de 1990 eram de ataques espoliadores, com a meta imediata de levar uma aspirante potência regional ao caos, forçando-a a lidar com perigos regionais e internos na hora e local que escolhessem, em vez de permitir que ela se desenvolvesse e confrontasse os Estados Unidos numa agenda própria de nações menores.

Após o 11 de setembro de 2001, um Estados Unidos recém-obcecado com o terrorismo se tornou ainda mais desorientado, perdendo a visão de todas as suas estratégias de longo prazo. Como alternativa, criou-se uma nova, mas inatingível, meta estratégica, que foi a eliminação da ameaça terrorista. A fonte principal desse perigo, a Al Qaeda, tinha por si própria um objetivo improvável, mas não inconcebível, que era recriar o califado islâmico, a teocracia estabelecida por Maomé no século 7 e que persistira sob várias formas até a queda do Império Otomano, no fim da Primeira Guerra Mundial. A estratégia desse grupo era derrubar todos os governos muçulmanos considerados insuficientemente islâmicos e procuravam fazê-lo fomentando insurreições populares nesses países. Do ponto de vista da Al Qaeda, a razão pela qual as massas islâmicas permaneciam oprimidas era o medo de seus governantes, que, por sua vez, baseavam-se na noção de que os Estados Unidos, o patrono de seus governos, não poderiam ser desafiados. Para libertar as massas de suas intimidações, o grupo percebeu que tinha de demonstrar que os Estados Unidos não eram tão poderosos como aparentavam. Eles eram, de fato, vulneráveis a, inclusive, um pequeno grupo de muçulmanos, contanto que esses indivíduos estivessem preparados para morrer.

Em resposta aos ataques da Al Qaeda, os Estados Unidos lançaram-se no mundo islâmico, particularmente no Afeganistão e no Iraque. O objetivo era demonstrar sua competência e alcance, mas essas iniciativas foram novamente ataques espoliadores. Sua meta não era derrotar um exército ou ocupar um território, mas meramente fragmentar a Al Qaeda e criar caos no mundo muçulmano. No entanto, criar caos é uma tática de curto prazo, não uma estratégia de longo prazo. Os Estados Unidos demonstraram que é possível destruir organizações terroristas e mitigar o terrorismo, mas não atingiram a meta que tinham articulado, que era dividir e eliminar todo o perigo. Eliminar uma ameaça como essa exigia monitorar as atividades privadas de mais de um bilhão de pessoas espalhadas pelo globo. Mesmo a simples tentativa de uma iniciativa similar exigiria recursos formidáveis. E, dado que obter sucesso num esforço como esse seria impossível, é axiomático que os Estados Unidos iriam se exaurir e ficar sem recursos durante processo, como tem acontecido. Entender que a eliminação do terrorismo é desejável não significa que esse ato seja prático ou que o preço a ser pago seja racional.

A recuperação dos esgotamentos e das pertubações mentais desse esforço consumiria os Estados Unidos durante a próxima década. A primeira etapa, retomar uma política de manutenção de equilíbrios de poder regionais, deve começar na principal área do atual envolvimento militar norte-americano, um cenário que se estende do mar Mediterrâneo ao Hindu Kush. Na maior parte dos últimos cinquenta anos, têm existido três equilíbrios nativos de poder nesta região. O árabe-israelense, o indo-paquistanês e o iraniano-iraquiano. Devido essencialmente à recente política norte-americana, esses equilíbrios são instáveis ou extintos. Os israelenses não são mais limitados por seus vizinhos e agora estão tentando criar uma nova realidade no terreno. Os paquistaneses ficaram muito enfraquecidos com a guerra no Afeganistão e não são mais um contrabalanço forte para a Índia. E, mais importante, o Estado iraquiano está em colapso, o que deixou os iranianos como a força militar mais poderosa na região do Golfo Pérsico.

Restaurar o equilíbrio naquela região, e, depois, instaurar a política norte-americana mais geral, exigirá inserir um processo durante a próxima década que será visto como, no mínimo, controverso. Como sustento nos capítulos a seguir, os Estados Unidos devem se distanciar calmamente de Israel. Isso deve reforçar (ou, ao menos, pôr um fim ao enfraquecimento) o Paquistão. E, no espírito da aliança de Roosevelt com a URSS durante a Segunda Guerra Mundial, bem como a de Nixon com a China na década de 1970, os Estados Unidos serão convocados a chegar a um entendimento com o Irã, independentemente de atacar ou não as instalações nucleares desse país. Esses passos exigirão um exercício de poder mais sutil do que temos visto por parte dos últimos presidentes. A natureza dessa sutileza é o segundo principal tema da década a se tratar, e é um tema que abordarei posteriormente.

Embora o Oriente Médio seja o ponto de partida para o retorno do equilíbrio norte-americano, a Eurásia como um todo também exigirá um rearranjo de relações. Durante gerações, manter a sofisticação tecnológica da Europa separada dos recursos naturais e da mão de obra russos tem sido um dos objetivos-chave da política externa norte-americana. No início da década de 1990, quando os Estados Unidos continuaram supremos e Moscou perdeu o controle não apenas da ex-União Soviética, mas também do Estado russo, aquele objetivo foi negligenciado. Quase imediatamente após o 11 de setembro de 2001, o comprometimento desbalanceado das forças norte-americanas no cenário Mediterrâneo-Himalaio criou uma janela de oportunidade para o aparato de segurança russo recuperar sua influência. Sob o governo de Putin, os russos começaram a se reafirmar antes mesmo da guerra com a Geórgia, e eles têm acelerado o processo de sua reemergência desde então. Amarrados e com a atenção desviada pelo Iraque e o Afeganistão, os Estados Unidos têm sido incapazes de deter o retorno de Moscou a zonas de influência, ou até mesmo de fazer ameaças verossímeis que inibissem as ambições russas. Como resultado, o país, agora, enfrenta um poder regional significativo com sua própria agenda divergente, que inclui uma participação influente na Europa.

O perigo da reemergência da Rússia e o foco para o Oriente se tornarão mais óbvios à medida que examinarmos o outro jogador nessa segunda região de preocupação, a União Europeia. Outrora imaginada como uma supernação sob as ordens dos Estados Unidos, a UE começou a mostrar suas deficiências estruturais durante a crise financeira de 2008, que gerou uma crise subsequente nas economias do sul da Europa (Itália, Espanha, Portugal e Grécia). Quando a Alemanha, o maior motor econômico da UE, encarou a perspectiva de ratificar os erros e excessos dos parceiros dessa comunidade, o país começou a reexaminar suas prioridades. A conclusão emergente é que a Alemanha compartilhou, potencialmente, uma quantidade de interesses maior com a Rússia do que o fez com seus vizinhos europeus. Mesmo se uma grande parcela da Alemanha pudesse se beneficiar de alianças econômicas na Europa, ela permanece dependente da Rússia em relação a um volume expressivo de seu gás natural. A Rússia, por sua vez, precisa de tecnologia, o que a Alemanha tem em abundância. Ao mesmo tempo, esta última nação necessita de uma infusão de trabalhadores que não criem tensões sociais à Alemanha por conta da migração e uma solução óbvia é fundar fábricas alemãs na Rússia. Todavia, o pedido dos Estados Unidos de aumentar a ajuda alemã no Afeganistão, e em outras regiões, tem gerado fricções com os Estados Unidos e alinhado os interesses alemães mais proximamente da Rússia.

Essa conjuntura ajuda a explicar por que o retorno ao equilíbrio dos Estados Unidos exige um esforço significativo, na próxima década, no sentido de bloquear um entendimento entre Alemanha e Rússia. Como veremos, a abordagem norte-americana incluirá o cultivo de um novo relacionamento com a Polônia, a chave inglesa geográfica que pode ser atirada nas engrenagens de uma aliança germano-russa.

A China, certamente, também exige atenção. Ainda assim, a preocupação corrente com a expansão chinesa diminuirá à medida que o milagre econômico desse país chegar à maturidade. Seu desempenho econômico estabilizará ao nível de uma economia mais madura e, podemos acrescentar, uma economia mais madura com mais de 1 bilhão de pessoas vivendo na mais profunda pobreza. O foco das iniciativas norte-americanas se direcionará para o poder real no Nordeste Asiático: Japão, a terceira maior economia do mundo e a nação com a marinha mais significativa da região.

Como esse breve panorama já sugere, a próxima década será enormemente complexa, com muitas partes móveis e muitos elementos imprevisíveis. Os presidentes das décadas seguintes terão de reconciliar as tradições e os princípios morais norte-americanos com realidades que a maior parte de sua população considera confortável evitar. Isso requererá a execução de manobras exigentes, incluindo alianças com inimigos e, ao mesmo tempo, a reunião de um público que acredita, e quer acreditar, que as políticas nas relações internacionais e os valores realmente coincidem. O presidente terá de perseguir a virtude, a exemplo do que os grandes presidentes norte-americanos têm feito: com uma conveniente duplicidade.

Mas toda a habilidade do mundo não pode compensar uma deficiência profunda. Os Estados Unidos possuem o que denomino de "poder profundo", e este deve ser primeiro e antes de tudo um poder equilibrado. Isso significa poder econômico, militar e político em parcelas apropriadas e que se suportam. É profundo, num segundo sentido, que é o que fica numa base de normas culturais e éticas que definem como esse poder deve ser usado e que fornece uma estrutura para ações individuais. A Europa, por exemplo, tem poder econômico, mas é militarmente fraca e repousa numa base muito rasa. Há pouco consenso, no continente, sob o ponto de vista político, particularmente sobre a estrutura de obrigações impostas a seus membros.

Poder que esteja profundamente enraizado e bem equilibrado é raro, e tentarei mostrar que, na próxima década, os Estados Unidos estão peculiarmente situados para consolidar e exercer ambos. E, mais importante, haverá pouca escolha na matéria. Há uma ideia, tanto na esquerda como na direita, de que os Estados Unidos têm a opção de abandonar as complexidades de uma gestão do poder global. Existe a crença de que, se os Estados Unidos parassem de mediar as questões mundiais, o mundo pararia de detestá-lo e receá-lo, e os norte-americanos poderiam desfrutar de seus prazeres sem medo de ataque. Essa convicção é a nostalgia de um tempo em que os Estados Unidos visavam a seus próprios interesses domésticos e deixavam o mundo seguir sua própria trajetória.

Houve, de fato, uma época em que Thomas Jefferson podia advertir contra alianças dificultosas, mas esse não era um período em que seu país produzia anualmente 25% da riqueza global. Esse resultado, por si só, o enreda nas questões mundiais. O que os Estados Unidos consomem e produzem modela a vida das pessoas mundo afora. As diretrizes econômicas seguidas pelo país modelam as realidades financeiras do mundo. O controle dos mares da Marinha norte-americana garante ao país acesso econômico ao mundo e lhe fornece eventual poder para negar esse acesso a outros países. Mesmo se os Estados Unidos quisessem encolher sua economia a um tamanho menos intrusivo, não fica claro como isso poderia ser feito, sem mencionar que os norte-americanos pagariam o preço quando a conta fosse apresentada.

Mas isso não indica que os Estados Unidos estejam confortáveis com seu poder. A situação tem mudado muito e com muita velocidade. Essa é a razão pela qual acomodar o equilíbrio norte-americano também exigirá trazer o país em contato com seu genuíno lugar no mundo. Já observamos que a queda da União Soviética deixou os Estados Unidos sem um rival para um domínio global. O que precisa ser confrontado diretamente agora é se gostamos disso ou não e, intencionalmente ou não, os Estados Unidos emergiram da Guerra Fria não apenas como uma hegemonia, mas também como um império global.

A realidade é que o povo norte-americano não deseja um império. Isso não quer dizer que não queira os benefícios, tanto econômicos como estratégicos, que um império proporciona. Simplesmente significa que não querem pagar o preço. Economicamente, os norte-americanos querem o potencial crescimento de mercados abertos, mas não os sacrifícios. Politicamente, querem ter enorme influência, mas não o ressentimento mundial. Militarmente, querem ser protegidos dos perigos, mas não suportar as cargas de uma estratégia de longo prazo.

Os impérios raramente são planejados ou premeditados, e aqueles que o foram, como os de Napoleão e Hitler, tendem a não durar. Aqueles que resistem, desenvolvem-se organicamente, e suas posições imperiais geralmente passam despercebidas até que se tornem dominantes. Esses foram os casos dos impérios romano e britânico, se bem que estes obtiveram sucesso visto que, assim que atingiram um *status* imperial, não apenas o admitiram, mas aprenderam a gerenciá-lo.

À diferença desses dois impérios, a estrutura norte-americana de domínio é informal, mas isso não a faz menos real. Os Estados Unidos controlam os mares, e sua economia responde por mais de um quarto de tudo que é produzido no mundo. Se os norte-americanos adotassem o iPod ou uma nova mania alimentícia, fábricas e fazendas chinesas e latino-americanas se reorganizariam para servir ao novo requisito. Essa é a forma como as potências europeias governaram a China no século 19, jamais formalmente, mas modelando-a e explorando-a até o ponto que a distinção entre formal e informal raramente interessasse.

Um fato que o povo norte-americano tem problema em assimilar é que o tamanho e o poder de seu império é inerentemente destrutivo e intrusivo, o que indica que os Estados Unidos raramente podem dar um passo sem ameaçar alguma nação ou beneficiar outra. Embora esse poder confira enormes vantagens econômicas, ele naturalmente gera hostilidade. O país é uma república comercial, o que significa que vive do comércio. Sua magnífica prosperidade deriva de seus próprios ativos e virtudes, mas o país não consegue manter sua prosperidade e ficar isolado do mundo. Portanto, se os Estados Unidos pretendem assegurar seu tamanho, riqueza e poder, a única opção é aprenderem a gerir, maduramente, sua influência disruptiva.

Até que o império seja reconhecido pelo que é, fica difícil termos uma discussão pública coerente sobre sua utilidade, seus sacrifícios e, acima de tudo, sua inevitabilidade. O poder não rivalizado é bastante perigoso, mas um poder não rivalizado e não consciente é como um elefante descendo uma ladeira.

Mostrarei, então, que a próxima década deve ser uma em que os Estados Unidos se movam de uma ignorância deliberada da realidade à sua aceitação, ainda que relutante. Com essa aceitação, surgirá o começo de uma política internacional mais elaborada. Não haverá proclamação do império, somente uma gestão efetiva baseada na verdade subjacente da situação.

CAPÍTULO 1

O IMPÉRIO NÃO PLANEJADO

O presidente norte-americano é o líder político mais importante do mundo. A razão é simples: ele governa uma nação cujas diretrizes econômicas e militares estruturam a vida das pessoas em todos os países, em todos os continentes. O presidente tem o poder de executar ordens de invasões, embargos e sanções. As políticas econômicas que ele formata repercutirão em bilhões de vidas, talvez em muitas gerações. Durante a próxima década, qualquer que seja o presidente, e o que ele (ela) escolher fazer, afetará a vida de cidadãos não norte-americanos mais do que as decisões de seus próprios governantes.

Isso me fez refletir em casa, na noite da mais recente eleição presidencial no país, quando tentei telefonar a uma de minhas colaboradoras em Bruxelas e consegui falar com ela em um bar lotado de belgas celebrando a vitória de Barack Obama. Descobri, mais tarde, que essas festas comemorativas para Obama tinham ocorrido em dezenas de cidades mundo afora. As pessoas, em todas as regiões do planeta, pareciam sentir que o resultado da eleição norte-americana importava muito para elas, e muitos pareceram pessoalmente motivados pela ascensão ao poder do presidente.

Antes do fim do primeiro ano de Obama no cargo, cinco políticos noruegueses concederam a ele o Prêmio Nobel da Paz, para a consternação de muitos que achavam que ele ainda não tinha feito algo para merecê-lo. Mas, de acordo com o presidente do Comitê, Obama tinha imediata e dramaticamente alterado a percepção do mundo sobre os Estados Unidos, e essa mudança, por si só, merecia o prêmio. George W. Bush tinha sido odiado, pois era visto como um brigão imperialista. Obama estava sendo celebrado, pois sinalizara que ele não seria um governante com essa característica.

Do comitê do Prêmio Nobel aos bares de Cingapura e São Paulo, o que estava sendo não conscientemente reconhecido era a singularidade da presidência norte-americana em si, bem como a nova realidade que os norte-americanos, por sua vez, tinham relutância em admitir. O novo regime norte-americano importava tanto para os noruegueses, belgas, polacos ou chilenos, e para os outros povos ao redor do mundo, porque o presidente norte-americano está, neste momento, no papel, às vezes estranho (e nunca definido explicitamente), de imperador global, uma realidade com a qual o mundo, e o presidente, sofrerá(ão) muitas dificuldades na próxima década.

O IMPERADOR NORTE-AMERICANO

A influência e posição únicas do presidente norte-americano não são derivadas de conquista, intento ou ordenação divina, mas são o resultado de os Estados Unidos serem a única potência militar global. A economia norte-americana tem também mais do que o triplo do tamanho da próxima maior nação soberana. Essas realidades dão ao país um poder que é desproporcional à sua população, seu tamanho, ou, para o que importa, ao que muitos podem considerar justo ou prudente. Mas os Estados Unidos não pretendiam se tornar um império. Esse arranjo não planejado foi uma consequência de eventos, poucos deles sob o controle norte-americano.

Certamente houve conversas sobre império antes disso. Entre o *Manifest Destiny*[1] e a Guerra Ibero-Americana, o século 19 foi repleto

[1] Manifesto (século 19) em que os Estados Unidos acreditavam que estavam destinados a expandir seu território. (N. T.)

de visões imperiais que eram notadamente modestas comparadas ao que emergiu. O império sobre o qual estou falando tem pouco a ver com aqueles pensamentos anteriores. De fato, meu argumento é que a versão mais recente do império norte-americano surgiu sem planejamento ou intenção.

Da Segunda Guerra Mundial até o fim da Guerra Fria, os Estados Unidos avançaram lentamente até esta preeminência, mas isso não se concretizou até 1991, quando a União Soviética colapsou, deixando a nação norte-americana sozinha como um colosso sem contrapeso.

Em 1796, Washington fez seu discurso de despedida e anunciou este princípio: “A grande regra de conduta para nós, em relação às nações estrangeiras, é a de estender nossas relações comerciais e ter com elas a menor conexão política possível”. Os Estados Unidos tinham, à época, a opção de permanecerem separados do mundo. Eram um país pequeno, geograficamente isolado. Hoje, independentemente do desejo do restante do mundo de que sejamos menos intrusivos ou de quão tentadora esta perspectiva possa parecer aos norte-americanos, isso é simplesmente impossível para uma nação cuja economia é vasta demais para ter relações comerciais sem embaraços ou consequências políticos. O impulso antipolítico ditado por Washington condisse com os fundadores anti-imperialistas da república. Ironicamente, o extraordinário sucesso dessa república tornou essa visão impossível.

A economia norte-americana é como um redemoinho, puxando tudo para seu turbilhão, com imperceptíveis contracorrentes que podem devastar países pequenos ou enriquecê-los. Quando nossa economia está indo bem, ela é o motor que aciona toda a máquina; quando falseia, a máquina como um todo pode se fragmentar. Não há uma única economia que afete o mundo tão profundamente ou que una as nações tão efetivamente.

Quando examinamos o mundo sob o ponto de vista das exportações e importações, é surpreendente o número de países que dependem dos Estados Unidos para obter 5% ou até 10% de seus PIBs, uma quantidade tremenda de interdependência. Embora haja relações econômicas bilaterais e, inclusive, multilaterais que não os incluam, não há nenhuma

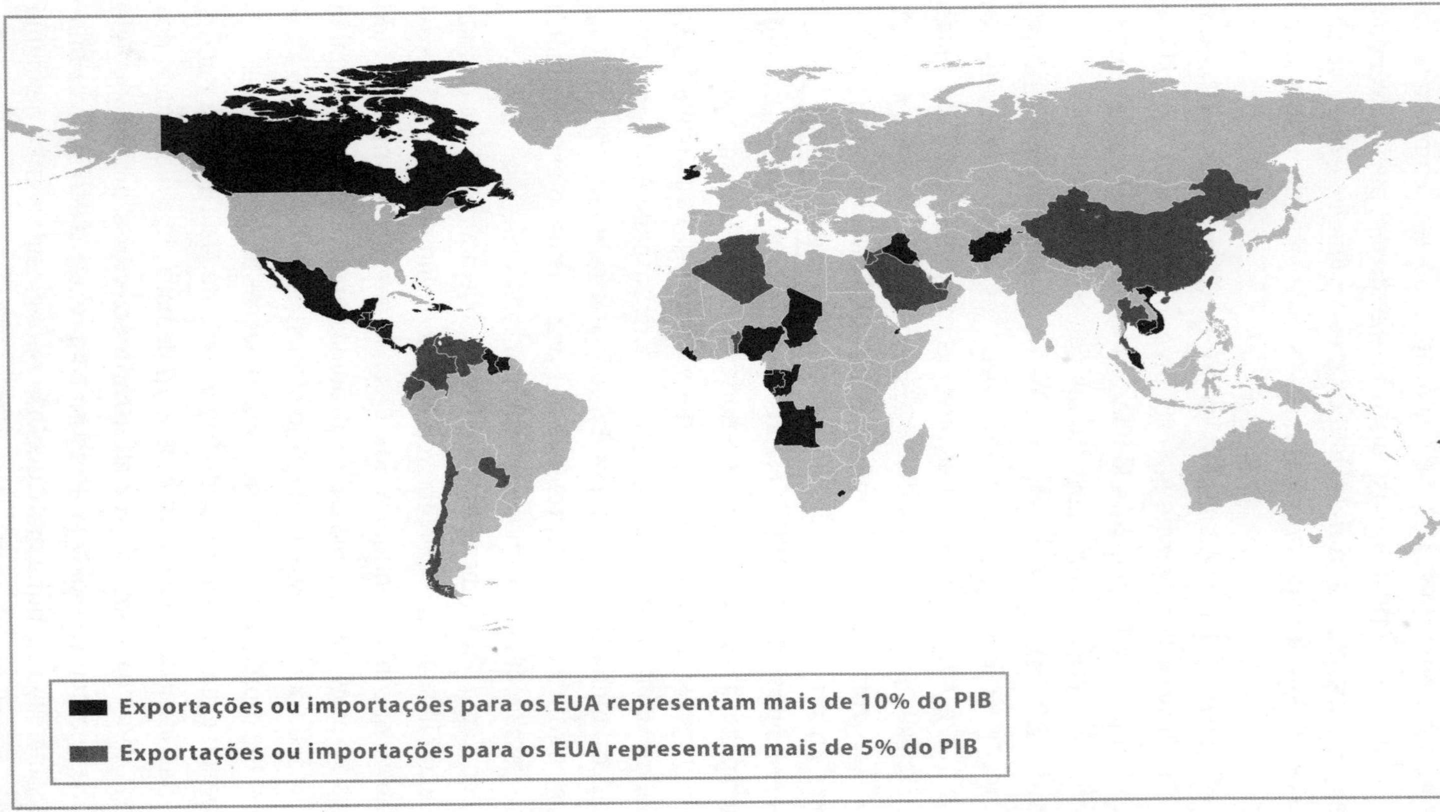

Principais relações comerciais norte-americanas

relação que não seja afetada pelos Estados Unidos. Todos observam e esperam para ver o que os Estados Unidos farão. Todos tentam modelar o comportamento norte-americano, ao menos um pouco, de modo a ganhar alguma vantagem ou evitar alguma desvantagem.

Historicamente, esse grau de interdependência tem gerado fricção e até guerras. No século 19 e início do 20, a França e a Alemanha receavam seus poderes respectivamente, de modo que cada um dos países tentou se modelar ao comportamento do outro. O resultado foi que ambos entraram em guerra mútua três vezes em setenta anos. Antes da Primeira Guerra Mundial, o jornalista inglês (posteriormente membro do Parlamento) Norman Angell, escreveu um livro amplamente lido denominado *A grande ilusão*, no qual demonstrava o alto grau de interdependência econômica na Europa e afirmava que isso tornava a guerra impossível. Obviamente, as duas Guerras Mundiais provaram que esse não era o caso. Defensores do livre-comércio continuam a utilizar esse argumento. No entanto, como veremos, um alto grau de interdependência, com os Estados Unidos no papel central, efetivamente aumenta, e não diminui, o perigo de guerras.

Como o mundo não é mais preenchido com poderes relativamente iguais, isto acaba mitigando, de alguma forma, o risco de aventuras militares. Certamente, o domínio do poder militar norte-americano é de tal grau que nenhum país pode usar sua força principal para, fundamentalmente, redefinir sua relação com os Estados Unidos. Por outro lado e ao mesmo tempo, podemos ver que a resistência ao poder norte-americano é substancial e que guerras têm sido frequentes desde 1991.

Embora o poder imperial norte-americano possa se degradar, um poder dessa magnitude não colapsa rapidamente, exceto por meio de uma guerra. Os poderes alemão, japonês, francês e britânico declinaram devido a guerras que devastaram a economia desses países, produzindo dívidas como um dos muitos subprodutos da guerra. A Grande Depressão, que assolou o mundo nas décadas de 1920 e 1930, teve suas raízes na devastação da economia germânica como resultado da Primeira

Guerra Mundial e na interrupção das relações comerciais e financeiras mundiais que haviam se desenvolvido nos anos anteriores. Inversamente, a grande prosperidade da aliança norte-americana após 1950 resultou do poder econômico que os Estados Unidos erigiram, incólumes, durante a Segunda Guerra Mundial.

A não ser em uma situação de guerra devastadora e de grandes proporções, qualquer outro realinhamento de influência internacional, baseado na economia, será um processo que levará gerações, se acontecer. Dizem que a China é a potência do futuro. Talvez sim. No entanto, a economia norte-americana é 3,3 vezes maior que a chinesa. A China deve sustentar uma taxa de crescimento extraordinariamente alta por um longo período até reduzir essa lacuna em relação aos Estados Unidos. Em 2009, o país respondia por 22,5% de todos os investimentos estrangeiros diretos, o que, segundo o Conselho das Nações Unidas sobre Comércio e Desenvolvimento, tornava-o a maior fonte de investimentos do mundo. A China, em comparação, respondia por 4,4%.

Os Estados Unidos são os maiores tomadores de empréstimos do mundo, mas essa condição de endividamento não reduz sua habilidade de afetar o sistema internacional. Quer não faça empréstimos, aumente ou diminua o nível de empréstimos, a economia norte-americana constantemente modela os mercados globais. É o poder de modelar que é importante. Certamente, também deve ser lembrado que, para cada dólar que os Estados Unidos tomam emprestado, outros países estão emprestando. Se for para confiarmos no mercado, é o mesmo que dizer que emprestar aos Estados Unidos, até nas taxas de juros correntemente baixas, é um bom movimento.

Muitos países têm impactos em outros países. O que faz dos Estados Unidos um império é o número de países que ele afeta, a intensidade do impacto e o número de pessoas naqueles países afetadas por essas decisões e processos econômicos.

Nos últimos anos, por exemplo, os norte-americanos tiveram um apetite crescente por camarões. Essa onda no mercado norte-americano estimulou que as fazendas de piscicultura no delta de Mekong ajustassem suas produções para satisfazer à nova demanda. Quando a economia dos Estados Unidos declinou em 2008, alimentos mais sofisticados, como camarões, foram os primeiros a ser cortados, uma redução de despesas que foi sentida no Sudeste Asiático. Seguindo um padrão similar, a Dell, fabricante de computadores, construiu uma instalação de grande porte na Irlanda, mas, quando os custos de mão de obra aumentaram por lá, houve uma transferência de operações para a Polônia, mesmo em uma época em que a Irlanda estava sob uma grave pressão econômica. Os Estados Unidos são, também, modelados por outros países, assim como o eram a Grã-Bretanha e Roma. Mas os Estados Unidos estão no centro da rede, não na periferia, e sua economia é aumentada por seu corpo militar. Acrescente a isso a vantagem tecnológica e podemos ver a estrutura de poder profundo da América.

Os impérios podem ser normativos, com uma clara estrutura de autoridade, mas alguns podem ser mais sutis e complexos. O Império Britânico controlava o Egito, mas seu poder formal não era tão claro. Os Estados Unidos têm o alcance global de modelar o curso de muitos outros países, mas, como o país se recusa a pensar sobre si mesmo como um poder imperial, não tem criado uma estrutura formal, racional, para gerir o poder que evidentemente possui.

O fato de que os Estados Unidos têm enfrentado revezes no Oriente Médio de forma alguma reduz o argumento de que ele é um império, embora um império imaturo. Falhas e impérios não são incompatíveis, e, no curso do crescimento e expansão imperial, os desastres não são tão raros. A Grã-Bretanha perdeu a maioria de suas colônias na América do Norte em rebeliões um século antes de o império ter atingido seu ápice. Os romanos enfrentaram guerras civis em ciclos recorrentes.

Embora o núcleo do poder norte-americano seja econômico, por mais estranho que possa parecer no momento, o que está por trás deste poder econômico é seu poder militar. O propósito das forças militares norte-americanas é evitar que qualquer nação lesada por sua influência econômica ou qualquer coalizão dessas nações utilize força para reparar as condições que a colocaram (ou as colocaram) numa desvantagem.

Como as legiões romanas, as tropas norte-americanas são dispostas antecipadamente mundo afora, simplesmente porque o modo mais eficiente de utilizar poder militar é interromper poderes emergentes antes de eles poderem até mesmo se tornar tangencialmente ameaçadores.

O mapa na página seguinte sublinha a presença militar norte-americana, mas não rastreia, por exemplo, as equipes do U.S. Special Operations, que operam secretamente em muitas regiões, notavelmente na África. Nem inclui missões de treinamento, suporte técnico e funções similares. Algumas dessas tropas estão combatendo em conflitos, outras estão interditando drogas, e algumas delas protegendo seus países anfitriões de potenciais ataques, bem como outras mais estão utilizando esses países anfitriões como áreas de concentração de tropas nos casos em que há necessidade de tropas norte-americanas em outros países vizinhos. Em alguns casos, essas tropas ajudam no apoio a cidadãos norte-americanos envolvidos em governar direta ou indiretamente o país. Em outros casos, as tropas estão meramente presentes e não controlam nada. As tropas em nosso território não estão aqui para proteger o território da mesma forma que estão para serem disponibilizadas pelo que as forças militares chamam de projeção de poder. Isso significa que elas estão prontas para servir em qualquer parte que o presidente julgue apropriada.

Para servir como um império global, os Estados Unidos alinham seus sistemas econômico e militar para se posicionar como o agente assegurador da economia global. O país fornece, simultaneamente, tecnologias e outros produtos e serviços para compra, um mercado gigantesco no qual vende, e Forças Armadas para manter abertas as rotas marítimas. Se necessário, move-se para regiões não governadas por quaisquer políticas, mas isso é feito não para o benefício de outras nações e sim para seu próprio. Definitivamente, o poder da economia norte-americana e a preparação e organização de sua força militar fazem do alinhamento com o país uma necessidade para muitas nações. É essa necessidade que atrela as nações aos Estados Unidos mais fortemente do que qualquer sistema imperial formal poderia esperar realizar.

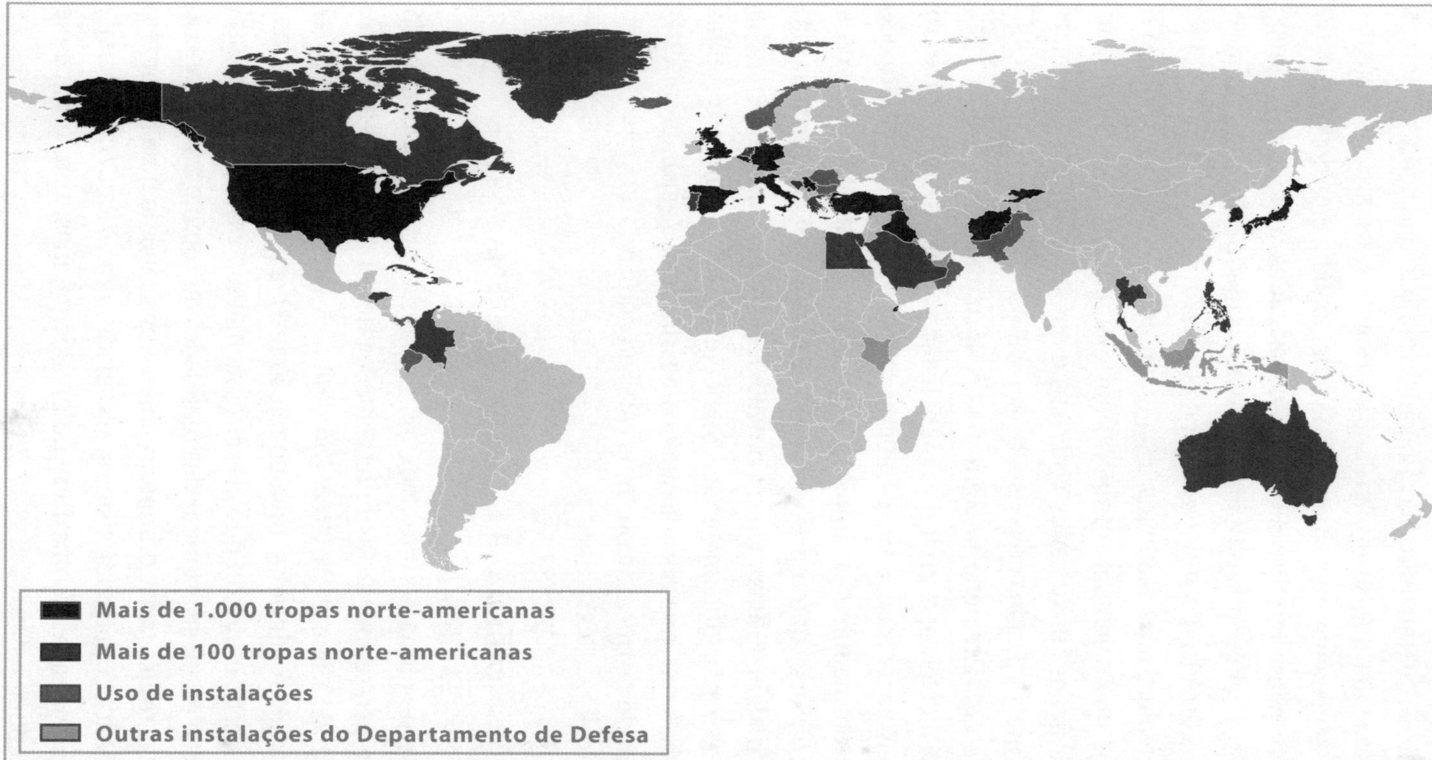

Países com presença militar norte-americana (dados de 31/12/2007; não incluem organização e preparação de tropas clandestinas)

Fontes: Departamento de Defesa Norte-Americano, International Institute of Strategic Studies, STRATFOR

Impérios são, geralmente, reconhecidos muito tempo depois de terem surgido. À medida que se tornam autoconscientes, usam seus ímpetos para, conscientemente, se expandirem, adicionando uma ideologia de imperialismo; pense na "Pax Romana" ou no "fardo dos homens brancos" britânico, para captar a realidade de um império. Um império atrai escritores como Virgílio e poetas como Rudyard Kipling após ter sido bem estabelecido, mas não antes. E, a exemplo dos impérios romano e britânico, os que celebram o império norte-americano coexistem com aqueles que ficam horrorizados com isso e que anseiam por dias mais autênticos, mais voltados ao passado.

Roma e Grã-Bretanha ficaram atadas ao mundo do império, mas aprenderam a celebrar a armadilha. Os Estados Unidos ainda estão no ponto em que se recusam a ver o império que se tornaram, e sempre que percebem as armadilhas do império, elas são repelidas. Mas chegou a hora de reconhecer que o presidente dos Estados Unidos gerencia um império de poder e influência sem precedentes, muito embora ele possa ser informal e não documentado. Somente então podemos formular políticas para a próxima década que nos possibilitarão gerir apropriadamente o mundo de que descobrimos estar no comando.

GERENCIAR A REALIDADE IMPERIAL

Durante os últimos vinte anos, os Estados Unidos têm batalhado arduamente para enfrentar as reverberações de ser "a última nação de destaque" após a queda da União Soviética. A tarefa do presidente na próxima década é migrar de uma condição reativa para um método sistemático de gerir o mundo que ele domina, método esse que enfrentará honestamente e sem se esquivar das realidades de como o mundo opera. Isso significa transformar o império norte-americano de uma desordem não documentada para um sistema ordenado, uma "Pax Americana", não porque seja uma escolha livre do presidente, mas, sim, porque ele não tem escolha.

Trazer ordem ao império é uma necessidade, pois, muito embora os Estados Unidos sejam surpreendentemente poderosos, estão longe de serem onipotentes e, por terem um poder singular, geram perigos singulares. Os Estados Unidos foram atacados em 11 de setembro de 2001, por exemplo, por conta de seu poder único. A tarefa do presidente é gerenciar esse tipo de poder de modo que reconheça os riscos e as oportunidades, para minimizar os primeiros e maximizar os segundos.

Para aqueles que ficam melindrados sobre qualquer discussão sobre império e sobre trazer ordem ao controle imperial, eu assinalaria que as realidades da geopolítica não conferem aos presidentes o luxo de exercitarem virtudes do modo como pensamos quando aplicável a cidadãos comuns. Dois presidentes, Jimmy Carter e George W. Bush, que tentaram perseguir diretamente a virtude, fracassaram espetacularmente. Por outro lado, outros presidentes, como Richard Nixon e John F. Kennedy, que eram muito mais impiedosos, fracassaram porque suas ações não estavam direcionadas e unificadas por qualquer propósito moral prioritário.

Abraham Lincoln preservou a União e aboliu a escravidão iniciando um programa conjunto de fraudes e ignorando as liberdades civis. Para manter a lealdade dos estados fronteiriços, ele jamais confessou claramente sua intenção de abolir a escravatura nos grandes debates de 1858. Ao contrário, ele dissimulou, alegando que, embora se opusesse à disseminação da escravidão para além do Sul, não tinha qualquer intenção de abolir o direito de possuir escravos em estados em que possuí-los já era legal.

No entanto, Lincoln fez mais que prevaricar. Ele suspendeu o direito ao *habeas corpus* por todo o país e autorizou a detenção de legisladores pró-Secessão em Maryland. Nem tentou justificar esses atos, exceto para dizer que, se Maryland e outros estados fronteiriços se separassem, a guerra seria perdida e a nação seria desmembrada, deixando a constituição sem significado.

Passados setenta e cinco anos, em meio a outra crise séria para a nação, Franklin Roosevelt também fez o que fora necessário, embora mentisse para ocultar seus atos de um público que ainda não estava preparado para seguir sua liderança. No final dos anos 1930, o congresso e o povo queriam manter uma estrita neutralidade quando a Europa se preparava para a guerra, mas Roosevelt entendeu que a sobrevivência da própria democracia estava em risco. Ele arranjou, secretamente, a venda de armas à França e se comprometeu com Winston Churchill de modo a utilizar a Marinha norte-americana para proteger os navios mercantes que levavam suprimentos à Inglaterra, uma evidente violação da neutralidade.

A exemplo de Lincoln, Roosevelt foi motivado por um propósito moral, isto é, uma visão moral para a estratégia global. Ele fora ofendido pela Alemanha nazista e estava voltado para a manutenção do conceito de democracia. Ainda, para preservar as instituições e os interesses norte-americanos, fez uma aliança com a União Soviética de Stálin, um regime que, em termos morais, era de todo modo tão depravado como o dos nazistas. No aspecto doméstico, ele desafiou um conjunto de normas da Suprema Corte e autorizou a escuta de ligações clandestinas bem como a interceptação e abertura de correspondências. No entanto, sua violação mais odiosa das liberdades civis foi aprovar a detenção e realocação de japoneses étnicos, independentemente de seus *status* de cidadania. Roosevelt não tinha ilusões sobre o que estava fazendo. Estava violando impiedosamente regras de decência com vistas a uma necessidade moral.

Ronald Reagan também perseguia uma trajetória implacável para alcançar um propósito moral. Sua meta era a destruição do que chamava de império do mal da União Soviética e ele objetivou isso, em parte, acelerando a corrida armamentista, que ele sabia que os soviéticos não conseguiriam acompanhar. Em seguida, elaborou e empreendeu iniciativas tortuosas de modo a bloquear o suporte soviético a movimentos de libertação nacional no Terceiro Mundo. Invadiu Granada em 1983 e deu apoio a insurgentes que combatiam o governo marxista da Nicarágua. Pelo mesmo princípio, envolveu Israel na venda de armas ao Irã em sua guerra contra o Iraque e, em seguida, canalizou os lucros para os insurgentes nicaraguenses, como um modo de contornar uma lei especificamente projetada para evitar essa intervenção. Devemos também lembrar o apoio ativo de Reagan para os jihadistas muçulmanos no Afeganistão, que lutavam contra os soviéticos. A exemplo de Roosevelt e Stálin, um futuro inimigo pode ser útil para derrotar um inimigo do presente.

A próxima década não será um tempo de grandes cruzadas morais. Ao contrário, será uma era de processos, tempo em que as realidades do mundo apresentadas por fatos justificáveis serão incorporadas mais formalmente em nossas instituições.

Durante a última década, os Estados Unidos travaram uma cruzada exasperadora contra o terrorismo. Na próxima década, a necessidade será por menos paixão e mais ajustes meticulosos nas relações com países como Israel e Irã. O tempo também clama pela criação de sistemas de aliança para incluir nações como Polônia e Turquia, que tiveram relações recém-definidas com os Estados Unidos. Esse é o trabalho difícil e detalhado da estratégia imperial. No entanto, o presidente não se pode dar ao luxo de achar que o mundo simplesmente aceitará a realidade de uma esmagadora hegemonia norte-americana, muito menos pode se permitir abandonar o poder. Ele não pode esquecer que, apesar de seu *status* quase imperial, é o presidente de um país e não do mundo.

Essa é a razão pela qual uma palavra que não devemos utilizar é "império". O etos anti-imperial da fundação dos Estados Unidos continua a reforçar a cultura política do país. Além do mais, a ilusão de que o poder é distribuído mais igualmente é útil não apenas para outras nações, mas também para os Estados Unidos. Ainda assim, na próxima década, a realidade informal do império global norte-americano deve começar a adotar uma forma coerente.

Um presidente não deve forçar o povo a confrontar diretamente realidades que ainda não está preparado para confrontar; ele deve se tornar um mestre no gerenciamento de ilusões. A escravidão não poderia ter sobrevivido muito além dos anos 1860, independentemente de quanto o Sul a desejasse. A Segunda Guerra Mundial não poderia ter sido evitada, independentemente das tendências públicas a um movimento de isolamento. A confrontação com a União Soviética tinha de acontecer, ainda que o público estivesse apavorado com aquelas crises. Em cada caso, um presidente forte criou um tecido de ilusões para que fizesse o que era necessário sem provocar uma imensa revolta do povo. No caso do presidente Reagan, quando suas maquinações no tratamento com armas vieram à tona como a "questão contra Irã" que foi divulgada amplamente, com audições no congresso, acusações e penas para muitos dos participantes, sua personalidade bem conservada de um companheiro simplório amparou seu poder e sua imagem de uma queda. Os eventos subsequentes em Israel, no Irã e na Nicarágua foram tão complexos que até mesmo seus críticos tiveram problemas em acreditar que ele poderia ter sido o responsável.

UMA ESTRATÉGIA GLOBAL DE REGIÕES

Os interesses fundamentais dos Estados Unidos são a sua segurança física e um sistema econômico internacional relativamente livre. Como veremos, quando nos voltarmos ao atual estado da economia mundial, isso de forma alguma implica um regime de livre-comércio no sentido que possa ter sido pensado pelos ideólogos de um mercado livre. Significa simplesmente um sistema internacional que permite à vasta economia norte-americana interagir com a maior parte das nações do mundo, se não com todas elas. Independentemente do regime regulatório que possa haver, os Estados Unidos precisam comprar e vender, emprestar e tomar emprestado, aceitar investimentos e investir com um alcance global.

Um quarto da economia mundial não pode se desenvolver em isolamento, nem as consequências da interação podem ser confinadas à economia pura. A economia norte-americana é criada com base em inovações tecnológicas e organizacionais, até, e incluindo, o que o economista Joseph A. Schumpeter denominou "destruição criativa": o processo pelo qual a economia continuamente se destrói e se renova, principalmente graças ao avanço de tecnologias de ponta.

Quando a cultura econômica norte-americana toca outros países, os que foram afetados têm a escolha de se adaptar ou afundar. Computadores, por exemplo, juntamente com as empresas organizadas em torno deles, têm levado a consequências profundamente disruptivas na vida cultural de todas as regiões do mundo, de Bangalore à Irlanda. A cultura norte-americana fica confortável com esse tipo de fluxo, enquanto outras culturas podem não ficar. A China assumiu o ônus adicional de tentar se adaptar a uma economia de mercado ainda que mantendo as instituições políticas de um estado comunista. A Alemanha e a França lutaram para limitar o impacto norte-americano, para isolar a si próprias do que denominam de "economia anglo-saxônica". Os russos oscilaram desde sua primeira exposição não impactante até a força na década de 1990, e tentaram encontrar seu equilíbrio na década seguinte.

Em resposta ao redemoinho norte-americano, a atitude do mundo, não surpreendentemente, de modo geral é de obstinação e resistência, pois os países tentam tirar vantagem disso ou evitar suas consequências. O presidente Obama sentiu essa resistência e capitalizou nela. Domesticamente, ele abordou a necessidade de os norte-americanos serem admirados e amados; no exterior, considerou a necessidade de os Estados Unidos serem mais conciliadores e menos dominadores.

Embora Obama identificasse o problema e tentasse contorná-lo, a resistência ao poder imperial permanece um problema sem uma solução permanente. Isso porque, ultimamente, ele deriva não das políticas norte-americanas, e sim da natureza inerente do poder imperial.

Os Estados Unidos têm ocupado esta posição próxima de um poder hegemônico há somente vinte anos. A primeira década desse período imperial foi uma fantasia irrefletida em que o término da Guerra Fria foi assumido como o fim da própria guerra, uma ilusão que vem à tona no fim de todos os conflitos mais importantes. Os primeiros anos do novo século formaram a década em que o povo norte-americano descobriu que este ainda era um planeta perigoso e que o presidente norte-americano conduzira um esforço desesperado para gerar uma resposta pontual. O período entre 2011 e 2021 será a década na qual os Estados Unidos começarão a aprender a gerir a hostilidade mundial.

Os presidentes, na próxima década, deverão articular uma estratégia que reconheça que as ameaças que ressurgiram nos últimos dez anos não foram uma aberração. A Al Qaeda e o terrorismo foram uma ameaça brutal, mas efetivamente não foram as ameaças mais sérias confrontadas pelos Estados Unidos. O presidente pode e deve falar de prever uma era em que essas ameaças não existam, mas ele não deve acreditar em sua própria retórica. Contrariamente, deve gradualmente libertar o país da noção de que ameaças ao poder imperial sempre diminuirão, levando assim a um entendimento de que esses perigos são o preço que os norte-americanos pagam pelo poder e riqueza que detêm.

Da mesma forma, deve planejar e executar a estratégia sem necessariamente admitir que ela esteja presente.

Não enfrentando nenhum rival pela hegemonia global, o presidente deve pensar no mundo em termos de regiões distintas e, ao fazer isso, criar equilíbrios regionais de poder, junto com parceiros de coalizão e planos de contingência para intervenção. O objetivo estratégico deve ser o de evitar o surgimento de qualquer poder que possa desafiar os Estados Unidos em qualquer canto do mundo.

Enquanto Roosevelt e Reagan tiveram a grandeza de desempenhar uma ajuda integrada única global, vasta, porém, unitária, os presidentes na próxima década desempenharão múltiplas ajudas numa mesa de negociações extremamente fragmentada. O tempo quando tudo orbitava em torno de uma ou poucas ameaças globais já acabou. O equilíbrio de poder na Europa não está intimamente conectado ao da Ásia e é distinto do equilíbrio de poder que mantém a paz na América Latina. Assim, ainda que o mundo não seja tão perigoso para os Estados Unidos como era durante a Segunda Guerra Mundial ou a Guerra Fria, ele é muito mais complicado.

A política norte-americana de relações externas naturalmente já se fragmentou regionalmente, conforme refletida nas várias séries de comandos regionais sob as quais nossas forças militares estão organizadas. Agora é necessário reconhecer abertamente a mesma fragmentação em nossa mentalidade estratégica e, consequentemente, lidar com isso. Devemos reconhecer que não há nenhuma aliança global suportando os Estados Unidos e que o país não tem relações históricas especiais com qualquer outro país. Outra citação do endereçamento de despedida de Washington é útil neste ponto: "A nação que aplica em outra um habitual ódio ou paixão é, sob certos aspectos, escrava. É escrava quanto à sua animosidade ou afeição, qualquer uma das duas possibilidades é suficiente para desviá-la de sua tarefa e de seu interesse". Isso significa que a OTAN não tem mais um significado único para os Estados Unidos fora do contexto europeu e que a Europa não pode ser considerada mais importante do que qualquer outra parte do mundo. Por mais que haja alguma nostalgia por uma "relação especial", a realidade simples na atualidade é que a Europa não é mais importante.

Ainda assim, o presidente Obama fez uma campanha focada nos europeus.

Suas viagens antes da eleição de 2008 simbolizavam o que ele queria dizer com o multilateralismo que estava comprometendo, novamente, os Estados Unidos à Europa, consultando este continente sobre as ações norte-americanas no exterior e aceitando suas precauções (agora que perderam seus impérios, os europeus sempre falam em termos de precaução). Os gestos de Obama obtiveram sucesso. Os europeus ficaram extremamente entusiasmados com os norte-americanos, e muitos norte-americanos contentes por gostarem deles novamente. É claro, o entusiasmo se dissipou rapidamente à medida que os europeus descobriram que Obama era, afinal de contas, um presidente norte-americano, perseguindo os objetivos de seu país.

Toda essa conjuntura nos apresenta o desafio do presidente na próxima década: conduzir uma política externa implacável, não sentimental, em uma nação que ainda conserva fantasias injustificáveis de ser amada, ou ao menos de ser deixada em paz. Ele deve fingir sentimentalismo para o público enquanto se move para um outro nível de política.

Uma política exterior não sentimental indica que, na próxima década, o presidente deve identificar de maneira clara e fria os inimigos mais perigosos e, em seguida, criar coalizões para gerenciá-los. Essa abordagem implacável significa se livrar de todo o sistema de alianças e instituições da Guerra Fria, incluindo a OTAN, o Fundo Monetário Internacional e as Nações Unidas. Essas relíquias da Guerra Fria são insuficientemente flexíveis para lidar com a diversidade do mundo atual, que se redefiniu em 1991, tornando as velhas instituições obsoletas. Algumas podem ter um valor continuado, mas somente no contexto de novas instituições que devem surgir. Estas instituições precisam ter um caráter regional, servindo aos interesses estratégicos dos Estados Unidos segundo os três princípios:

1. Permitindo o equilíbrio de poder no mundo por meio da estabilização de cada região, de maneira a consumir energias e desviar a atenção de ameaças dos Estados Unidos.
2. Criando alianças nas quais os Estados Unidos manobrem outros países para que suportem o ônus principal de confrontação ou conflito, apoiando-os com benefícios econômicos, tecnologia militar e promessas de intervenção militar se necessário.
3. Utilizando intervenção militar somente como último recurso, quando o equilíbrio de poder for rompido e os aliados não mais conseguirem lidar com o problema.

Em pleno Império Britânico, disse lorde Palmerston: “É limitado supor que este ou aquele país deva ser marcado como o aliado eterno ou inimigo perpétuo da Inglaterra. Não temos aliados eternos nem inimigos perpétuos. Nossos interesses são eternos e perpétuos; quanto aos interesses dos demais, é nosso dever acompanhar”. Este é o tipo de política que o presidente necessita institucionalizar na próxima década. Reconhecendo que os Estados Unidos gerarão ressentimentos ou hostilidades, ele não deve abrigar ilusões de que pode meramente persuadir outras nações a pensar melhor de nós sem renunciar a interesses que são essenciais a si mesmos... Deve tentar seduzir essas nações o máximo possível com promessas reluzentes, mas, no final, deve aceitar que iniciativas de sedução eventualmente podem fracassar. O ponto em que ele não pode falhar é em sua responsabilidade em orientar os Estados Unidos em um mundo hostil.

Capítulo 2

República, império e o presidente maquiavélico

O grande desafio para gerenciar um império durante a próxima década será o mesmo que Roma enfrentou: ao se tornar um império, como a república pode ser preservada? Os fundadores dos Estados Unidos eram anti-imperialistas por convicção moral. Eles empenharam suas vidas, fortunas e honras sagradas para derrotar o Império Britânico e fundar uma república baseada nos princípios da autodeterminação nacional e dos direitos naturais. Uma relação imperialista em relação a outros países, quer seja ou não proposital, coloca um desafio àqueles princípios fundamentais.

Se você acredita que os princípios universais têm significado, uma república anti-imperialista não pode ser um império e reter seu caráter moral. Essa tem sido uma discussão nos Estados Unidos que remonta ao distante 1840 e à guerra entre o país e o México. Hoje, ambas as extremidades do espectro político são contra aventuras no estrangeiro. Na esquerda, há uma longa tradição de anti-imperialismo. Mas, se você examinar uma parcela da retórica que emana da direita, de libertários a alguns militantes do Tea Party, é possível ver a mesma oposição ao envolvimento militar em outros países. O medo está ligado ao aviso de Dwight Eisenhower para tomarem cuidado com o "complexo industrial-militar". Se um oficial de carreira e herói de guerra como Ike podia expressar esse temor, é possível ver como ele está profundamente enraizado na cultura política norte-americana. Suspeito que isso passará a ser um elemento poderoso em nossa política nos próximos dez anos, num país em que, sob todo o espectro político, os cidadãos receiam envolvimentos no estrangeiro.

O receio de uma ambição imperialista é completamente justificado. A república romana foi arrasada pelo império. Esta entidade criou uma ambição por dinheiro e poder que devastou as virtudes republicanas, que eram o maior orgulho dos cidadãos romanos. Mesmo se esse orgulho não fosse totalmente justificado, não há dúvida de que a república foi destruída não apenas pelas rivalidades militares que levaram a um golpe de Estado, mas também pelas vastas somas de dinheiro que fluíram para a capital imperial, vindas de cidadãos e estrangeiros tentando comprar favores.

Há o mesmo perigo no caso dos Estados Unidos. O poder global norte-americano gera constantes ameaças e, ainda, maiores tentações. Tem sido observado que, desde a Segunda Guerra Mundial, o país tem criado um aparato de segurança nacional tão envolto em segredos oficiais que ele não pode ser facilmente supervisionado ou mesmo entendido. Esse aparato extremamente caro e embaraçoso somado às grandes quantidades de atividade econômica estrangeira — do imenso comércio com investimentos estrangeiros que impelem mercados globais — criam um sistema que não é prontamente administrado por instituições democráticas nem facilmente reconciliado com os princípios morais norte-americanos. Não é inimaginável que, juntas, essas forças podem tornar sem sentido a democracia norte-americana.

O problema é que, a exemplo de Roma no tempo de César, os Estados Unidos atingiram um ponto em que não têm escolha quanto a ter ou não um império. A grandeza de sua economia, seus enredamentos em países mundo afora, o poder e a presença mundial de suas forças militares têm, de fato, um escopo de efeito imperialista. Desenredar os Estados Unidos desse sistema global é praticamente impossível e, se fosse tentado, desestabilizaria não apenas nossa economia, mas também o sistema global. Quando o preço do anti-imperialismo for entendido, haverá um apoio escasso para ele. Na realidade, muitos países estrangeiros têm menos oposição à presença norte-americana do que têm do modo como essa presença é percebida. Eles aceitam o poder norte-americano, desde que ele sirva a seus próprios interesses nacionais.

Os perigos de um poder imperialista são substanciais, e esses perigos se tornam cada vez mais questões contenciosas na política norte-americana, pois já são calorosamente debatidos em todas as regiões do mundo. No passado, o não intervencionismo da república, que os fundadores pregaram, baseava-se no fato de que a república era fraca, não que fosse algo virtuoso. Os Estados Unidos de treze ex-colônias não podiam se envolver em enredamentos estrangeiros sem serem oprimidos. Os Estados Unidos de 300 milhões de habitantes não podem evitar enredamentos estrangeiros.

Administrar o império não planejado enquanto retêm as virtudes republicanas será uma prioridade importante dos Estados Unidos durante muito tempo, mas, certamente, na esteira das guerras jihadistas, será um desafio particularmente intenso. A maior parte da discussão será "sonhar acordado". Não há volta nem soluções geniais. O paradoxo é que a melhor chance de reter a república não é institucional, mas pessoal, e isso dependerá de uma definição de virtude que viole nossas noções comuns do que é a virtude. Eu não olho para o equilíbrio de poderes para salvar a república, eu olho para a astúcia e inteligência do presidente. Ele certamente controla uma vasta burocracia, e esta também o controla, mas, no fim, é dos Lincolns, Roosevelts e Reagans de quem nos lembramos, não dos burocratas, senadores ou juízes. A razão é simples. Junto com o poder, o presidente exerce liderança. Essa liderança pode ser decisiva no contexto de uma década ou em menos tempo.

As personalidades individuais parecem ser em quem podemos fincar o futuro do país. Os fundadores criaram a figura do presidente por uma razão, e, no âmago dessa razão, estava a liderança. A presidência é singular pelo fato de ser a única estrutura na qual uma instituição e um indivíduo são idênticos. O Congresso e a Suprema Corte são agregações de pessoas que raramente falarão com uma única voz. A presidência é só o presidente, o único representante eleito por representantes do povo. Essa é a razão por que devemos considerá-lo o principal agente para administrar o relacionamento entre império e república.

Vamos começar considerando o caráter dos presidentes em geral. Eles diferem de muitas outras pessoas pelo fato de que, por definição, gostam do poder. Deixam claro esse gosto e devotam boa parte de suas vidas para persegui-lo. O conhecimento e os instintos de um presidente são tão refinadamente apurados para o poder que ele o entende sob aspectos que quem jamais o teve não o pode apreciar. O pior presidente se aproxima muito mais, em sua natureza, do melhor presidente do que se aproximaria de qualquer outra pessoa que não tivesse passado pelo que se requer para ser um presidente.

O grau e o escopo do poder que os modernos presidentes norte-americanos atingem inevitavelmente fazem com que eles vejam o mundo de modo diferente, inclusive em comparação com outros chefes de Estado. Nenhum outro líder deve confrontar o mundo de formas tão diferentes. Em nossa democracia, o presidente deve alcançar essa posição enquanto finge ser indistinguível de seus próprios cidadãos, algo impossível de imaginar e assustador se verdadeiro. O perigo é que, à medida que os problemas do império se tornam maiores e as potenciais ameaças mais reais, vão emergir líderes que necessitam e exigem um nível de poder que se embrenha além das restrições impostas pela Constituição.

É tanto afortunado quanto irônico que, ao criar um governo anti-imperialista, os fundadores forneceram um guia possível para uma liderança imperialista com limitações republicanas. Criaram a presidência norte-americana como uma alternativa tanto para a ditadura como para a aristocracia, um executivo que é fraco domesticamente, mas imensamente poderoso fora dos Estados Unidos. Em questões nacionais, a Constituição dita um Executivo que é cercado por um Congresso inerentemente não gerenciável e por uma Suprema Corte relativamente inescrutável. A economia está nas mãos dos investidores, gestores e consumidores, bem como dos profissionais do Federal Reserve Bank (se não pela Constituição, certamente pela legislação e pela prática). Os estados detêm um poder substancial e uma grande parcela da sociedade civil — religião, imprensa, cultura popular, artes — está além do controle presidencial. Isso é exatamente o que os fundadores desejavam: alguém para presidir o país, mas não para governá-lo. Ainda assim, quando o país enfrenta o mundo por meio de sua política externa, não há um indivíduo mais poderoso do que o ocupante da Casa Branca.

O artigo segundo, parágrafo II, da Constituição determina: "O presidente deve ser o comandante-supremo do Exército e da Marinha norte-americanas, e da polícia dos diversos estados, quando chamado para efetivamente servir aos Estados Unidos". Este é o único poder conferido ao presidente que ele não compartilha com o congresso. Tratados, nomeações, o orçamento e uma declaração efetiva de guerra exigem a aprovação dos congressistas, mas o comando das forças armadas é exclusivo do presidente.

No entanto, com o passar dos anos, as limitações constitucionais que vigoravam nas prerrogativas diplomáticas dos presidentes anteriores têm caído. Os tratados exigem a aprovação do Senado, mas hoje eles são raros e a política externa é conduzida com acordos e entendimentos, muitos mantidos como secretos. Assim, a condução da política externa como um todo, atualmente, está, de fato, nas mãos do presidente. Paralelamente, embora o Congresso tenha declarado guerra apenas cinco vezes, os presidentes têm enviado forças norte-americanas para conflitos em várias regiões do mundo com muito mais frequência do que isso. A realidade do regime norte-americano na segunda década do século 21 é que o poder do presidente no palco mundial está praticamente livre de ser conferido ou equilibrado, sendo limitado somente por sua habilidade em exercer tal poder.

Quando o presidente Clinton decidiu bombardear a Iugoslávia em 1999 e o presidente Reagan decidiu invadir Granada em 1983, o Congresso não poderia detê-los se desejasse. Presidentes norte-americanos impõem sanções às nações e modelam as relações econômicas por todo o mundo. Em termos práticos, isso significa que um presidente norte-americano tem o poder de devastar um país que o desagrade ou recompensar outro que lhe favoreça. A legislação sobre poderes de guerra é obsoleta, mas muitos presidentes têm alegado que possuem o direito inerente, como comandante-supremo, de declarar guerra independentemente desse fato. Na prática, eles buscam a aprovação do Congresso somente para apoiar suas políticas e é improvável que isso mude na próxima década.

É nesse exercício de política externa que o presidente norte-americano mais se assemelha ao príncipe maquiavélico, o que não é surpreendente quando você considera que os fundadores eram estudantes de filosofia política moderna e que Maquiavel foi seu criador. Da mesma forma que devemos reconhecer a existência de um império norte-americano, devemos reconhecer o valor da sabedoria maquiavélica em nossa própria situação em que a principal preocupação do presidente é a política externa e o exercício de poder adequa-se ao ensinamento de Maquiavel:

> Um príncipe, portanto, não deve ter qualquer outra finalidade ou qualquer outro pensamento, nem deve adotar nada como sua arte exceto a guerra, suas instituições e sua disciplina; pois essa é a única arte que condiz com quem comanda. Essa disciplina tem tanta eficácia que não apenas mantém aqueles que nasceram príncipes, mas também possibilita que homens privados em muitas ocasiões ascendam a essa posição. Por outro lado, é evidente que, quando príncipes dispensaram mais pensamentos a refinamentos delicados do que a interesses militares, eles perderam seus Estados. A razão mais importante por que se perde (um Estado) é pela negligência dessa arte, embora o modo de adquiri-la é versar-se nela.

A diferença fundamental que caracteriza a política externa norte-americana e o exercício de poder pelos presidentes norte-americanos, distinção esta discutida por Maquiavel, é o reconhecimento da diferença entre idealismo e realismo, que foi inserida na tradição de nossa política de relações exteriores. Os Estados Unidos foram idealizados com base no princípio de autodeterminação nacional, que assume um processo democrático para selecionar líderes e é amparado pela Constituição. Também foram erigidos com base nos princípios da liberdade humana, protegidos na Carta dos Direitos. O imperialismo seria visto como um solapador do princípio de autodeterminação aplicado formal ou informalmente. Além do mais, a condução da política externa suporta regimes que são do interesse nacional, mas que não praticam ou admiram os princípios norte-americanos de direitos humanos. Reconciliar a política externa norte-americana com princípios norte-americanos é difícil e representa uma ameaça às bases morais do regime.

A posição idealista sustenta que os Estados Unidos devem agir com base nos princípios morais derivados das intenções elegantemente estabelecidas pelos fundadores. Os Estados Unidos são vistos como um projeto moral decorrente dos ideais iluministas de John Locke e outros, e o objetivo da política externa norte-americana deve ser aplicar esses princípios morais às ações norte-americanas e, mais importante, aos fins norte-americanos. A partir daí, o país deve apoiar somente os regimes que adotam os valores norte-americanos e deve se opor a regimes contrários a esses valores.

A escola realista defende que os Estados Unidos são uma nação como qualquer outra e que, nessa condição, devem proteger seus interesses nacionais. Esses interesses incluem a segurança do país, a busca de sua vantagem econômica e o apoio a regimes úteis para essas finalidades, independentemente do caráter moral desses regimes. Segundo esse princípio, a política externa norte-americana não deve ser nem mais nem menos moral do que a política de qualquer outro país.

Os idealistas defendem que negar a imperativa moral singular dos Estados Unidos não apenas trai os ideais norte-americanos, mas também toda a visão da história norte-americana. Os realistas sustentam que vivemos num mundo perigoso e que focar em objetivos morais desvia nossa atenção da busca de nossos interesses genuínos e, portanto, coloca em risco a própria existência da república, que é a personificação dos ideais norte-americanos. É importante lembrar que o idealismo, como base para a política dos Estados Unidos, transcende ideologias. A variante da ala esquerda gira em torno de direitos humanos e da prevenção da guerra. A versão da ala direita é construída em torno de um desejo neoconservador de disseminar os valores e a democracia americana. O que essas visões têm em comum é a ideia de que a política externa norte-americana deve ser essencialmente focada em princípios morais.

Em minha visão, o debate entre realismo e idealismo fundamentalmente expõe, de maneira equivocada, o problema, e essa exposição falha desempenhará um papel crítico na próxima década. Ou ela será resolvida ou o desequilíbrio dentro da política externa norte-americana se tornará ainda mais evidente. O argumento idealista constantemente se fundamenta numa discussão prévia entre o direito de autodeterminação e os direitos humanos. A Revolução Americana baseou-se em ambos os princípios, mas, neste momento, depois de mais de dois séculos, o que você faz quando um país como a Alemanha determina, por meio de processos constitucionais, restringir os direitos humanos? O que exige precedência: o direito à autodeterminação nacional ou os direitos humanos? O que você faz com regimes que não fazem eleições como as dos Estados Unidos, mas que claramente personificam o desejo das pessoas com base em práticas culturais de longuíssima data? A Arábia Saudita é um exemplo perfeito. Como podem os Estados Unidos aderir ao multiculturalismo e, depois, exigir que outras pessoas escolham seus líderes como a população faz em Iowa?

A posição realista é igualmente contraditória. Ela assume que o interesse nacional de um império do século 21 é tão óbvio como o de uma pequena república do século 18 que se cingiu à Costa Leste da América do Norte. Nações pequenas, fracas, têm definições bem demarcadas de interesse nacional, que é, essencialmente, sobreviver com a maior segurança e prosperidade possíveis. Mas, para um país tão forte e próspero como os Estados Unidos, e com um alcance imperial sem precedentes, a definição do interesse nacional é muito mais complexa. A teoria realista assume que o perigo é sempre igualmente grande. O conceito do realismo não pode ser arguido com uma proposição abstrata: quem quer ser não realista? Apresentar uma definição precisa do que consiste a realidade é um assunto muito mais complicado. No século 16, Maquiavel escreveu: "Os alicerces principais de qualquer Estado, novo, antigo ou suas composições, são boas leis e boas armas. É impossível ter-se boas leis sem boas armas, e, onde há boas armas, inevitavelmente teremos boas leis". Essa é a melhor definição de realismo que os realistas nos deram.

Acredito que a discussão entre realistas e idealistas nada mais é que uma leitura ingênua do mundo que tem rendido muitas consequências nas últimas décadas. Ideais e realidade são lados diferentes da mesma moeda: o poder. O poder como um fim em si mesmo é uma monstruosidade que não atinge nada duradouro e que, inevitavelmente, deforma o regime norte-americano. Os ideais sem poder não passam de palavras, eles podem despertar da inatividade somente quando reforçados pela capacidade de ação. O realismo destituído de um entendimento das finalidades do poder é frequentemente traduzido por comportamento violento, que é não realista. Ao mesmo tempo, o idealismo é frequentemente traduzido por farisaísmo, uma doença que pode ser sanada somente por um profundo entendimento do poder em seu sentido completo, enquanto o realismo desacoplado de princípios é, normalmente, incompetência mascarada de senso prático. O realismo e o idealismo não são posições excludentes e, sim, complementares. Nenhuma dessas correntes pode servir como princípio para a política exterior em seus próprios termos.

O idealismo e o realismo definem-se em competições de poder, e estas se transformam em guerra. Para retomar novamente os ensinamentos de Maquiavel: "A guerra deve ser o único estudo de um príncipe. Ele deve considerar a paz somente como um tempo de pausa, que lhe dê lazer para conceber, e forneça a habilidade para executar planos militares".

No século 20, os Estados Unidos ficaram engajados em guerras em 17% do tempo, e não foram intervenções de pequeno porte, mas sim guerras importantes, envolvendo centenas de milhares de homens. No século 21, estamos engajados em guerras praticamente 100% do tempo. Os fundadores instituíram o posto de comandante-supremo por uma razão: eles tinham lido as obras de Maquiavel cuidadosamente e sabiam que, como ele escrevera, "não há nenhuma guerra a ser evitada; ela pode ser adiada para a vantagem de outros".

A maior virtude que um presidente pode ter é entender o poder. Os presidentes não são filósofos e o exercício de poder é uma arte aplicada, não abstrata. Tentar ser virtuoso trará o fracasso não apenas do presidente, mas também do país. Durante a guerra, entender o poder significa que esmagar o inimigo, rápida e totalmente, é mais bondoso do que estender a disputa graças a escrúpulos ou perdê-la devido a sentimentalismos. Essa é a razão pela qual a virtude convencional, virtude que poderíamos denominar de ser uma boa pessoa, é inaceitável em um presidente. Novamente, segundo Maquiavel: "O fato é que um homem que quer agir virtuosamente em todos os aspectos necessariamente fracassa em meio a tantos que não são virtuosos".

Maquiavel introduz uma nova definição de virtude que, em vez de bondade, consiste em astúcia. Para príncipes, a virtude é a capacidade de superar o destino. O mundo é o que é e, como tal, é imprevisível e volúvel, e o príncipe deve usar seus poderes para superar as surpresas que o mundo lhe apresenta. Sua tarefa é proteger a república de um mundo repleto de pessoas que não são virtuosas no sentido de não serem bondosas.

Os presidentes devem pautar suas administrações sobre as plataformas ideológicas e políticas prometidas, mas suas presidências são efetivamente definidas pelo encontro entre sorte e virtude, entre o improvável e o inesperado — aquele elemento para o qual nem suas ideologias nem suas propostas os prepararam — e as respostas destes encontros. O trabalho de um presidente é antecipar o que pode acontecer, minimizar a imprevisibilidade e, então, responder ao inesperado com astúcia e poder.

Sob o ponto de vista maquiavélico, a ideologia é banal e o caráter é tudo. A virtude do presidente, sua rapidez mental, sua astúcia, sua implacabilidade e seu entendimento das consequências são o que importa. Definitivamente, seu legado será determinado por seus instintos, que, por sua vez, refletem seu caráter.

Os grandes presidentes jamais se esquecem dos princípios republicanos e buscam preservá-los e melhorá-los, no longo prazo, sem reduzir as necessidades do momento. Presidentes ruins simplesmente fazem o que é do expediente e são descuidados com os princípios. Mas os piores presidentes são aqueles que aderem a princípios sem considerar as exigências da sorte do momento.

Os Estados Unidos não podem seguir sua própria trajetória no mundo evitando nações com diferentes valores ou regimes brutais, ainda que carreguem ações exclusivamente nobres. A procura por fins morais exige uma disposição para jantar com o diabo.

Comecei este capítulo falando da tensão entre a república e o império norte-americanos na próxima década. Independentemente dos escrúpulos morais que possamos ter sobre ser um império, este é o papel que a história designou para nós. Se o perigo, ao nos tornarmos um império, é a perda da república, certamente a visão realista da política externa nos levará até isso, senão intencionalmente, mas simplesmente pela indiferença a questões morais. Ao mesmo tempo, os idealistas derrubariam a república ao pôr em risco a nação, não intencionalmente, mas pela hostilidade ou indiferença ao poder. Naturalmente, a queda da república não ocorrerá na próxima década. Mas as decisões tomadas nesse período afetarão profundamente o resultado no longo prazo.

Durante a próxima década, o presidente não se dará ao luxo de ignorar os ideais ou a realidade. Ele deverá optar pela síntese desconfortável. O presidente não deve focar apenas na acumulação e no uso do poder, mas sim em seus limites. Um bom regime é amparado pelo poder e liderado por pessoas que entendam a virtude. Esse não é um pacote ideológico absoluto que explica e reduz tudo a fórmulas simplistas. Preferivelmente, é uma posição existencial sobre política que afirma princípios morais sem aprisionamentos e que usa o poder sem veneração.

Ao buscar evitar que o império não planejado destrua a república, o ponto crucial não é o equilíbrio de poder entre os setores do governo, mas sim um presidente comprometido com esse balanço constitucional, ainda que disposto a brandir poder em seu próprio direito. A fim de fazer isso, o presidente deve aproveitar a insuficiência das posições idealista e realista. Os idealistas, sejam da vertente neoconservadora ou liberal, não entendem que isso é necessário para dominar a natureza do poder de modo a agir de acordo com princípios morais. Os realistas, em contrapartida, não entendem a futilidade do poder sem um núcleo moral.

Maquiavel escreve que "aquele que adapta sua política aos tempos prospera, e, do mesmo modo, aquele cuja política colide com as demandas dos tempos não o faz". A moralidade na política de relações exteriores pode ser eterna, mas também deve ser aplicada às épocas. Aplicá-la na próxima década será particularmente difícil, pois este período coloca o desafio de um império não planejado.

Capítulo 3

A crise financeira e o Estado ressurgente

Dois eventos globais emolduram a próxima década: a resposta do presidente Bush ao 11 de setembro e o pânico financeiro de 2008. Entender o que aconteceu e seus motivos, em ambos os casos, amplia o sentido do que significa ser um império e qual é o seu preço, particularmente quando consideramos como esses eventos inter-relacionados, que começaram como problemas domésticos norte-americanos, vieram a engolfar o mundo inteiro. Vamos iniciar com a crise financeira.

Todo ciclo de negócios termina numa quebra e um setor geralmente lidera o caminho. O *boom* da era Clinton findou em 2000, quando as empresas da internet (.com) quebraram; o *boom* da era Reagan, dos anos 1980, findou de modo espetacular com o colapso das instituições de empréstimo e poupança. A partir dessa retrospectiva, não havia nada de muito extraordinário a se pensar sobre o que ocorreu em 2008.

A razão por que temos esses *booms* e quedas é relativamente simples. À medida que a economia cresce, ela gera dinheiro, mais do que ela pode prontamente consumir. Quando há excesso de dinheiro em busca de ativos como casas, ações ou títulos, os preços aumentam e as taxas de juros caem. Consequentemente, os preços atingem níveis irracionais e, em seguida, colapsam. O dinheiro torna-se escasso e empresas ineficazes são forçadas a fechar as portas. As eficazes sobrevivem e o ciclo recomeça. Isso tem se repetido muitas vezes desde o nascimento do capitalismo moderno.

Às vezes, o Estado interfere nesse ciclo mantendo o dinheiro barato a fim de evitar o colapso e a recessão, que, inevitavelmente, acompanham essa medida. O dinheiro é, afinal de contas, um artifício inventado pelo Estado. O Federal Reserve Bank pode imprimir tanto dinheiro quanto queira, e pode comprar o débito governamental com essa medida. E foi o que fez na sequência ao 11 de setembro. A administração Bush não queria elevar as taxas para pagar pela Guerra contra o Terror, e o FED cooperou com o financiamento da guerra ao emprestar dinheiro ao governo. O resultado foi que ninguém sentiu o impacto econômico dessa guerra, pelo menos não no primeiro instante.

As razões de Bush derivavam tanto da geopolítica como da política doméstica partidária. Ele estava em guerra com os jihadistas e não queria subir as taxas para pagar suas intervenções militares. Por outro lado, ele queria que a receita total dos impostos subisse pelas vias de uma economia estimulada. A teoria era de que a combinação entre gastos militares, cortes de taxas e baixas taxas de juros permitisse o crescimento econômico, aumentando suficientemente as receitas tributárias para subsidiar a guerra. Se essa manobra inicial pelo lado da demanda não funcionasse, Bush raciocinou, ainda teria o benefício de não solapar seu apoio político por meio de altas de impostos antes da eleição de 2004. Ele ainda assumiu que poderia lidar com os desequilíbrios econômicos após a eleição, quando a guerra terminasse. Seu problema foi que a guerra não terminou e ele, grosseiramente, subestimou sua duração e intensidade. Como resultado, ele e o FED jamais optaram por uma desaceleração da economia, e a guerra e sua política econômica continuaram a definir sua presidência.

Outro elemento que levou ao colapso de 2008 foi o dinheiro de má qualidade despejado em um segmento particular da economia — o mercado de casas residenciais. Em parte, esse foi um cálculo econômico. Os preços dos imóveis tendem a aumentar com o tempo, o que reveste

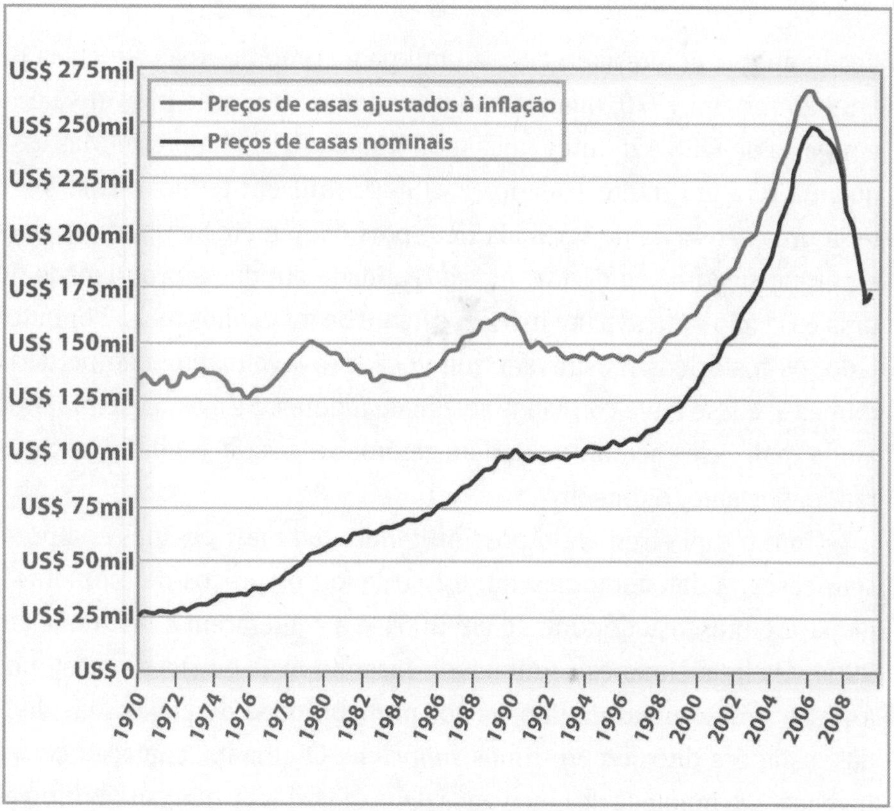

Preços de casas nos EUA

o ramo imobiliário com uma aparência de um investimento estável. Os programas governamentais também estimularam os indivíduos a comprar casas e, nessa época, o impulso se estendeu a um segmento mais amplo da população. A preocupação com a segurança aliada com a política governamental alocou somas extraordinárias de dinheiro ao mercado, junto com especuladores e milhões de compradores de baixa renda, que, em tempos normais, nunca teriam sido qualificados para as hipotecas que assumiram.

Os preços dos imóveis residenciais tinham aumentado durante a geração passada, mas, conforme exibido pelo gráfico, essa história de crescimento estável é um tanto ilusória. Se você ajustasse os preços dos imóveis pela inflação, eles flutuariam numa faixa estreita entre 1970 e 2000. No entanto, as hipotecas não subiram com a inflação. Assim, se você tomasse emprestado US$ 20 mil para comprar uma residência de US$ 25 mil em 1970, quando chegasse o ano 2000 esse imóvel valeria em torno de US$ 125 mil e você teria liquidado sua hipoteca. Mas essa quantia não era muito superior a US$ 25 mil em termos reais. Você teria uma sensação de ser mais rico, pois os números eram mais altos e porque saldara sua dívida, mas a realidade era que a propriedade de uma casa não indicava um meio excelente de ter ganhos reais. Por outro lado, os históricos mostravam que você, provavelmente, não perderia dinheiro, e isso dava confiança aos financiadores. Se a situação piorasse ainda mais, eles sempre poderiam retomar a casa e vendê-la, recuperando, portanto, o dinheiro.

Com o dinheiro barato possibilitando que mais pessoas comprassem casas, a demanda cresceu, e isso levou os preços de moradias a dispararem assustadoramente em 2001 e a acelerarem ainda mais em 2004. Os financiadores continuaram fazendo mais e mais empréstimos a pessoas que tinham muito menor probabilidade de pagar suas dívidas, os agora ditos empréstimos *subprime*. O clímax aconteceu com a invenção da hipoteca de cinco anos de taxa variável, que possibilitou às pessoas comprarem residências com pagamentos mensais que eram frequentemente mais baixos que o aluguel de um apartamento. Essas taxas explodiriam após cinco anos, mas, se um comprador não conseguisse cumprir com os novos pagamentos e perdesse o imóvel, pelo menos teria desfrutado dele por alguns bons anos e estaria, simplesmente, de volta ao seu ponto de partida. Se os preços das moradias permanecessem estáveis, ele poderia refinanciar, de modo que, no final das contas, não parecia estar correndo muito risco.

Nem os financiadores pareciam correr muito risco, especialmente porque eles ganhavam dinheiro em custos de fechamento e outras taxas de transação e, depois, vendendo as hipotecas (e passando o risco para frente) a investidores secundários, o que se tornou conhecido como *bundles*. Ao "embalar" esses empréstimos para o mercado secundário, os financiadores enfatizavam o fluxo de renda duradouro, o que fez com que os empréstimos *subprime* parecessem investimentos estáveis perfeitos.

Todos estavam ganhando dinheiro e ninguém poderia se prejudicar, era a velha história dos contos de fada. E a maioria das pessoas não se interessou ou não quis acreditar que a bolha pudesse estourar.

No entanto, a realidade começou a se intrometer. Novos proprietários de residências, que jamais teriam sido qualificados para um empréstimo comum em tempos normais, começaram a inadimplir e, quando as propriedades chegaram ao mercado para a venda ou para a cobrança executiva, os preços, que tinham sido contabilizados para continuar subindo, começaram a cair. Durante a escalada de preços, os pequenos investidores tinham adquirido várias casas, fixadas num preço bem alto, que foram logo revendidas para obtenção de lucro rápido. Mas, quando o *boom* tornou-se um estouro e os especuladores foram incapazes de "mudar rapidamente" a sorte do jogo, oferecendo à transação imobiliária algum lucro, eles quiserem se desvencilhar das casas a qualquer preço, o que levou os preços a despencarem ainda mais. Em 2007, o declínio moderado que teve início em 2005 passou a ser uma derrocada. Na verdade, tudo o que aconteceu foi que os preços retornaram ao mais alto nível de sua faixa histórica anterior; a espuma estava desaparecendo, mas o valor básico ainda estava presente. No entanto, muitas das pessoas que investiram nessas casas estavam arrasadas.

Com o colapso do mercado de moradias, as hipotecas que tinham sido empacotadas e vendidas a investidores como um bom negócio deixaram de ter um valor claro. Como esses investidores tinham acreditado que os preços de modo algum cairiam, eles jamais imaginaram o que estava, efetivamente, dentro de seus pacotes. Na época em que os pagamentos dos empréstimos estavam para vencer, o valor dos ativos subjacentes era tão obscuro que ninguém os comprava ou refinanciava os empréstimos. Incapazes de cobrir suas apostas, os grandes participantes, aqueles que investiram nas hipotecas enfeixadas, em bancos de investimento como o Bear Stearns e o Lehman Brothers, faliram. E, como muitas das pessoas que tinham comprado esses investimentos supostamente estáveis, incluindo os instrumentos negociáveis emitidos pelos bancos, eram de outros países, todo o sistema global foi à bancarrota.

A história do colapso tem origem nos Estados Unidos, mas o dano foi realmente mundial. Residentes da Europa oriental — Polônia, Hungria, Romênia e outros países — que em tempos normais jamais comprariam uma casa, tinham aderido à ideia. Os bancos austríacos e italianos, financiados com dinheiro europeu e árabe, quiseram fornecer hipotecas, mas as taxas de juros naquela parte da Europa eram altas. Assim, os bancos ofereceram a esses novos, ávidos e não sofisticados compradores empréstimos a taxas muito mais baixas lastreados em euros, francos suíços e até ienes.

O problema foi que esses proprietários de casas não eram remunerados nessas moedas, mas sim em zlotys ou forints. Um proprietário polonês normalmente pagava por sua hipoteca comprando iene e, então, pagando o banco. Quanto menos ienes eram comprados por um zloty, mais zlotys ele tinha de gastar e mais caro ficava seu pagamento mensal. Se houvesse uma valorização desses zlotys em relação ao iene ou ao franco suíço, não haveria problema. Mas sua desvalorização diante dessas moedas provocaria enormes problemas. Todos os meses, mais e mais moradores da Europa oriental estavam comprando euros e outras moedas. Quando a crise financeira se aprofundou, e as moedas da Europa oriental despencaram, os proprietários de casas estavam completamente quebrados.

Expansões importantes sempre terminam em irracionalidade financeira, e essa irracionalidade foi global. Se os norte-americanos foram até o limite com as hipotecas do *subprime*, os europeus deram um passo ainda maior seduzindo os proprietários de casas a apostar em mercados de moedas globais.

Há uma fala comum de que não víamos um evento tão catastrófico desde a Grande Depressão. Isso é triplamente falso, pois colapsos similares aconteceram três outras vezes desde a Segunda Guerra Mundial. Isto é decisivo para entendermos a próxima década, pois, se a crise financeira puder ser comparada com a Grande Depressão, meu argumento sobre o poder norte-americano será difícil de ser defendido. Mas se esse tipo de crise tem sido relativamente comum desde a Segunda Guerra Mundial, então seu significado é menor e é mais difícil defender que o pânico de 2008 represente um enorme baque para os Estados Unidos.

O fato é que esses eventos são comuns. Na década de 1970, por exemplo, houve uma ameaça significativa ao mercado municipal de títulos. Os títulos emitidos por estados e municípios são especialmente atrativos, pois não são sujeitos a taxas federais. Esses papéis também são considerados livres de risco porque se acredita que as entidades governamentais jamais ficarão inadimplentes contanto que tenham o poder de aplicar impostos. Na época, entretanto, a cidade de Nova York não conseguia fazer os pagamentos da dívida e não conseguia ou não elevaria os impostos. Se a cidade incorresse em inadimplência, todo o sistema financeiro envolvendo a administração local e a estadual recairia num caos, de modo que o Governo Federal foi o fiador de Nova York, deixando claro que Washington estava preparado para garantir o mercado.

Durante o mesmo período, houve um aumento repentino de investimentos no Terceiro Mundo, essencialmente para financiar o desenvolvimento de recursos naturais, tais como petróleo e metais. Os preços dos minerais estavam subindo junto com todas as *commodities* nos anos 1970, e os investidores assumiram que, como os minerais eram finitos e insubstituíveis, os preços jamais cairiam. Assumiram, ainda, que os empréstimos a nações do Terceiro Mundo, que usualmente controlavam esses recursos, eram seguros, porque era de senso comum que países soberanos jamais se colocariam em uma situação de inadimplência.

Na metade dos anos 1980, a crença na subida de preços e em governos estáveis, como grande parte das hipóteses confortáveis, passou a ser uma má recomendação. Os preços dos minérios e da energia despencaram, e as indústrias de extração, sustentadas por preços altos, colapsaram. O dinheiro investido, uma grande parcela dele injetada como empréstimos, foi perdido. Nações do Terceiro Mundo, forçadas a escolher entre inadimplir e aumentar os impostos (o que posteriormente empobreceria seus cidadãos e desencadearia revoltas), optaram pelo inadimplemento, o que ameaçou inundar o sistema financeiro global. Isso provocou uma caução multinacional da dívida do Terceiro Mundo liderada pelos Estados Unidos. Sob a administração de George Bush pai, Nicholas Brady, secretário do Tesouro, criou um sistema de garantias, emitindo o que foram denominados "títulos Brady" para gerar estabilidade.

E, então, veio a crise das instituições de empréstimo e poupança. Essas instituições, que tinham sido criadas para aceitar depósitos de clientes e gerar empréstimos imobiliários — pense em Jimmy Stewart em *A felicidade não se compra* —, receberam o direito de investir em outros ativos, o que as levou, diretamente, ao mercado comercial de imóveis sob a mesma égide da "sabedoria convencional" de que os preços nunca cairiam. Numa economia em crescimento, ou era o que se imaginava, os preços dos imóveis comerciais, de torres de escritórios a shopping centers, poderiam somente subir.

Mais uma vez, o inimaginável ocorreu. Os preços dos imóveis comerciais caíram e muitos dos empréstimos feitos por essas instituições ficaram inadimplentes. O tamanho do problema foi vasto para ambas as partes. Primeiro, o dinheiro do depositante individual estava sob risco. Segundo, o fracasso de um segmento inteiro da indústria financeira, que tinha revendido suas hipotecas comerciais num mercado mais amplo, entrou numa catástrofe.

O Governo Federal interveio ao assumir o controle dessas instituições falidas, quer dizer, da maioria delas, e assumiu suas obrigações. As hipotecas foram executadas e as propriedades subjacentes foram controladas por uma instituição recém-criada de nome Resolution Trust Corporation. A RTC, apoiada por garantias federais que potencialmente podem ter atingido cerca de US$ 650 bilhões, assumiu o controle dos imóveis das instituições falidas.

A crise de 2008 foi baseada no mesmo desejo de baixo risco e na mesma hipótese de que certa classe de ativos era, de fato, de baixo risco, pois seu preço não "podia" cair. Ela foi solucionada por uma intervenção governamental e, a exemplo do que já ocorrera anteriormente, todos pensaram que fosse o fim do capitalismo. O que é importante notar é o padrão consistente, incluindo o exagero das consequências. Até certa extensão, esse é um fenômeno psicológico. Com o sofrimento vem o pânico, e o gerenciamento deste é uma questão de liderança. Considere como ele foi administrado no passado.

Tanto Franklin Roosevelt como Ronald Reagan chegaram ao poder no meio de crises econômicas. Roosevelt, claro, enfrentou a Grande Depressão. Reagan enfrentou a estagflação que assolou a economia na década de 1970: um alto desemprego combinado com alta inflação e altas taxas de juros. Os problemas econômicos, que ambos os presidentes encontraram, eram parte de deslocações econômicas globais e impuseram uma crise profunda de confiança nos Estados Unidos. A crise na década de 1930 criou a famosa fala de Roosevelt: "Não temos nada a temer, exceto a nós mesmos".

Tanto um presidente como o outro entenderam o fator psicológico em crises financeiras. A antecipação de tempos econômicos difíceis leva as pessoas a controlarem suas compras para se protegerem. Quanto mais elas reduzem o consumo, piores tornam-se os problemas econômicos. Essa incerteza social pode, por sua vez, impossibilitar que um país atue decisivamente no mundo. Roosevelt enfrentou a ascensão do fascismo; Reagan chegou ao poder enfrentando o que foi suposto como o poder crescente da União Soviética. Nenhum deles poderia suportar as consequências desestabilizadoras de uma grave crise econômica, e nenhum deles sabia com certeza como resolver o problema pela política econômica. Ambos atacaram a psicologia do problema, tentando criar a sensação de que, acima de tudo, algo estava sendo feito.

Retrospectivamente, a frenética legislação de cem dias de Roosevelt teve pouco efeito na Depressão, que terminou por conta da Segunda Guerra Mundial e não por suas diretrizes econômicas. Reagan também prometeu ações, embora, no final, a solução ficasse não com o presidente, mas com o FED. No entanto, ao descrever este período como sendo "A manhã na América", uma frase que fez parte de sua campanha de 1984, Reagan, como Roosevelt antes dele, tentou mudar as expectativas do povo, estabilizando a situação política e ganhando tempo para a economia se curar sem enfraquecer o Estado.

Tanto Roosevelt como Reagan entenderam que a real ameaça de uma crise econômica seria seu impacto político, com a miséria que acumularia, destruindo todo o sistema. Entenderam que sua função como líderes não era resolver o problema, o presidente realmente tem pouco controle sobre a economia, mas convencer a população não apenas de que tinham um plano, mas de que eram confiantes em seu sucesso, e que somente um cético ou alguém indiferente ao bem-estar do público ousaria questioná-los sobre os detalhes. Isso não é algo fácil de ser obtido: requer um mestre em política, que é o mesmo que dizer um mestre em ilusão. Roosevelt certamente salvou o país de uma séria instabilidade e, apesar da falta de recuperação, posicionou-o para combater na Segunda Guerra Mundial. Reagan salvou o país do sentimento de mal-estar pelo qual a administração Carter fora conhecida e preparou o terreno para a inversão de sorte com os soviéticos.

Roosevelt e Reagan fizeram algo que estava em seu poder para lidar com a crise: eles mudaram a fronteira entre público e privado, Estado e mercado. Roosevelt aumentou drasticamente o poder do Governo Federal. Reagan o diminuiu. O problema que eles estavam abordando não era a crise econômica em si, mas uma fundamental crise política. Na depressão de 1921, a elite financeira tinha perdido a confiança do público. Eles aparentavam não ser nem tanto corruptos, mas mais incompetentes. Sob Hoover, foi-lhes permitido tomar parte ativa da recuperação econômica, mas então a situação piorou. Roosevelt interveio, mudando uma parcela do poder que tinha estado nas mãos da elite financeira para a elite política. Se ele não tivesse feito isso, a sensação de que todas as elites do país tinham fracassado poderia ter prevalecido, sentimento que levou ao fascismo países como a Itália e a Alemanha.

O inverso aconteceu na administração Reagan. Na década de 1980, a elite política era percebida como estando por trás da crise econômica, e o público culpou a estrutura de "grande governo" deixada desde o mandato de Roosevelt. Reagan mudou o equilíbrio entre o Estado e o mercado, enfraquecendo o Estado para fortalecer o mercado.

Parte da retomada da confiança teve a ver com o entendimento de que segmentos da elite política, corporativa, financeira e midiática deveriam ser responsabilizados pela crise. Ao, essencialmente, colocarem um ou outro conjunto de elites na função de curadores, transferindo sua autoridade sob muitos aspectos a outras elites, Reagan e Roosevelt deram ao público a noção de que o presidente estava agindo decisivamente e tomando o poder daqueles que tinham fracassado. Isso acabou com o sentimento de que todos eram indefesos e, de fato, abriu o caminho para, pelo menos, algumas reformas, que foram necessárias simbolicamente. No final, as duas crises foram solucionadas por causa do poder subjacente dos Estados Unidos e por causa da resistência do moderno Estado e corporações, que não podem viver separados, apesar de terem problemas vivendo juntos.

Nem Bush nem Obama foram capazes de administrar a mente nacional como o fizeram Roosevelt e Reagan. Bush perdeu o controle da guerra e foi acusado de incompetente pela crise financeira. Ele caiu após o Iraque e jamais conseguiu se recuperar. Obama criou expectativas que não podia cumprir, depois falhou ao criar a ilusão de que as estava cumprindo. Mas, certamente, Reagan, a princípio, incorreu em problemas similares. A questão que é desconhecida, mas que afetará profundamente a próxima década, é se Obama poderá se recuperar e liderar. Será que ele consegue entender que, quando Roosevelt falou sobre recear o medo, ele queria dizer que a função de presidente é parecer ser efetivo ainda que não o seja? Ainda que Obama não aprenda isso, a nação sobreviverá: os presidentes chegam e vão, mas essa é uma época frágil, assim como a legitimidade da presidência e do próprio país, apanhada entre as demandas da república e do império.

Quando falamos sobre mudar as fronteiras entre a elite corporativa e a política, e entre o Estado e o mercado, isso inevitavelmente levanta questões ideológicas. Fortalecer a elite corporativa e/ou o

Estado ameaça as liberdades individuais. Por outro lado, o mercado livre é uma invenção do Estado mesmo que suas regras não sejam o resultado de simplórios arranjos políticos. A razão por que digo isso é que o fundamento prático da economia moderna é a corporação, e esta é um artifício tornado possível pelo Estado moderno. A corporação é uma invenção extraordinária. Ela cria uma entidade que a lei diz ser responsável pelas dívidas de um negócio. Os indivíduos que detêm a posse da empresa, seja uma propriedade única ou uma entidade gigante de titularidade pública, não são considerados responsáveis por aquelas dívidas pessoalmente. Suas exposições não podem ser maiores que seus investimentos iniciais. Desse modo, a lei e o Estado transferem o risco dos devedores aos credores. Se o negócio fracassa, os credores são deixados com o saco nas mãos. Nada semelhante a isso existia antes do nascimento das "empresas estatutárias" no século 17. Anteriormente a essa época, se você tivesse uma empresa, era responsável por todos os seus atos. Sem essa inovação, não haveria nenhum mercado de ações como o conhecemos, investimentos em *startups*, pequenos empreendedores.

Mas essa partilha de riscos é uma decisão política. Não há nada natural na ideia de que os limites dos riscos individuais são definidos onde estão. De fato, com o tempo, esses limites se alteram. A corporação existe somente porque foi criada pela lei. A decisão política de criar corporações ainda indica que a lei corporativa, não a lei da natureza, define as fronteiras precisas do risco e da obrigação. Pode haver, teoricamente, alguma espécie de mercado natural, porém, um mercado dominado por corporações de responsabilidade limitada, desde as 500 empresas listadas na *Fortune* até o encanador local, é inerentemente política.

Desde 1933 e o New Deal, a questão do risco corporativo tem sido vinculada à da estabilidade social. A estrutura de riscos tem sido criada em torno dos requerimentos sociais. Durante a administração Roosevelt, as fronteiras do controle de Estado se expandiram. Sob Reagan, elas se contraíram.

O que a crise de 2008 fez pelo mundo foi redefinir as fronteiras entre corporações e Estado, aumentando o poder estatal e o poder dos políticos, reduzindo a autonomia dos mercados e o poder da elite financeira. Isso teve um impacto mínimo na China e na Rússia, em que o sistema já era inclinado para o Estado. Teve algum efeito na Europa, em que o poder do Estado sempre fora maior do que nos Estados Unidos. Teve um efeito substancial nos Estados Unidos, em que o mercado e a elite estavam no controle desde Reagan. Também deu o pontapé inicial para uma discussão entre a esquerda e a direita sobre a justificativa ou não para um Estado mais forte. Apesar das discussões, o fortalecimento do Estado será uma das características definidoras da próxima década, globalmente.

Além de definir os limites entre controle estatal e corporativo, presidentes e outros políticos administram a aparência das coisas, essencialmente para manipular o medo e a esperança. O que fez de Roosevelt e Reagan grandes presidentes não foi somente terem reajustado as fronteiras entre Estado e mercado, mas sim terem criado a atmosfera na qual isso aparentou ser não apenas uma operação técnica, mas uma necessidade moral. Se acreditavam ou não nisso, é menos importante do que eles terem feito com que os outros acreditassem e, graças a essa convicção, possibilitarem que ocorresse o realinhamento técnico.

O efeito mais significativo da crise de 2008 na próxima década será geopolítico e político, não econômico. Essa crise financeira trouxe para casa a importância da soberania nacional. Um país que não controla seu próprio sistema financeiro ou sua moeda está profundamente vulnerável às ações de outros países. Essa consciência fez entidades como a União Europeia não mais serem vistas como benignas como eram anteriormente. Na próxima década, a tendência partirá em direção a um aumento do nacionalismo econômico.

Um efeito similar se dará no nível político. Uma batalha enorme que podemos ver na China, Rússia, Europa, nos Estados Unidos e em todas as outras regiões tem sido a fragmentação entre as elites econômica e política. Como o fracasso do mercado e da elite financeira custou à última credibilidade, o primeiro *round* claramente foi para as elites políticas e do Estado. Em alguns países, essa transformação irá perdurar por muito tempo. Nos Estados Unidos, a trégua que existia desde o governo Reagan foi rompida e a batalha prosseguirá com violência. Violência é a palavra apropriada, visto que este tem sido o tom do debate, embora os políticos norte-americanos tenham sido operacionais. No entanto, o mundo considera a incerteza política, nessas questões fundamentais nos Estados Unidos, mais do que um pequeno transtorno.

Bastante estranho é que, no nível econômico, o sofrimento de 2008 terá efeitos menos duradouros. É um absurdo comparar essa crise econômica à Grande Depressão. O PIB caiu praticamente 50% durante a Depressão. Entre 2007 e 2009, o PIB caiu somente 4,1%. Essa nem é mesmo a pior recessão desde a Segunda Guerra Mundial. Essa honra cabe às recessões dos anos 1970 e início dos 1980, quando tivemos o tríplice problema: desemprego e inflação acima de 10%, e taxas de juros sobre hipotecas acima de 20%.

Embora a atual crise econômica não seja nada parecida com a de 1970/80 ela ainda é dolorosa e os norte-americanos têm uma baixa tolerância ao sofrimento econômico. Há inclusive questões mais importantes no horizonte, além dessa década, quando os dados demográficos mudarem, o trabalho passar a ser escasso e o problema migratório se tornar o assunto dominante a ser enfrentado pelos Estados Unidos. Mas isso ainda demorará um pouco e não afetará a próxima década, que não será exuberante e restringirá tanto as vidas individuais como o sistema político. No entanto, ela não transformará significativamente a ordem mundial fundamental e os Estados Unidos continuarão como o poder dominante. Ironicamente, uma medida desse domínio norte-americano é quanto um cálculo errado de sua elite financeira pode influenciar o mundo e quanto sofrimento os erros norte-americanos podem infligir em todos os países.

Capítulo 4

Encontrando o equilíbrio de poder

O ataque feito pela Al Qaeda no 11 de setembro forçou os Estados Unidos a uma resposta que levou a uma guerra de dois cenários: menos combates em uma série de outros países e ameaça de guerra contra o Irã. Esse será o foco de, no mínimo, a primeira parte da próxima década.

Os Estados Unidos, obviamente, querem destruir a Al Qaeda e outros grupos jihadistas de modo a proteger sua terra natal de ataques. Ao mesmo tempo, o outro principal interesse norte-americano nesse contexto é a proteção da Península Arábica e de seu petróleo, riqueza que os Estados Unidos não querem ver nas mãos de um único poder regional. Pelo tempo que os Estados Unidos têm influenciado a região, o país prefere ver o petróleo árabe no poder da família real saudita e de outros domínios controlados por xeiques que lhes são relativamente dependentes. Esta continuará a ser uma estratégia imperativa.

O corolário que emoldura as opções norte-americanas é que somente dois países da região têm sido potencialmente grandes e poderosos a ponto de dominar a Península Arábica: Irã e Iraque. Em vez de ocupar a Arábia para proteger o fluxo de petróleo, os Estados Unidos têm seguido a estratégia clássica de impérios, estimulando a rivalidade entre Irã e Iraque, jogando um contra o outro para equilibrar e, assim, neutralizar seus poderes individuais. Essa estratégia precedia a queda do xá do Irã em 1979, quando os Estados Unidos incentivaram um conflito entre Irã e Iraque e, em seguida, negociaram um acordo entre eles que manteve a tensão.

Após a queda do xá, o governo iraquiano de Saddam Hussein, extremamente secular, mas com etnia predominantemente sunita, atacou os islamitas e os grupos largamente xiitas que compunham o Irã. Ao longo de toda a década de 1980, os Estados Unidos transferiram seu peso entre os dois lados, tentando prolongar a guerra pela garantia de que nenhuma das duas nações entrassem em colapso. Cerca de dois anos após a guerra, que o Iraque venceu por uma margem pequena, Saddam tentou se apossar da Península Arábica começando com a invasão do Kuwait. Neste ponto, os Estados Unidos aplicaram uma força descomunal, durante um certo tempo, com vistas a firmar posição na Península Arábica, mas não com intenção de invadir o Iraque. Os Estados Unidos, mais uma vez, se certificaram de que o equilíbrio regional de poder se mantinha, protegendo, dessa forma, o fluxo de petróleo da Península Arábica, seu principal interesse, sem a necessidade de uma ocupação efetiva.

Esse era o *status quo* quando Osama Bin Laden tentou redefinir a realidade geopolítica do Oriente Médio e da região Sul da Ásia no 11 de setembro de 2001. Com os ataques em Nova York e Washington, ele infligiu dor e sofrimento, mas o efeito mais profundo de seu ato foi levar um presidente norte-americano a abandonar a estratégia duradoura, e de sucesso, dos Estados Unidos. Na realidade, Bin Laden foi eficaz ao fazer um presidente norte-americano morder a isca.

No longo prazo, sua meta era recriar o califado, a regra centralizada do Islã que tinha sido instituída no século 7 e que tinha dominado o Oriente Médio até a queda do Império Otomano. Bin Laden entendia que, até para começar a atingir essa retomada da unidade geopolítica religiosa, as nações-Estado do mundo islâmico teriam de passar por revoluções para destituir seus atuais governos e, em seguida, substituí-los por regimes islamitas que compartilhassem suas visões e crenças. Em 2001, a única nação-Estado que compartilhava completamente essa visão era o Afeganistão. Isolado e muito distante, o país poderia servir como base de operações, mas só temporariamente. O Afeganistão poderia servir como uma plataforma de lançamento a nações mais importantes como Paquistão, Arábia Saudita e Egito, mas era muito isolado e até primitivo para ser mais do que isso.

A análise de Bin Laden era de que muitos no mundo muçulmano compartilhavam de suas convicções, mas que dadas as realidades de poder, seus suportes seriam apenas tépidos e insuficientes para seus fins. Para começar a avançar seu projeto, ele tinha de desencadear um levante em pelo menos um e, preferencialmente, em vários países islâmicos mais importantes. Fazer isso era impossível, pois as massas muçulmanas viam seus governos como instituições extremamente poderosas e imutáveis.

Quando Bin Laden constatou esse fato, seu problema era essencialmente de percepção, pois os governos na região eram realmente mais fracos do que aparentavam. O suposto poder militar e econômico do Paquistão, da Arábia Saudita e do Egito derivava do relacionamento desses países com o mundo cristão (como ele pensava), e particularmente com o principal poder cristão, os Estados Unidos. Porém, Bin Laden conjeturou que, mesmo com o empréstimo desse poder, estes governos ainda estavam vulneráveis. Sua tarefa foi demonstrar essa fraqueza às massas muçulmanas para, então, desencadear uma série de levantes que transformariam a política do mundo islâmico. Ele fracassou neste ponto, mas seus seguidores continuaram com essa estratégia, e suas tentativas de reestruturar a política do mundo muçulmano em torno do Islã, que têm origem no século 19, continuarão a ser um tema geopolítico significativo na próxima década.

O objetivo de curto prazo dos ataques de 11 de setembro era acelerar esse processo ao atacar alvos norte-americanos proeminentes no coração da estrutura de poder imperial. A esperança de Bin Laden era a de que, ao expor a vulnerabilidade dos Estados Unidos, ele poderia modificar o sentimento muçulmano de que seus próprios governos eram invulneráveis.

Os ataques de 11 de setembro foram, na superfície, sobre os Estados Unidos, e a natureza exata da resposta norte-americana à manobra inicial de Bin Laden pouco interessava, pois nenhuma resposta poderia ser utilizada para seu benefício. Se os norte-americanos não fizessem nada, isso confirmaria sua fraqueza. Se reagissem agressivamente, isso confirmaria que eram de fato os inimigos do Islã.

No entanto, embora os ataques visassem a, principalmente, atingir o espírito muçulmano, o impacto psicológico nos norte-americanos passou a ser extremamente importante. O inesperado dos ataques, o fato de que foram montados utilizando-se de uma instalação da vida diária "companhias aéreas comerciais", e o fato de que o número de mortes foi substancial criaram uma sensação de pânico. Quantas outras brigadas estariam operando? Qual seria o próximo ponto de ataque da Al Qaeda? Será que o grupo possui armas de destruição em massa? Com maior intensidade do que na esteira de Pearl Harbor, os norte-americanos emergiram do choque do 11 de setembro com um sentimento de pavor pessoal. A possibilidade de que eles e seus entes queridos pudessem ser os próximos a morrer foi muito real na população. Essa foi uma sensação tão penetrante e profunda de desconforto que o governo teve de enfrentá-la e tomar atitudes decisivas.

Os alarmes psicológicos que dispararam entre a população norte-americana serviram para agravar o problema estratégico enfrentado pelo governo. A Al Qaeda em si, a menos que possuísse armas de destruição em massa, não poderia fazer uma ameaça estratégica verdadeira. Ela não conseguiria abalar os Estados Unidos. No entanto, se a perturbação que iniciara tivesse o efeito desejado no mundo islâmico, e os regimes vinculados aos Estados Unidos começassem a cair, isso teria um enorme impacto na estratégia norte-americana. Se o governo egípcio fosse destronado, por exemplo, a posição de Israel mudaria e uma âncora norte-americana na região seria ameaçada. Se o governo saudita ficasse em perigo, o fluxo de petróleo que partia da região poderia ser interrompido. O perigo estratégico não estava na destruição de centros populacionais, da infraestrutura econômica ou do poder militar norte-americano, mas simplesmente no potencial sucesso político da Al Qaeda na região.

Tanto os Estados Unidos como a Al Qaeda identificaram, claramente, o campo de batalha estratégico: corações e mentes dos muçulmanos. Mas, para o presidente, foram os corações e as mentes norte-americanos que primeiramente precisaram ser acalmados e tranquilizados com assertivas que demonstravam as ações de proteção da terra natal. O FBI passou a monitorar agressivamente qualquer pessoa suspeita, mesmo remotamente, de estar associada à rede Al Qaeda, e a segurança foi modernizada em aeroportos, mas nenhum esforço foi particularmente efetivo à época. Sob muitos aspectos, os Estados Unidos continuam a operar sob a doutrina de investir recursos volumosos em medidas de segurança de eficácia limitada a fim de acalmar os legítimos medos de sua população. Reconciliar recursos com a realidade operacional e o sentimento público será uma tarefa decisiva a ser feita na próxima década. O investimento no bem-estar dos Estados Unidos também exigiu que todos os líderes da Al Qaeda fossem capturados ou mortos. Em termos estratégicos, essa é uma prioridade questionável, mas um presidente deve satisfazer não apenas o desejo de tranquilizar, mas também o de vingança. Neste ponto, o desafio aumentou porque a Al Qaeda é uma rede esparsa, pontilhada por todos os cantos do globo, operando sem uma sede central ou uma cadeia de comando convencional. Essa rede estimula seus simpatizantes a atacarem voluntariamente e a inovarem. Portanto, embora seja possível executar atos de represália contra esses terroristas, é impossível efetivamente destruir a Al Qaeda, pois ela não é uma organização no sentido convencional. Como não há infraestrutura nem cadeia de comando, não há nenhuma cabeça real a ser decapitada.

O que realmente fez sentido foi uma mínima infusão de força estratégica para interromper todo o planejamento, treinamento e todos os recursos limitados de comando dessa rede. A Al Qaeda se considerava segura enquanto operava do Afeganistão, um país sem acesso ao mar, sem portos de entrada. Bin Laden e seus militantes tinham alguma familiaridade com as operações norte-americanas, seja observando a Operação Tempestade no Deserto em 1991, seja participando dos treinamentos com norte-americanos no Afeganistão, durante a guerra soviético-afegã da década de 1980. A primeira operação em particular tinha mostrado à Al Qaeda que, mesmo quando havia portos disponíveis, os americanos planejavam obsessivamente, e planejamento leva tempo. Com a aproximação do inverno, toda a estimativa racional da rede era de que, ainda que os Estados Unidos optassem por procurá-los no Afeganistão, nenhuma ação seria possível antes da primavera. O porto paquistanês de Karachi seria essencial para uma invasão, e as negociações para seu uso poderiam adiar um ataque por um período ainda mais longo.

A administração Bush, no entanto, calculou que não poderia esperar até a primavera. O presidente queria realmente decapitar ou pelo menos interromper a operação da Al Qaeda e, politicamente, tinha de responder às exigências de uma reação imediata e extremamente visível. Os ataques haviam abalado a confiança nas defesas norte-americanas, e o presidente tinha de recriar essa confiança além de também construir uma base política para o que poderia ser uma guerra estendida. Por outro lado, ele não podia suportar uma crise de confiança na prosperidade norte-americana naquele momento. De modo que foi nessa atmosfera que a guerra contra o Terror começou a afetar também as decisões econômicas. Se ele demorasse seis meses para lançar seu contra-ataque, a já delicada situação política se deterioraria, e o presidente perderia suporte para a iniciativa mesmo antes de ela ser lançada. A decisão de Bush de avançar foi um daqueles julgamentos individuais que podem efetivamente afetar a vida de milhões de pessoas com a amplitude de uma década e, certamente, as consequências adversas daquela decisão continuaram a colorir muito da próxima década.

Havia, ainda, uma razão estratégica legítima para a pressa: os Estados Unidos desejavam se assegurar de que os regimes no Oriente Médio não caíssem, ou que, inclusive, repensassem seus valores e interesses. Se o país fora visto como uma grande potência, ele também era visto como uma potência despreparada para enfrentar a região. A decisão de Ronald Reagan de se retirar de Beirute após o bombardeamento dos alojamentos da Marinha, de George H. W. Bush de não atacar Bagdá após a libertação do Kuwait, e de Bill Clinton de se retirar da Somália, seguida pela resposta relativamente anêmica aos pré-ataques da Al Qaeda antes de 11 de setembro, criaram uma imagem de uma nação não desejosa de assumir riscos e sofrer perdas. Nesse ínterim, os governos muçulmanos viram a possibilidade real de serem derrubados pela intranquilidade política fomentada pela força secreta capaz e implacável da Al Qaeda.

Esses governos não estavam a ponto de se tornarem jihadistas, mas também não estavam preparados para se expor em nome dos Estados Unidos. Esperavam que os Estados Unidos continuassem sua política de assumir um risco limitado, de modo que, para eles, a cooperação com os norte-americanos parecia posicionar graves riscos com poucas vantagens. Os norte-americanos demandavam um compartilhamento de todo o conhecimento sobre a Al Qaeda, por exemplo, mas esses governos, que não esperavam que os Estados Unidos os defendessem no longo prazo, estavam relutantes em participar. Quanto mais tempo os Estados Unidos deixassem de agir, menor seria a propensão de ajuda por parte das nações muçulmanas.

A Al Qaeda calculou errado ao superestimar as consequências do ataque para o mundo islâmico e ao subestimar as pressões estratégicas e políticas que o 11 de setembro criariam para Bush. Não havia dúvida de que os Estados Unidos agiriam agressivamente e rápido. O alvo tinha de ser a Al Qaeda, o que significava que a área de operações seria no Afeganistão.

Em meados de setembro de 2001, os Estados Unidos enviaram agentes da CIA para celebrar acordos com líderes militares afegãos locais. Ao mesmo tempo, o país despachava forças de Operações Especiais e unidades paramilitares da CIA para combater ao lado dos afegãos antitalibãs e para apontar incursões aéreas sobre posições controladas pelo Talibã. Em particular, os Estados Unidos fizeram um acordo com a Aliança do Norte, um grupo, apoiado pelos russos, de organizações contrárias ao Talibã. Tendo sido derrotada pelos talibãs em sua guerra civil na década de 1990, a Aliança do Norte, acolhia agora, muito bem a oportunidade de contra-atacar e a Rússia não oferecia objeções. Outros líderes militares foram simplesmente comprados. Os Estados Unidos também tiveram a cooperação ativa do Irã.

O Afeganistão forneceu a ilusão de uma invasão, mas o que realmente ocorreu foi a retomada de uma guerra civil, apoiada pelo poder aéreo norte-americano. Os combates que começaram um mês após o 11 de setembro foram feitos essencialmente por afegãos, apoiados por incursões aéreas de aviões de bombardeio e porta-aviões com base no Golfo Pérsico e no Oceano Índico. Mas, em vez de se concentrarem maciçamente em frente às cidades principais e se tornarem alvos a ser bombardeados pelos B-52, as forças talibãs, no modo clássico dos insurgentes, se dispersaram e, então, se reagruparam posteriormente para recomeçar a batalha.

Como resultado, o Talibã, de fato, jamais foi derrotado, mas os Estados Unidos conseguiram cumprir três de seus objetivos. Primeiro, reafirmaram à população norte-americana que eram capazes de protegê-las preparando ações militares em qualquer parte do mundo. Isso não foi de todo verdade, mas foi suficientemente verdadeiro para ser confortável. Segundo, sinalizaram para o mundo islâmico que estavam absolutamente comprometidos com o conflito. Mais sofisticados do que a população norte-americana, os líderes muçulmanos notaram que a maior contribuição norte-americana foi o poder aéreo, embora o trabalho pesado tenha recaído nos afegãos. Esta não foi uma evidência definitiva do compromisso norte-americano, todavia, foi melhor do que não ter nenhuma ação. Terceiro, a ação infligiu danos à Al Qaeda. Bin Laden e outros escaparam, mas suas estruturas de comando e controle foram interrompidas, o que forçou os líderes a se tornarem fugitivos. Como resultado, eles passaram a ser cada vez mais isolados e irrelevantes.

O Afeganistão era, de certo modo, um ato enganoso, mas atingiu o que poderia ter atingido. Os Estados Unidos tinham lançado um ataque espoliador disruptivo, uma clássica manobra norte-americana. A administração Bush instalou e protegeu um governo, sabendo que a maior parte do Afeganistão estava fora de seu alcance e que criar naquele país uma democracia não era provável; contudo, passados nove anos, a questão do Afeganistão ainda está longe de ser resolvida e, certamente, será um problema a ser solucionado de modo a se poder avançar na próxima década.

Sob o ponto de vista da Al Qaeda, no entanto, as ações norte-americanas no Afeganistão e em outras partes do Oriente Médio serviram como uma clara evidência para os muçulmanos de que os Estados Unidos eram seus inimigos. Os jihadistas esperavam por levantes e regimes derrubados, uma convulsão que jamais aconteceu. Os regimes sobreviveram, em parte, porque a via islâmica, como foi chamada, sabia que os aparatos de segurança de seus regimes ainda eram brutalmente efetivos e, por outro lado, porque esses regimes continuaram a proteger suas apostas. Eles interpretaram o ataque espoliador dos Estados Unidos pelo que ele era, e mantiveram seus próprios compromissos. O compartilhamento de inteligência tanto da Arábia Saudita como do Paquistão permaneceu limitado, pois nenhum deles queria se comprometer com os Estados Unidos sem sinais evidentes de quão longe estes estavam preparados para ir. Quando se tornou claro que não haveria levantes, a Al Qaeda passou a ser mais agressiva na região.

A MANOBRA INICIAL NO IRAQUE

A próxima aventura, na guerra dos Estados Unidos contra o Terror, foi a incursão no Iraque em 2003. É fácil argumentar, hoje, que a invasão foi um erro desqualificado, mas é importante recordar o contexto no qual a decisão da invasão foi tomada. Em fevereiro de 2002, os sauditas ordenaram que as forças norte-americanas deixassem seu solo. Os paquistaneses, apesar da forte pressão tanto da Índia como dos Estados Unidos, fizeram somente gestos modestos de comprometimento e apoio ao esforço norte-americano. A ideia geral era de que os Estados Unidos, depois do Afeganistão, esperavam que outras nações carregassem o ônus disso, tanto no que se refere ao compartilhamento de inteligência, quanto no de operações.

Sem a cooperação integral dos sauditas e paquistaneses, os Estados Unidos tinham opções limitadas. Era possível conduzir uma guerra de inteligência contra a Al Qaeda, como os israelenses tinham feito com o Setembro Negro na Europa na década de 1970, mas, sem parceiros que contribuíssem na região, as competências da inteligência norte-americana contra a Al Qaeda ficavam extremamente restritas.

Uma segunda opção era a de que os Estados Unidos atuassem de um modo puramente defensivo, confiando na Segurança Nacional, enquanto esperavam que a operação afegã tivesse fragmentado suficientemente toda a estrutura de comando da Al Qaeda. Teoricamente, o FBI poderia fazer um apanhado geral das "*sleeper cells*" (espécie de agentes secretos) enquanto as fronteiras estivessem protegidas de infiltração e, os aeroportos, seguros contra terroristas. Atrativo no papel, esse plano era impossível na prática. O FBI jamais poderia garantir que não haveria mais dessas células no país, e pontos de entrada nos Estados Unidos jamais poderiam ser completamente seguros. Qualquer ilusão de segurança que essa iniciativa passasse para a população norte-americana, e qualquer apoio que o presidente tivesse não durariam até o próximo ataque terrorista. Quando ocorresse tal investida, a questão da disposição da América para se afirmar e correr riscos no mundo islâmico viria à tona novamente, sem uma clara justificativa. Após o Afeganistão, o que viria?

A administração Bush tentou elaborar uma estratégia que forçasse sauditas e paquistaneses a serem mais agressivos na coleta e no compartilhamento de dados da inteligência, e que colocasse os Estados Unidos numa posição dominante no Oriente Médio, a partir da qual ele pudesse se projetar.

Essas foram as razões subjacentes para a invasão do Iraque. A ação militar pretendia criar uma nova realidade estratégica. Isso intimidaria a Arábia Saudita, em particular, colocando uma armadura norte-americana a uma distância de poucos dias por carro dos campos petrolíferos sauditas, além de dar aos Estados Unidos o controle do país mais estratégico na região, o Iraque, que faz fronteira com o Kuwait.

Arábia Saudita, Jordânia, Síria, Turquia e Irã. Assim o controle do Iraque atingiria as metas de curto prazo da guerra contra o Terror, mas violaria o princípio de que os Estados Unidos não se tornassem um jogador permanente em qualquer região. A administração Bush tinha apostado que poderia sacrificar essa parte da estratégia norte-americana, manter equilíbrios de poder regionais por meio de substitutos enquanto deixava suas forças na reserva, em troca de benefícios. Em uma lista de piores escolhas, esta foi apenas má, um ponto que deve ser lembrado quando consideramos a natureza do poder imperial: ele pode ser compelido a agir mesmo quando todas as opções são ruins.

No entanto, para intimidar a Arábia Saudita e manter o controle a partir do Iraque, os Estados Unidos deveriam ser eficazes não apenas na invasão, mas também na pacificação do Iraque. A invasão foi, sem dúvida, um sucesso, e os sauditas notadamente aumentaram sua cooperação em matéria de inteligência. Contudo, dominar o país mais estratégico da região passou a ser algo impossível. As forças norte-americanas, tendo invadido Bagdá com facilidade, se encontraram rapidamente presas numa insurgência que exigia que focassem todo o poder internamente, quando a intenção era utilizar o Iraque como base a partir da qual o projeto se estenderia para o exterior.

Esse fracasso na ocupação transformou a guerra. O Iraque tornou-se um fim em si mesmo e o objetivo derradeiro passou a ser não a criação de uma nova realidade estratégica na região, mas sim a retirada das forças norte-americanas dentro de um período de tempo razoável. Na melhor das hipóteses, era deixar para trás um governo neutro; na pior, o resultado final da invasão seria o caos.

O Iraque ficou desacoplado da estratégia norte-americana mais ampla e passou a ser um estudo de caso no relacionamento entre moralidade, estratégia e liderança. Sob um ponto de vista estritamente moral, eliminar o regime de Saddam Hussein dificilmente poderia dar errado. Ele era um monstro e seu regime era monstruoso. Mas esse não era o imperativo moral para o qual Bush tinha se comprometido na presidência. Seu imperativo moral era o de travar uma guerra contra o Terror, e a ocupação do Iraque fazia sentido ao povo norte-americano somente na medida em que servia a essa meta.

Ao decidir invadir o Iraque em 2003, George W. Bush colocou sua obsessão moral acima do princípio fundamental da estratégia norte-americana: manter um equilíbrio em cada região sem comprometer um número substancial de tropas. Havia muitas regiões. Se os Estados Unidos começassem a organizar e preparar forças de ocupação em cada uma delas, o fardo seria maior que a capacidade norte-americana. Além do mais, as forças norte-americanas tinham suplantado as próprias forças do Iraque como um contrapeso para o Irã, agora o maior poder nativo na região. Se, em algum momento, os Estados Unidos simplesmente se retirassem do Iraque, o Irã iria, por extensão, dominar todo o Golfo Pérsico. Independente da razão pela qual a invasão contribuiria com a guerra contra a Al Qaeda, os custos estratégicos do Iraque tornaram-se muito altos.

Para a invasão do Iraque alinhar-se aos os princípios estratégicos de longo prazo dos Estados Unidos, as forças norte-americanas deveriam ter ocupado o Iraque de forma rápida e eficiente, e sem uma resistência significativa. Em seguida, os Estados Unidos teriam de construir, rapidamente, um regime viável em Bagdá, e apoiado uma força militar substancial, para assumir o papel de equilibrar seu inimigo histórico, o Irã. Se isso pudesse ser feito em, digamos, cinco anos, Bush teria cumprido tanto seus objetivos morais como os estratégicos. Teria dado o choque necessário para o mundo islâmico, intimidado os sauditas e sido capaz de utilizar a localização estratégica do Iraque para pressionar os países da região. Em seguida, os Estados Unidos poderiam se retirar, deixando os jogadores regionais se equilibrarem mutuamente mais uma vez.

A estratégia dele falhou, pois a premissa era falsa: havia resistência que não poderia ser facilmente suprimida. O maior erro de inteligência da guerra não dizia respeito a armas de destruição em massa, mas sim à falha em entender que a insurgência ocorria há muito tempo no modelo de Saddam Hussein. Também envolvia a falta de entendimento cultural, já que, ao tentar destruir o partido Baath, de Saddam, os Estados Unidos efetivamente expulsaram os sunitas do governo e deram poder a seus rivais culturais e religiosos, os xiitas. Apavorados com a possibilidade de um governo xiita (que teria alguma afinidade com a maioria xiita que dominava o Irã), os sunitas no Iraque foram colocados numa posição em que não tinham nada a perder e adotaram tiroteios aleatórios e bombardeios em estradas.

Entretanto, o erro de cálculo de Bush piorou ainda mais. Ele contava com o apoio dos xiitas em oposição ao governo sunita, mas desconsiderou o grau com que os xiitas iraquianos estavam entrelaçados com seus pares iranianos, mais fervorosos. Os iranianos não tinham nenhum interesse em ver o Iraque ressuscitado sob a tutela de um governo pró-americano que iria, novamente, ameaçar o próprio Irã, de modo que os Estados Unidos acabaram caindo numa armadilha nas duas direções. Os sunitas entraram em guerra contra a ocupação e os xiitas, influenciados pelo Irã, fizeram tudo o que podiam para evitar o tipo de cooperação que pudesse vinculá-los a uma dependência norte-americana.

Bush violou os princípios estratégicos, esperando retornar, mais tarde, para a trajetória principal, mas ficou atado às realidades locais, que não conseguiu gerenciar. À medida que a situação se deteriorava, sua credibilidade com a população norte-americana declinava. Ele poderia ter sobrevivido ao constrangimento de que sua justificativa inicial para a guerra, a existência de armas de destruição em massa, fosse comprovadamente falsa. Mas não poderia sobreviver ficando preso a uma guerra multifacetada e sem nenhum final em vista.

Houve outros erros que reduziram sua habilidade presidencial para liderar. Sua segunda justificativa para a invasão foi a necessidade de se criar um Iraque democrático. Isso não repercutiu no público norte-americano, que não via razão alguma para tal esforço. Essa motivação para a construção de uma nação foi de fato uma falácia. Conforme observamos nos casos de Lincoln, Roosevelt e Reagan, grandes presidentes geralmente têm de mentir para servir a seus maiores propósitos morais. Mas Bush não convenceu porque seu imperativo moral claramente declarado, derrotar o terrorismo, era divergente da realidade estratégica a tal ponto que toda a sua política externa pareceu conturbada e caótica, o que fez com que ele parecesse incompetente. Houve um número exagerado de explicações separadas, casos demais de alegações especiais. A falha em alinhar objetivos morais a objetivos estratégicos, e ambos com um mito coerente para o consumo popular, arrasou com ele.

Em 2007, tarde demais para salvar sua presidência, Bush instituiu uma arremetida mais forte e vigorosa. Esse esforço tinha menos relação com a estratégia militar do que com utilizar as forças militares para preparar o terreno para um acordo negociado com os sunitas. Quando esse processo foi implementado, os xiitas, receosos de uma força sunita equipada pelos norte-americanos, passaram a ser, de certa forma, mais cooperativos, e a violência foi amenizada.

Como o Iraque não servia mais como um contrapeso efetivo, o equilíbrio de poder com o Irã se fragmentou totalmente. Uma retirada das forças norte-americanas deixaria o Irã como a força dominante na região, sem nenhum poder local para bloqueá-lo, perspectiva essa que deixava completamente enervados os poderes árabes, bem como Israel e os Estados Unidos. É esse desequilíbrio que prepara o terreno para os problemas regionais que o presidente norte-americano continuará a enfrentar na próxima década.

A COMPLEXIDADE IRANIANA

À medida que começava a segunda década do século 21, o problema duplo que os Estados Unidos enfrentavam nessa região era o de retirar suas forças sem deixar o Irã sem supervisão de um poder equilibrador. Dado que não havia outros candidatos para a tarefa de bloquear as ambições iranianas, parecia que os Estados Unidos não poderiam se retirar do Iraque até que se criasse um governo em Bagdá forte o suficiente para restaurar o equilíbrio.

Os iranianos tinham visto com bons olhos a invasão do Iraque. Muito antes do 11 de setembro, eles tinham feito tudo que era possível para induzir os Estados Unidos a invadir e eliminar Saddam Hussein. De fato, uma grande parcela da inteligência previu que as tropas norte-americanas não encontrariam resistência se fossem provenientes das fontes iranianas.

Assim que os norte-americanos invadiram, os iranianos começaram a ameaçar os interesses dos Estados Unidos no Iraque ao se tornarem profundamente envolvidos com várias facções xiitas e, depois, fornecendo armas aos sunitas para manter ativo o conflito. O Irã também apoiou as forças do Talibã na região oeste do Afeganistão, bem como o Hezbollah no Líbano.

Os iranianos tinham esperado que os Estados Unidos criassem um governo iraquiano que marginalizasse os sunitas e emergisse, principalmente, como xiita. Eles anteciparam que, assim que os norte-americanos se retirassem, esse governo passaria a ser um satélite iraniano. Previam que os Estados Unidos se apoiariam nos aliados xiitas do Irã para governar o Iraque, mas os Estados Unidos tentaram dar um golpe, numa tentativa de governar o Iraque por meio de várias instituições e indivíduos. No entanto, dada a dificuldade prolongada de formar um governo e a dificuldade de retirada, o resultado foi, provavelmente, deixar o Irã numa posição favorável.

Presos entre tentar governar diretamente um país em rebelião e passar a responsabilidade a um governo infiltrado por agentes e simpatizantes iranianos para depois se retirarem, os Estados Unidos tinham de considerar uma possibilidade mais radical: um ataque que destronasse o presidente iraniano Mahmoud Ahmadinejad e o regime no qual sua presidência se baseava.

Com seus 70 milhões de habitantes encravados em fronteiras montanhosas, o Irã é, em virtude da topografia, uma efetiva fortaleza. Dado que o terreno torna impossível uma invasão direta, os norte-americanos têm tentado diversas vezes gerar uma revolução similar àquelas que derrubaram governos na antiga União Soviética. Com o passar do tempo, essas tentativas sempre fracassaram. Mas, após os fracassos no Iraque, e na medida em que os Estados Unidos não poderiam reativar o equilíbrio de poder nem deixar que o Irã fosse o poder dominante na região do Golfo Pérsico, seria bastante natural que os norte-americanos considerassem algum tipo de ataque para desalojar o governo iraniano. O fato de que esse regime é dividido entre antigos clérigos que chegaram ao poder com o aiatolá Khomeini e líderes mais jovens, não religiosos, tais como Ahmadinejad, soma-se às preocupações norte-americanas sobre o Irã.

Os iranianos notaram a maneira como a Coreia do Norte administrou um problema similar na década de 1990, quando seu governo temia que o colapso do comunismo na União Soviética provocasse seu próprio colapso. Tentando fazer um retrato deles próprios como mais perigosos e psicologicamente instáveis do que efetivamente eram, os coreanos lançaram um programa de armas nucleares. Para convencer as pessoas de que poderiam efetivamente utilizar essas armas, fizeram declarações que pareciam bastante insanas. Como resultado, todo mundo temeu um colapso do regime norte-coreano, que poderia levar a resultados imprevisíveis. Assim, eles conseguiram levar à mesa de negociações potências como Estados Unidos, China, Rússia, Japão e Coreia do Sul. Os norte-coreanos foram tão bem-sucedidos que conseguiram que as grandes potências negociassem entre si uma maneira de levá-los a negociar. Foi um desempenho extraordinário.

Jogando com a fobia nuclear dos Estados Unidos, os iranianos têm trabalhado em tecnologia nuclear por uma década, um programa que estimula uma imagem semelhante à da Coreia do Norte: imprevisível e perigosa. Como os norte-coreanos, os iranianos conseguiram se organizar para fazer com que o Conselho de Segurança da ONU mais a Alemanha se mantivessem, constantemente, buscando um acordo com o país deles. O colapso do Iraque tinha deixado os Estados Unidos numa situação extremamente difícil, com limitadas opções. Uma incursão aérea contra os alvos nucleares iranianos provavelmente inflamaria um patriotismo que somente fortaleceria o regime. E o Irã tinha fichas substanciais, inclusive a habilidade de, mais tarde, desestabilizar o Iraque e, até certo ponto, o Afeganistão. Poderia também liberar o Hezbollah, uma organização terrorista muito mais capaz que a Al Qaeda. Ou poderia colocar minas no Estreito de Ormuz, criando caos econômico por bloquear o fluxo de petróleo vindo do Golfo Pérsico.

Portanto, a violação da política de longo prazo dos Estados Unidos de equilíbrios regionais e envolvimentos limitados gerou um cenário geopolítico pior. O Irã passou a ser o poder nativo dominante no Golfo Pérsico, e somente os Estados Unidos tinham os meios para contrabalançá-lo, o que violaria ainda mais os princípios estratégicos básicos norte-americanos. Além disso, o foco desequilibrado nessa região deixou os Estados Unidos fracos em outras partes do mundo, um desequilíbrio amarrado, sem fichas claras à vista.

Esse é o problema geopolítico que o presidente Obama herdou e com o qual ele, e todos os outros presidentes da próxima década, terão de lidar. O Irã tem se tornado o centro sobre o qual o Oriente Médio vai orbitar. Sob muitos aspectos, essa nação tem sido sempre um pivô. Mas antes que os Estados Unidos pudessem lidar com o Irã, era preciso fazer algo definitivo sobre o Terror islâmico. O país devotou seus recursos para batalhas dirigidas contra o terrorismo, o que, efetivamente, isolou o Irã da ameaça de uma intervenção norte-americana e, inclusive, permitiu sua melhora de posição na região.

Os eventos econômicos e geopolíticos da última década estiveram entrelaçados. Eles criaram uma crise de confiança na população norte-americana, bem como atraíram o pensamento estratégico norte-americano para uma série de soluções táticas de curto prazo. A questão iraniana está atrelada ao temor de que o preço em ascensão do petróleo aliado ao impacto de uma guerra jihadista esmaguem a recuperação econômica norte-americana. O 11 de setembro e os eventos de 2008 se combinaram para criar uma armadilha para o pensamento estratégico norte-americano. À medida que os Estados Unidos avançarem na próxima década, a nação deve escapar da cilada. O problema econômico se resolverá sozinho, com o tempo. O desafio geopolítico do terrorismo exige decisões.

Capítulo 5

A armadilha do Terror

O presidente George W. Bush chamou sua reação aos ataques da Al Qaeda, em 11 de setembro, de Guerra Global contra o Terror. Se ele a tivesse chamado de Guerra contra o Islã radical teria afastado aliados no mundo islâmico de quem os Estados Unidos pouco necessitavam. Se a tivesse chamado de Guerra contra a Al Qaeda, teria evitado ataques terroristas que não fizessem parte desse grupo específico. Bush tentou usar, ardilosamente, sua reação, mas essa artimanha o deixou exposto à confusão estratégica e política.

O presidente Obama abandonou a expressão "Guerra Global contra o Terror" e o fez corretamente. O terrorismo não é um inimigo, mas sim um tipo de luta armada que pode ou não ser adotada por um inimigo. Imagine se, após Pearl Harbor, um ataque que teve como base porta-aviões, o presidente Roosevelt tivesse declarado uma Guerra Global contra a Aviação Naval. Ao focar no terrorismo em vez de na Al Qaeda ou no Islã radical, Bush elevou um tipo específico de ataque a uma posição que modelou a estratégia global norte-americana, o que deixou os Estados Unidos desequilibrados estrategicamente.

Obama pode ter esclarecido a nomenclatura, mas deixou incólume uma porção significativa deste desequilíbrio, que é a obsessão com o perigo de ataques terroristas. Quando consideramos as opções presidenciais na próxima década, parece imperativo que esclareçamos totalmente quanto de um perigo terrorista efetivamente se apresenta e o que essa ameaça significa para a política norte-americana.

De acordo com o teórico militar prussiano Carl Von Clausewitz, a guerra é uma continuação da política por outros meios. A vitória na Segunda Guerra Mundial não foi impedir o Japão de usar porta-aviões, mas sim destruir qualquer capacidade japonesa de manter-se em guerra e impor, então, à vontade norte-americana, um fim político. Se um presidente está a ponto de liderar uma nação em guerra, ele deve designar firmemente tanto o inimigo como o fim visado. Se o Terror era o inimigo após o 11 de setembro, então todos que pudessem usar o Terror eram o inimigo, o que é uma lista tremendamente longa. Se por razões políticas um presidente não pode claramente identificar quem deve ser combatido e por que, então ele deve reexaminar se pode vencer e, portanto, se deve ou não se engajar. Se o custo de apontar o inimigo é diplomático ou politicamente inaceitável, então a guerra muito provavelmente não dará certo.

Apesar da decisão de Bush de focar na guerra contra o terrorismo, o mundo islâmico sabia que o inimigo verdadeiro era o islamismo radical. Esse era o terreno no qual a Al Qaeda tinha florescido e Bush não jogaria com seu pensamento de outra forma. Quando ele não pôde verdadeira e coerentemente explicar a razão para invadir o Iraque, a estratégia começou a se desenredar.

A confusão estratégica e a confusão semântica do presidente se intensificaram quando sua guerra contra o Terror se expandiu para incluir o esforço de destituir o governo iraquiano. Saddam Hussein, visado por essa iniciativa, era um militar secular e não um islamita religioso, e também não era amigo da Al Qaeda. Ele não tinha se envolvido no terrorismo da rede antes da invasão do Iraque, mas tanto Saddam como a Al Qaeda efetivamente tinham um inimigo comum: os Estados Unidos. Por essa razão, Bush percebeu que não podia descartar o perigo de uma aliança de conveniência entre o Estado do Iraque e os radicais apátridas, a Al Qaeda. Sua solução foi fazer um ataque antecipado.

Bush e seus conselheiros raciocinaram que, se destruíssem o regime de Saddam e ocupassem o Iraque, seria negada uma base potencial para a Al Qaeda e, ao mesmo tempo, os Estados Unidos ganhariam uma base estratégica de operações em seus próprios termos.

No entanto, na medida em que a estratégia mais ampla tinha sido identificada como uma guerra contra o Terror e, na medida em que Saddam não tinha se envolvido recentemente em atos terroristas, a invasão do Iraque parecia algo injustificável. Se a guerra tivesse sido focada mais claramente na Al Qaeda como o inimigo, a invasão teria parecido muito mais plausível, pois uma guerra contra um grupo específico teria incluído hostilidade para com os aliados do grupo e, inclusive, potenciais aliados, o que Saddam certamente seria.

Numa democracia, as bases do apoio público são um retrato claro da ameaça do inimigo e de seu propósito ao confrontar tal ameaça. Essa transparência não somente mobiliza a população, mas fornece uma estrutura coerente para comunicar-se com esse público. A presidência de Truman jamais se recuperou do uso do termo "ação policial" para se referir à Guerra da Coreia, um conflito em que mais de 30 mil norte-americanos morreram. A guerra de Roosevelt contra a Alemanha, o Japão e a Itália, em contrapartida, sobreviveu a intermináveis subterfúgios, ataques contra inocentes e alianças com o mal verdadeiro, pois o mandatário deixara claro quem era o inimigo e por que ele tinha de combatê-lo e derrotá-lo.

O SIGNIFICADO DO TERROR

O terrorismo é um ato de violência cujo objetivo principal é gerar medo e, por meio disso, um resultado político. O bombardeio de Londres pela Alemanha, na Segunda Guerra Mundial, foi um ataque de Terror, no qual a meta não era arruinar a capacidade britânica de guerra, mas sim gerar uma atmosfera psicológica e política que pudesse dividir público e governo, e forçar o governo a entrar em negociações. O terrorismo palestino nos anos 1970 e 1980, de assassinatos a sequestros de aviões, foi desenhado para atrair a atenção a uma causa e maximizar a aparência de poder. Como tentamos mostrar, o terrorismo da Al Qaeda também foi projetado para um fim político. O problema é simples: quanto esforço deve ser devotado para deter o Terror, e seus efeitos, comparativamente a outras tarefas estratégicas?

O terrorismo normalmente é empreendido em lugar de uma ação mais efetiva. Se os alemães fossem capazes de aniquilar a Marinha britânica, ou os palestinos capazes de destruir o Exército israelense, eles teriam feito isso. Teria sido uma rota mais direta e eficiente para suas finalidades. O terrorismo deriva de fraqueza, destrói o emocional a fim de fazer com que o terrorista pareça mais poderoso do que é. O objetivo do terrorista é ser tratado como uma ameaça significativa quando ele, de fato, não o é. Como o nome implica, o terrorista está criando um estado de espírito. Seu objetivo final é ser considerado uma ameaça enorme, de fato singular. Isso gera a base para o processo político que os terroristas querem iniciar. Alguns só querem ser levados a sério. A Al Qaeda queria convencer o mundo islâmico de que era poderosa a ponto de constituir o elemento mais importante nas mentes norte-americanas.

A rede, de fato, atingiu sua meta.

Ao declarar a guerra contra o Terror, os Estados Unidos sinalizaram que consideravam essa única ameaça como transcendente a todas as outras. Proteger o país contra atos terroristas tornou-se a essência central da estratégia global norte-americana, consumindo enormes energias e recursos. Mas o terrorismo conforme praticado pela Al Qaeda não representa um perigo estratégico para os Estados Unidos. A organização talvez matará milhares de norte-americanos, além de provocar dor e gerar medo. Mas o terrorismo, em si, não pode destruir a base material da república norte-americana.

Como o terrorismo, inclusive o nuclear, não representa um perigo existencial para os Estados Unidos, uma política externa focada singularmente no terrorismo é, fundamentalmente, desequilibrada. A falta de equilíbrio consiste em alocar todos os recursos disponíveis a uma ameaça entre muitas enquanto deixa de controlar outras ameaças que são de igual ou maior significado e perigo. Esse não é um argumento para que se ignore o terrorismo, mas para que o terrorismo seja considerado dentro do contexto de estratégia nacional. Esse é o ponto em que George W. Bush caiu na armadilha, e seus sucessores correm o risco de serem pegos na mesma cilada.

A exemplo de Lincoln, Roosevelt e Reagan, Bush teve de administrar a mentalidade do país enquanto perseguia essa finalidade estratégica, mas dois fenômenos foram sua ruína. Primeiro, o mais significativo foi bloquear a Al Qaeda, à medida que o trauma psicológico se desvanecia. O público oscilava entre exigir as medidas mais extremas e ficar chocado com as medidas adotadas. Bush devia antecipar esse fato, mas por considerar a guerra contra o Terror um fim em si mesma, ele perdeu seu senso de localização num contexto estratégico e político mais amplo. Segundo, ele não foi capaz de transferir seu foco e se manter com a mudança na opinião pública, pois não entendia o propósito de sua própria Guerra Global contra o Terror. Esse propósito não era derrotar o terrorismo, mas satisfazer as necessidades psicológicas da população. No entanto, Bush continuou, ainda que em total descompasso, mesmo após o país não mais se sentir em risco.

Pelo fato de fixar-se no terrorismo como uma meta estratégica independente, Bush aplicou recursos volumosos a batalhas que não conseguiu vencer e em cenários que não estavam obviamente conectados ao terrorismo. Na luta da Guerra Global contra o Terror, ele não somente perdeu perspectiva, mas se esqueceu de gerenciar todos os outros interesses estratégicos norte-americanos. Estava tão obcecado com o mundo islâmico, por exemplo, que não deu atenção e recursos necessários para lidar com o ressurgimento da Rússia.

Portanto, a questão é como fazer a transição de um foco total no terrorismo e no mundo islâmico para uma estratégia mais equilibrada. Parte do problema é de opinião pública. Lidar com o mundo islâmico é um assunto entusiasmante nos Estados Unidos e divide o país. Muitos consideram o mundo islâmico não somente a principal questão, mas a única questão na agenda norte-americana. É tarefa do presidente alinhar-se com a opinião pública e alinhavar-se com ela enquanto calmamente visa suas finalidades morais e estratégicas. O problema que o presidente Obama e outros presidentes enfrentarão na próxima década é colocar o terrorismo e a Al Qaeda em perspectiva enquanto redefinem os interesses norte-americanos no mundo islâmico. Isso precisa ser feito de tal modo que a opinião pública não se volte contra o presidente, particularmente quando os inevitáveis ataques terroristas efetivamente ocorrerem. Ele deve satisfazer a opinião pública tanto quanto ela é aterrorizada e indignada por ataques e, ao mesmo tempo, quando se torna complacente sobre o terrorismo e fica chocada com as coisas que têm sido feitas para combatê-lo. Acima de tudo, o presidente deve lidar com o mundo islâmico como ele é, sem permitir que a paixão pública influencie suas intenções finais.

Esse não é um argumento de defesa à complacência. Por exemplo, ainda que a probabilidade seja pequena, as consequências de um ataque com armas de destruição em massa seriam enormes. Recursos apropriados devem ser devotados para a ameaça. Isto, de fato, não significa guerra, secreta ou transparente. A tarefa do presidente é alinhar ameaça, consequências e iniciativas com outros desafios, e modelá-las numa estratégia coerente. Os Estados Unidos têm muitas ameaças e interesses e não podem responder a somente uma delas. O medo em si não pode impulsionar uma estratégia.

O presidente deve, conforme dissemos, sempre tranquilizar o nervoso do povo, e deve sempre mostrar seu comprometimento para exterminar o terrorismo. Ao mesmo tempo, ele deve resistir à tentação de tentar o impossível ou executar ações que têm custos desproporcionais em relação ao efeito. Ele pode mentir para a população, mas jamais deve mentir para si mesmo. Acima de tudo, deve entender os perigos reais para o país e agir contra eles.

Além dos assassinatos em Fort Hood, em 2009, o 11 de setembro foi o único ataque bem-sucedido nos Estados Unidos durante dez anos de guerra. Esses ataques, coordenados em Nova York e Washington, foram o resultado de uma operação intercontinental de vários anos, que custou à Al Qaeda dezenove de seus operadores mais capazes e comprometidos. Duas importantes torres de escritórios foram destruídas em Nova York e, em Washington, o Pentágono sofreu danos extensivos. Três mil norte-americanos foram mortos. No entanto, para uma nação de 300 milhões de pessoas, as consequências materiais do ataque foram de fato mínimas.

Isso não significa banalizar as mortes ou rejeitar os horrores que os norte-americanos experimentaram naquele dia. Meu ponto é enfatizar que, embora você e eu possamos desfrutar a magnificência de nossa dor, um presidente não pode. Este deve considerar como esses cidadãos se sentem e deve orientá-los e liderá-los, mas não deve sucumbir a sentimentos pessoais. Seu trabalho é manter um senso implacável de proporção, enquanto mantém a frieza de seu cálculo para si próprio. Se ele sucumbe ao sentimento, tomará decisões que se contrapõem aos interesses de longo prazo de seu país. Um presidente tem de aceitar as perdas humanas e prosseguir. Quando os japoneses atacaram Pearl Harbor, Roosevelt exigiu vingança, mas, privadamente, decidiu focar na Alemanha e não no Japão. Ele entendeu que um presidente não pode elaborar uma estratégia com a emoção.

O propósito da guerra, segundo Von Clausewitz, é impor sua vontade a outra nação, deixando-a incapacitada de resistir. Os principais meios para fazer isso são destruir suas forças armadas ou enfraquecer o desejo de sua população de resistir. Instilar terror pode destruir um exército. Os mongóis, por exemplo, paralisavam seus inimigos com o conhecimento de sua crueldade incessante e implacável. As cidades-Estado gregas combatiam nas guerras até um final bastante amargo, motivadas pelo medo da escravidão que as esperava caso fossem conquistadas. Dessa maneira, o efeito líquido do terror é difícil de ser previsto.

Durante a Segunda Guerra Mundial, nem os alemães nem os britânicos ocultaram o propósito do que estes chamavam de "bombardeios noturnos de distritos". Fazer civis de alvos foi uma tática desenhada para gerar terror entre a população, na esperança de que os Estados fossem menos efetivos na administração da economia de guerra e, em último caso, que a população se sublevasse contra seus próprios regimes. No Japão, os norte-americanos perseguiram os mesmos fins pelo uso de dispositivos incendiários, beneficiando-se do fato de que a maior parte das edificações japonesas eram feitas de madeira. Em três dias de bombardeios convencionais sobre Tóquio, as forças aéreas norte-americanas mataram 100 mil civis japoneses, mais do que o número de pessoas mortas em Hiroshima. No entanto, até a introdução da bomba atômica, a estratégia do terror fracassou, a exemplo do fracasso dessa estratégia tanto na Alemanha como na Inglaterra. Em vez de destruir a fé no governo, o bombardeio de distritos civis reagrupou o público para que ele apoiasse o esforço de guerra. Os ataques inspiravam indignação e, paralelamente, facilitavam o trabalho dos governos-alvo no esforço de demonstrar que as consequências de uma derrota seriam horríveis demais até para contemplar. Se o inimigo estava desejoso de ir até esses extremos para alocar recursos durante uma guerra de modo a simplesmente matar civis, imagine o que ele faria quando a guerra terminasse. O terror facilitava a demonização do inimigo e tornava impensável uma rendição.

Em guerras convencionais, o Terror é conquistado por meio da comoção das massas. Mas ele também pode ser transmitido por uma operação secreta que mobilize um pequeno número de indivíduos: o ataque de um comando. No passado, essas operações eram geralmente confinadas a assassinatos, mas após a invenção de explosivos de grande poder, e de seus multiplicadores de forças, tais como aeronaves, o terrorismo de comandos focava em alvos civis com o objetivo de causar perdas humanas como um fim em si mesmo.

É importante agora distinguirmos cuidadosamente comandos cujos objetivos são militares e aqueles cujos alvos são civis e cujos propósitos são o terror. A Resistência Francesa em 1944 atacou as linhas de transporte alemãs numa tentativa de minar a possibilidade de o invasor travar uma guerra diretamente. O objetivo do comando terrorista, no entanto, não era prejudicar as Forças Armadas do inimigo, mas sim acabar com sua moral gerando uma sensação de vulnerabilidade. Às vezes, o público não é nem mesmo o país-alvo, mas a opinião pública em qualquer outro lugar, como foi o caso dos ataques de 11 de setembro.

Ao gerar medo, desamparo e ira, o terrorismo transforma a opinião pública, que então exige que o governo forneça proteção contra terroristas e puna essas pessoas por seus atos. Quanto mais efetivo for um ataque terrorista, mais apavorada fica a população e mais compelido fica o governo a responder agressivamente e com visibilidade. Mais uma vez, diante do Terror, um presidente deve convencer sua população de que ele compartilha seus sentimentos e, paralelamente, executa ações que pareçam satisfazer seus desejos por segurança e vingança.

Uma dessas ações extremamente simbólicas tomadas desde o 11 de setembro tem sido a tentativa de reforçar o sistema de segurança de aeroportos. Apesar de bilhões de dólares e de mensagens não expressas de frustração dos passageiros, um terrorista com treinamento ainda pode conceber quaisquer meios para inserir explosivos ou outros dispositivos no sistema. Alguns terroristas podem ser impedidos e o sistema encontrará outros. No entanto, embora a maior segurança nos aeroportos possa diminuir a ameaça, ela não pode pará-la.

Não há simplesmente nenhum sistema de segurança que seja suficientemente granular para detectar terroristas de modo confiável e eficiente e que permita que o sistema de transporte aéreo funcione tranquilamente. A El Al, empresa aérea israelense, é frequentemente citada como exemplo contra o terror, mas ela tem 35 aviões. De acordo com o Bureau of Transportation Statistics (Bureau de Estatísticas de Transporte), toda a frota aérea norte-americana tem aproximadamente 8 mil aviões e mais de 26 mil decolagens ao dia.

A Transportation Security Administration (Divisão de Segurança no Transporte) afirma que monitorou 1,8 milhão de passageiros ao dia, em média, em 2009. Esses são números inacreditáveis.

O que as limitações do monitoramento de aeroportos nos informam é que, se a Al Qaeda deixou de atacar os Estados Unidos durante a primeira década do século 21, não foi por causa das precauções de segurança em si. É ainda duvidoso que os profissionais que projetam o sistema de segurança dos aeroportos esperem que ele funcione. Seus objetivos reais são o de acalmar o público por demonstrar ostensivamente que etapas estão sendo empreendidas. Quanto maior a ostentação e a inconveniência, mais confortante é a aparência do sistema.

Contudo, a sofisticação crescente dos explosivos tem possibilitado a morte de dezenas de pessoas com um mero dispositivo carregado por um indivíduo, centenas de pessoas com um dispositivo oculto num carro ou caminhão, e milhares de pessoas com um avião que atua como explosivo. O mundo está repleto de tais explosivos e as fronteiras da parte continental dos Estados Unidos têm cerca de 9 mil milhas (14,5 mil quilômetros) de extensão. Os Estados Unidos também são um país dedicado a negócios, então navios, aviões e caminhões chegam diariamente. Qualquer um desses contêineres pode abrigar pessoas e explosivos preparados para matar outras pessoas. Também é verdade que, entre 300 milhões de norte-americanos, pode haver um número considerável de terroristas nativos preparando-se para atacar a qualquer hora.

Por essas razões, a segurança nacional total em um país como os Estados Unidos é impossível, e a tarefa continuará impossível na próxima década. Não há soluções mágicas. Eliminar o terrorismo islamita é similarmente impossível. É possível reduzir a ameaça, mas quanto maior a redução que esperamos atingir, maior o custo. Dadas as possibilidades ilimitadas e os recursos limitados, é seguro dizer que continuarão a existir ataques terroristas no país, independentemente das iniciativas que estão sendo implementadas.

O presidente dos Estados Unidos deve saber perfeitamente bem, e deve sempre agir com base no que ele sabe, mas jamais deve admitir esses limites para o povo. Ele deve constantemente demonstrar que está fazendo o que é possível para eliminar o inimigo e proteger sua terra natal, e deve sempre transmitir uma ideia de que a eliminação do terrorismo islamita é possível, embora saiba que ela não é.

Quando embarcamos nas decisões políticas para a próxima década, o ponto mais importante é que alocar todos os recursos norte-americanos disponíveis a uma finalidade inatingível, contra uma ameaça que pode e terá de ser suportada, não é apenas sem sentido, mas algo que pode gerar janelas de oportunidades para outros inimigos e ataques.

Embora o terrorismo possa matar norte-americanos e gerar uma profunda sensação de insegurança, o desejo obsessivo de destruí-lo pode minar, como já minou, os Estados Unidos estrategicamente. Esse é um ponto importante para os líderes considerarem na próxima década. Essa é a razão pela qual embora milhares de norte-americanos possam ser mortos por terroristas, entre eles, eu e meus entes queridos, o terrorismo não deve ser elevado ao *status* de uma questão que é a primordial. Em todos os tempos, a estratégia deve permanecer proporcional ao perigo.

TERROR E ARMAS DE DESTRUIÇÃO EM MASSA

Outra realidade desagradável que irá assomar durante os próximos dez anos, e que precisa ser considerada separadamente, é a das armas de destruição em massa. A existência dessas armas ocasionalmente provocará respostas severas dos presidentes que nos lideram. O dano que um dispositivo nuclear pode fazer é muito maior que o poder do terrorismo convencional. E embora raramente seja estratégico, as armas de destruição em massa podem ter um efeito profundo na condição material do país.

Retomando nossa atenção para Bush, havia de fato em sua resposta ao 11 de setembro mais do que simplesmente deter o terrorismo convencional. Após aquele dia, sua administração recebeu da inteligência a informação de que um dispositivo nuclear, especificamente uma maleta-bomba da era soviética, fora furtada e poderia estar nas mãos da Al Qaeda. Portanto, o fantasma que assustava seu governo nos últimos meses de 2001 era que, a qualquer momento, uma cidade norte-americana poderia ser destruída por uma arma nuclear.

Foi essa ameaça que definiu os esforços iniciais de seu governo. O presidente e seu vice jamais ficavam na mesma cidade ao mesmo tempo, e todos os serviços de inteligência e segurança foram direcionados para encontrar a arma. Aparentemente, eles jamais a descobriram, ou, talvez, ela nunca tenha existido. Após anos de manejo inadequado, ela pode não ter funcionado direito, ou pode ter sido interceptada e o governo preferiu não revelar sua existência.

Independentemente desse fato, as armas de destruição em massa, particularmente dispositivos nucleares, representam uma classe de ameaça que não pode ser tolerada. Seriam necessárias muitas armas nucleares para, efetivamente, destruir a infraestrutura e a população dos Estados Unidos, mas um único ataque por uma arma desse tipo poderia desestabilizar a moral da população a tal ponto que paralisaria o país por um período estendido de tempo.

Em um ataque terrorista de pequenas dimensões, em que dezenas de pessoas morrem, como as bombas suicidas em Israel, a probabilidade de qualquer indivíduo em uma população de 300 milhões ser uma vítima é pequena. A probabilidade de ele morrer devido a um acidente comum ou de doença no próximo ano é muito maior do que a de ser morto com uma bomba suicida. Os eventos de 11 de setembro distorceram a percepção de perigo durante um tempo e as pessoas evitaram viajar de avião, e talvez evitassem até mesmo lugares com grandes aglomerações ou edifícios tradicionais. Mas, com o passar do tempo, a sensação de estarmos sujeitos a ataques declinou. O perigo estava mais na mente das pessoas quando se dirigiam a aeroportos, e talvez quando entrassem na Sears Tower, no Empire State Building ou no Capitólio. No entanto, o risco percebido de estarmos no lugar errado na hora errada foi assimilado pelo barulho de fundo geral. Quando isso ocorreu, para muitas pessoas a demanda de que todos os passos fossem dados para salvaguardar os Estados Unidos contra o terror se esvaiu no que foram ações consideradas como excessos, inconveniências e intromissões.

Com armas de destruição em massa, as probabilidades e a persistência do medo são diferentes. Suponha que uma cidade norte-americana fosse destruída por um dispositivo nuclear. Assim que um ataque com armas de destruição em massa tivesse arrasado uma cidade, o número de alvos que os terroristas atingiriam seria relativamente pequeno, mas, para moradores de outras cidades, haveria o temor imediato e racional de que o inimigo tivesse mais dessas armas e que, a qualquer momento, pudesse atacar novamente.

Sob uma perspectiva terrorista, desperdiçar uma arma nuclear em Spokane, em Washington, ou Bangor, no Maine, não faz nenhum sentido. Os alvos são as grandes metrópoles que são os centros de toda a atividade política, econômica e social. Conseguir a evacuação dos cidadãos apavorados traria não apenas o caos, mas o abandono de todos os sistemas de comunicação e econômicos, enquanto milhões de refugiados escapariam para qualquer região em particular. Essa resposta ao temor de uma aniquilação em massa, vinda de uma ameaça completamente aleatória, seria o objetivo final do terrorismo ao usar armas de destruição em massa.

Terroristas de várias linhagens — palestinos, europeus, japoneses, têm operado desde o final da década de 1960 — e a maioria desses grupos tem aproveitado a chance de infligir o tipo de dano que uma arma de destruição em massa pode provocar. Vários desses grupos são tecnicamente muito mais sofisticados do que a Al Qaeda. Portanto, por que jamais houve um ataque efetivo com esses tipos de armas?

A resposta simples é que, embora construir e implementar armas de destruição em massa seja fácil de imaginar, sua execução é muito difícil. As armas existentes são relativamente poucas, fortemente guardadas, de difícil transporte e passíveis de matar o terrorista bem antes de ele ter a chance de matar outros. Tem havido muitos relatos de armas de destruição em massa da era soviética, e armas biológicas e químicas disponíveis no mercado negro, mas a maior parte das ofertas é feita por agências de inteligência tentando atrair terroristas para uma cilada. Se você fosse um terrorista a quem lhe oferecessem uma arma nuclear na forma de maleta por um ex-coronel soviético, como você possivelmente distinguiria se o que estava procurando era o objeto verdadeiro ou meramente uma caixa cheia de fios e luzes piscantes? A mesma incerteza seria mantida com relação às armas químicas ou biológicas. Os serviços de inteligência não têm de saber quem está vendendo verdadeiras armas de destruição em massa para espantar os clientes, e a vontade de comprar esses artefatos diminui consideravelmente quando o número de profissionais da inteligência oferecendo-as para venda como cilada é maior do que as ofertas legítimas.

Há, naturalmente, a opção de fabricar esses artefatos por conta própria, e todos os anos algum aluno de graduação exibe um diagrama detalhado para a construção de dispositivos nucleares. Entre esse esboço e o êxito temos as seguintes etapas: adquirir o material fissionável, junto com todos os circuitos e envoltórios; comprar as máquinas necessárias para usinar o material fissionável de acordo com as tolerâncias precisas necessárias de modo a detoná-lo; engajar os especialistas que efetivamente poderiam fazer essas coisas assim que você tivesse o material e os equipamentos; encontrar uma instalação muito segura em que esses especialistas pudessem trabalhar e morar... As chances de a pessoa ser detectada se agravam em cada estágio do processo. Ainda que você consiga adquirir o material físsil de forma extremamente segura, as máquinas necessárias para a produção de uma arma nuclear são extremamente especializadas e seus fabricantes se situam numa faixa bastante reduzida. Quando um indivíduo privado surge com seu cartão American Express para comprar uma dessas máquinas, as probabilidades de que ele seja rastreado são, na verdade, muito grandes.

No caso das armas biológicas e químicas, você acrescenta aos mesmos riscos a probabilidade de que as únicas pessoas que você matará serão você mesmo e seus cúmplices. Esses tipos de armas são muito mais complexas pelo fato de que devem ser dispersas. Quando um grupo japonês liberou sarin, um gás asfixiante extremamente letal, em uma estação de metrô de Tóquio, a contaminação permaneceu localizada e somente poucas pessoas foram mortas, não os números substanciais que os terroristas tinham previsto. As pessoas sempre especulam sobre como um pontinho disso ou daquilo poderia varrer uma cidade inteira. Isso é até possível, mas, primeiro, você deve descobrir como esse pontinho será disseminado.

Apenas um país já fabricou uma arma nuclear a partir do nada, e foram os Estados Unidos. Os britânicos conseguiram seus artefatos nucleares como compensação por suas contribuições ao esforço de pesquisa norte-americana. Os franceses também adquiriram a tecnologia dos norte-americanos, que, em seguida, a deram para Israel. Os russos roubaram o conhecimento dos norte-americanos, e então os transferiram para os chineses e indianos. Os chineses deram a tecnologia para os paquistaneses. A questão é que o desenvolvimento dessas armas por meio de um programa independente de pesquisas é muito difícil, e é esta a razão por que o Irã ainda está tendo problemas e a Coreia do Norte jamais conseguiu obter sucesso nas pesquisas.

Como a crise financeira, que tem gerado um desequilíbrio doméstico nos Estados Unidos, o 11 de setembro provocou um desequilíbrio estratégico. Isso precisa ser tratado na próxima década, e decisões difíceis terão de ser tomadas. Uma estratégia desenhada para evitar que hegemonias regionais ameacem interesses norte-americanos é uma estratégia de equilíbrio de poder. Ela requer presença norte-americana em várias regiões. Portanto, a próxima década deverá redefinir a estratégia dos Estados Unidos de modo que o país possa perseguir seus interesses. Isso significará mover-se além da guerra contra o terror e redefinir interesses em cada região e com o mundo. Um bom lugar para começarmos a pensar nisso é Israel.

Capítulo 6

Redefinição da política: o caso de Israel

Os Estados Unidos não têm qualquer relação internacional mais complexa do que a que mantêm com Israel, tampouco nenhuma mais fracamente entendida, essencialmente por norte-americanos e israelenses. As relações entre os dois países, aparentemente, contaminariam as relações entre os Estados Unidos e os países islâmicos e dificultariam o término das operações bélicas no Oriente Médio. Além disso, algumas pessoas acreditam que os exércitos de Israel controlam a política externa norte-americana, uma visão que não é só dos fundamentalistas islâmicos. A complexa realidade, bem como a percepção ainda mais complexa do laço que une os dois países, continuará a ser uma questão fundamental para a estratégia global norte-americana na próxima década.

As relações entre os dois países são também um estudo de caso para o debate entre realistas e idealistas em política externa. As estreitas relações da América com Israel são baseadas tanto no interesse nacional como na convicção moral de que os Estados Unidos devem apoiar regimes similares a si próprios. Essa última ideia tem, naturalmente, se tornado uma intensa batalha filosófica. Do lado dos idealistas estão aqueles que focam no tipo de regime que Israel tem: uma ilha de democracia num oceano de autocratas. Mas há aqueles que argumentam que, por causa do tratamento que dispensam aos palestinos, Israel tem perdido qualquer direito de reivindicações morais. No lado dos realistas estão aqueles que argumentam que Israel atrapalha a conquista de melhores relações com os árabes, mas há também aqueles que argumentam que o país é um aliado na investida contra o terrorismo.

Se há algum lugar em que se encontre uma trajetória coerente que incorpore interesses estratégicos e morais é difícil, não consigo pensar em nenhum. No entanto, para efetivamente entender essa situação complexa, devemos reexaminar a história.

Dada a antiguidade do Oriente Médio, precisamos voltar ao século 13 para que possamos compreender sua geopolítica contemporânea. Essa foi a época em que o Império Bizantino estava perdendo força, e o controle das áreas fronteiriças do mar Negro e da parte leste do Mediterrâneo fora transferido para os turcos otomanos. Em 1453, os turcos tinham conquistado Constantinopla e, no século 16, estavam no comando da maior parte do território que, no passado, caíra por Alexandre, o Grande. Uma grande parte da África setentrional, da Grécia e dos Bálcãs, bem como a região ao longo da costa leste do Mediterrâneo estavam sob o domínio otomano desde o tempo de Colombo até o século 20.

Tudo isso chegou ao fim quando os otomanos, que tinham se aliado com a Alemanha, foram derrotados na Primeira Guerra Mundial. Os vitoriosos ganharam os espólios, que incluíam a extensa província otomana conhecida como Síria. Um acordo de guerra secreto entre os britânicos e franceses, de nome Sykes-Picot, tinha dividido esse território entre os dois aliados numa linha que corria grosseiramente do Monte Hermon para o Oeste em direção do mar. A região ao Norte era para ser colocada sob o controle dos franceses; a região ao Sul, dos britânicos. Divisões posteriores deram nascimento não apenas ao país moderno da Síria, mas ao Líbano, à Jordânia e, também, a Israel.

Os franceses visavam ser uma influência nessa região desde a era napoleônica. Tinham firmado também um compromisso de defender os cristãos árabes na área contra a maioria de população muçulmana. Durante uma guerra civil que assolou a região nos anos 1860, os franceses se aliaram a facções que tinham forjado laços com seu país. Paris queria manter essa aliança, de modo que, na década de 1920, quando os franceses estavam finalmente no controle, transformaram a região predominantemente maronita (cristã) da Síria em um país separado, nomeando-o em face de sua característica dominante topográfica de Monte Líbano. Como Estado, então, o Líbano não tinha nenhuma prévia realidade. Sua característica principal unificadora é que seu povo sentia uma afinidade com a França.

A região britânica ao Sul estava dividida junto com linhas similarmente arbitrárias. Durante a Primeira Guerra Mundial, o clã muçulmano que governara a região oeste de Elas na Península Arábica, os hachemitas, tinham apoiado os britânicos. Em troca, os britânicos prometeram instalar esse grupo como os governantes da Arábia após a guerra. Porém, Londres também se comprometeu com outras etnias. Baseado no Kuwait, um clã rival, os sauds, entrara em guerra contra os turcos em 1900, tentando tomar o controle das partes Leste e Central da Península Arábica. Em uma batalha que irrompeu logo após a Primeira Guerra Mundial, os sauds derrotaram os hachemitas, de modo que os britânicos deram a Arábia para eles, atualmente conhecida como Arábia Saudita. Os hachemitas receberam o Iraque como prêmio de consolação, local que governaram até 1958, quando foram destituídos num golpe militar.

Os hachemitas remanescentes na Arábia foram transferidos para uma área ao Norte, ao longo da margem Leste do rio Jordão. Centrado na cidade de Amã e com a falta de qualquer outra identidade óbvia, esse novo protetorado tornou-se conhecido como Transjordânia, como na "outra margem do rio Jordão". Após a retirada britânica em 1948, a Transjordânia tornou-se a Jordânia contemporânea, um país que, como o Líbano e a Arábia Saudita, jamais existira antes.

A Oeste do rio Jordão e ao Sul do Monte Hermon havia também outra região que, no passado, tinha sido um distrito administrativo da Síria otomana. Sua maior extensão tinha sido chamada de Filistina, indubitavelmente para homenagear os filisteus, cujo herói Golias tinha lutado contra David há milhares de anos. Os britânicos acolheram o termo filisteus, mencionado rapidamente em algum dialeto arcaico grego, e adotaram Palestina como o nome para essa nova região. Sua capital era Jerusalém, e seus residentes foram, em seguida, denominados palestinos.

Nenhum desses países remanescentes era uma nação no sentido de que tinham uma história ou identidade comum exceto no caso da Síria, que poderia reivindicar uma linhagem que remontava aos tempos bíblicos. O Líbano, a Jordânia e a Palestina eram invenções francesas e britânicas criadas para suas conveniências políticas. Suas histórias nacionais remontavam apenas à época dos Srs. Sykes e Picot, e a algumas jogadas inglesas na Arábia.

Isso não quer dizer que os habitantes não tivessem uma conexão histórica com a terra em que viviam. Se não sua terra natal, o território era certamente um lar, mas até aqui havia complexidade. Sob o governo otomano, a propriedade da terra, particularmente na Palestina, fora semifeudal, com arrendatários coletando o aluguel dos *felaheen*, ou camponeses, que efetivamente lavravam o solo.

Chegam os judeus. Membros da diáspora europeia tinham migrado para essa região desde os anos 1880, formando comunidades judaicas relativamente pequenas junto a outras que já viviam na maior parte das regiões árabes durante séculos. Essa imigração era parte do movimento sionista, que, motivado pelo ideal europeu de uma nação-Estado, buscava criar uma terra natal judaica na região em que os judeus tinham vivido nos tempos bíblicos.

Os judeus chegaram em pequenos grupos, instalando-se em terras compradas com os fundos que tinham levantado na Europa. Frequentemente, essas terras eram compradas dos arrendatários, que as vendiam apesar de seus locatários árabes. Do ponto de vista judeu, essa era uma aquisição legítima de terra. Do ponto de vista dos locatários, representava uma investida direta em seus meios de subsistência, bem como a expulsão de suas famílias da terra em que tinham trabalhado durante gerações. À medida que chegavam mais judeus, a aquisição das terras, cujos títulos, de qualquer forma, eram frequentemente duvidosos, tornou-se menos escrupulosa e ainda mais invasiva.

Embora os árabes geralmente (não todos) vissem os judeus como invasores aliados, eles não concordavam com algo: a quem os residentes da Palestina deveriam lealdade nacional?

Os sírios consideravam a Palestina da mesma forma que o faziam em relação ao Líbano e à Jordânia, como uma parte integral de seu país. Eles se opunham a uma Palestina independente, a exemplo do que faziam com a existência de um Estado judeu independente, pela mesma razão que se opunham à independência libanesa e jordaniana: para eles, o acordo Sykes-Picot era uma violação à integridade territorial permanente da Síria.

Os hachemitas, outrora da Península Arábica, tinham ainda maiores problemas com os palestinos. Eles eram, afinal, uma tribo árabe transferida da margem leste do rio Jordão. Após a retirada britânica em 1948, eles se tornaram governantes à revelia do que é hoje a Cisjordânia. Embora compartilhassem a etnia arábica e a fé muçulmana com os palestinos que eram nativos da região, essas transferências foram profundamente diferentes quanto à cultura e à história. De fato, os dois grupos eram bastante hostis entre si. Na visão hachemita (hoje jordaniana), a Palestina era legalmente deles, pelo menos a parte remanescente, após Israel ter ganhado a independência. Na realidade, desde o tempo em que os judeus se tornaram mais numerosos e poderosos na Palestina, os governantes hachemitas da Jordânia consideravam esses novos imigrantes da Europa oriental, e de outras partes, como aliados contra os palestinos nativos.

No sudoeste de Israel, estavam os egípcios, que em vários pontos também tinham sido dominados pelos franceses e britânicos, bem como pelos otomanos. Em 1956, eles sofreram um golpe militar que levou Gamal Abdel Nasser ao poder. Nasser se opunha à existência de Israel, mas ele tinha uma visão muito diferente dos palestinos. O sonho dele era a criação de uma nação árabe única, a República Árabe Unida, que obteve sucesso em estabelecer muito brevemente com os sírios. Para ele, todos os países do mundo árabe eram produtos ilegítimos do imperialismo e deveriam se agrupar como uma única nação, sob a liderança do maior e mais poderoso país árabe, o Egito. Visto sob esse contexto, não havia uma Palestina, e os palestinos eram simplesmente árabes que ocupavam certa faixa de terreno bem-definida.

Todos os países árabes na região, então, exceto a Jordânia, queriam a destruição de Israel, mas não apoiavam, ou sequer discutiam, uma Palestina independente. A faixa de Gaza, ocupada pelo Egito durante a Guerra de Independência de Israel de 1948, foi administrada como parte do Egito durante os 20 anos seguintes. A Cisjordânia permaneceu como parte da Jordânia. Os sírios queriam que todo o território jordaniano e palestino retornasse para eles, junto com o Líbano. Toda essa situação era extremamente complicada, mas então a Guerra dos Seis Dias, de 1967, embaralhou tudo mais uma vez.

Em 1967, o Egito expulsou as forças de paz das Nações Unidas na península do Sinai e a remilitarizou. Também bloqueou os Estreitos de Tiran e de Bab el Mandeb, cortando a ligação entre o porto de Eilat no Mar Vermelho. Em resposta, os israelenses atacaram não apenas os egípcios, mas também a Cisjordânia jordaniana, que tinha bombardeado Jerusalém, e as Colinas de Golan na Síria, porque tinham bombardeado assentamentos israelenses.

O êxito de Israel, incluindo a ocupação da margem ocidental do Rio Jordão, transformou toda a região. Repentinamente uma grande parte da população de árabes palestinos relutantes estava sob o controle de um Estado israelense. A intenção inicial de Israel parecia ter sido negociar as áreas conquistadas para um acordo de paz permanente com seus vizinhos. No entanto, numa reunião realizada em Khartoum após a guerra de 1967, as nações árabes replicaram com as famosas "três negativas": sem negociação, sem reconhecimento, sem paz. Nesse ponto, a ocupação israelense desses ex-territórios palestinos passou a ser permanente.

Foi também nesse ponto que os palestinos pela primeira vez foram vistos como uma nação separada. Os egípcios tinham patrocinado um grupo conhecido como a Organização para a Libertação da Palestina (OLP) e instalaram um jovem de nome Yasser Arafat para liderá-la.

Nasser ainda cultivava a ideia de uma federação árabe, mas nenhuma outra nação optou por aceitar essa liderança. Nasser não estava preparado para submeter-se a nenhum outro líder, o que deixou a OLP e suas organizações constituintes, como a Al Fatah, como os únicos defensores de um Estado palestino.

Os jordanianos ficaram felizes de ter os palestinos morando em um território israelense porque passaria a ser um problema deste último. Estavam também satisfeitos de reconhecer a OLP como representante do povo palestino, e igualmente satisfeitos porque os israelenses não permitiriam que os palestinos fossem independentes. Os sírios apoiavam suas próprias organizações, tais como a Frente Popular para a Libertação da Palestina, que defendia que Israel devia ser destruído e que os palestinos deviam ser incorporados à Síria. Portanto, o reconhecimento do nacionalismo palestino pelos árabes não era universal nem amigável. De fato, o apoio árabe para os palestinos parecia aumentar em proporção direta a distância que os árabes se mantinham da Palestina.

Deve ser óbvio, com esse resumo, que a defesa moral que assola contra os direitos de Israel, com o qual qualquer presidente deve lidar, é extremamente complexa. Além do deslocamento substancial de populações que ocorreu com a criação do Estado de Israel contemporâneo, a imigração dos judeus europeus não constituiu a destruição de uma nação palestina, pois tal nação jamais existiu. A identidade nacional palestina de fato emergiu somente com a resistência à ocupação israelense após 1967. E a hostilidade diante das reivindicações nacionais palestinas era intensa tanto pelos árabes quanto pelos judeus. A política externa israelense foi moldada por essas realidades e tirou vantagem delas de modo a impor a atual ordem política na região. Mas qualquer que fosse o caso no passado, há, certamente, hoje em dia, uma nação palestina autoconsciente, e isso é parte do que se deve informar à política norte-americana do futuro.

Além de lidar com essa história incrivelmente convulsionada, que pesa em qualquer julgamento moral, a política norte-americana nessa região deve acomodar dois outros fatos básicos. Primeiro, independentemente da reivindicação histórica israelense, sob uma perspectiva do século 21, os judeus eram assentados de outro continente que expulsaram os nativos. Então, mais uma vez, é difícil para os americanos, que expulsaram suas próprias populações nativas ainda de forma mais arrasadora, criar um caso moral contra Israel por usurpar o território palestino e maltratar a população nativa.

Uma defesa ainda mais expressiva é a que Roosevelt fez ao apoiar a França e a Inglaterra contra a Alemanha nazista: Israel (excluindo a Cisjordânia e a faixa de Gaza) é um país democrático, e os Estados Unidos são o "arsenal da democracia". Isso indica que essa nação tem um relacionamento especial com Estados democráticos, bem como obrigações que transcendem a geopolítica. Portanto, os Estados Unidos devem apoiar o Israel democrático, independentemente de outras considerações morais ou, inclusive, geopolíticas.

Os realistas discordariam. Eles argumentariam que as reivindicações morais, de qualquer lado, não devem ter ligação alguma com os Estados Unidos, e que este país deve modelar suas políticas de acordo com seus interesses nacionais. No entanto, como tenho declarado, perseguir um interesse nacional sem relação com um propósito moral deixa o primeiro raso e incompleto. Mais importante, definir os interesses nacionais na região em seus próprios termos é extremamente difícil. A bússola moral deve estar presente, mas ela aponta em muitas direções. A busca do interesse nacional é menos óbvia do que pode parecer.

A moralidade enraizada em reivindicações históricas pode ser modelada para se conformar, e isso por todos os lados. Um julgamento moral simples não pode lidar com as realidades no terreno, e construir-se uma posição moral coerente é tremendamente difícil. Quanto à posição realista, é muito difícil concluir sobre o que poderia ser. Assim a pergunta é como estruturamos uma política externa realista que servirá ao propósito moral e ao interesse nacional na próxima década? Para acharmos a resposta, precisamos considerar a história da relação entre Israel e Estados Unidos.

OS ESTADOS UNIDOS E ISRAEL

Os Estados Unidos reconheceram a independência israelense em 1948, mas os dois países mal foram aliados. Embora os Estados Unidos sempre reconhecessem o direito de Israel existir, esse fato jamais orientou a política norte-americana verdadeiramente. O principal interesse norte-americano em 1948, quando Israel obteve sua independência, era a contenção da União Soviética, e seu foco estava mais voltado para a Turquia e a Grécia. A Grécia teve uma rebelião comunista interna. Tanto a Grécia como a Turquia tiveram também uma ameaça soviética externa. Para os Estados Unidos, a Turquia era a chave para a região. Havia apenas um pequeno estreito na Turquia, o Bósforo, que impedia a frota soviética de passar entre os mares Negro e Mediterrâneo. Se esse estreito caísse em mãos soviéticas, estes poderiam desafiar o poder norte-americano e pôr em risco o sul da Europa.

O maior impedimento para a estratégia norte-americana de contenção no Oriente Médio residia nos britânicos e franceses, que tentavam restabelecer a influência na região que haviam controlado antes da Segunda Guerra Mundial. Buscando o desenvolvimento de laços estreitos no mundo árabe, os soviéticos podiam, e efetivamente exploraram, a hostilidade às maquinações europeias. A situação atingiu seu ponto culminante em 1956, após Nasser assumir o poder e nacionalizar o Canal de Suez.

Nem os britânicos, tampouco os franceses (que estavam lutando para subjugar uma revolta anticolonial na Argélia, e que tinham dificuldades para reclamar sua influência no Líbano e na Síria) queriam que o Egito controlasse o canal. Tampouco Israel. Em 1956, as três nações armaram uma conspiração para uma invasão israelense no Egito, mas haveria um senão. Assim que Israel dominasse o canal, as forças britânicas e francesas iriam intervir, tomando o canal para garanti-lo contra uma invasão israelense e um potencial conflito com o Egito. Essa foi uma daquelas ideias que deve ter feito sentido quando rabiscada num guardanapo após uma rodada de bebidas.

Na visão norte-americana, a aventura não apenas estava fadada ao fracasso, mas também propeliria o Egito para o campo soviético, dando-lhe um forte e estratégico aliado. Qualquer coisa que pudesse aumentar o poder soviético era inaceitável aos Estados Unidos, portanto, a administração Eisenhower interveio contra o esquema de Suez, forçando a retirada dos britânicos e franceses, e a volta de Israel às posições de 1948. No final da década de 1950, as relações entre Israel e Estados Unidos tinham se deteriorado.

O problema estratégico para Israel foi que seus requisitos de segurança nacional sempre sobrepujaram suas bases industrial e militar. Em outras palavras, dados os desafios que enfrentava pelos lados do Egito e da Síria, não conseguia fabricar as armas de que necessitava de modo a se proteger. Para assegurar um fluxo estável de armas, precisava de um patrono estrangeiro de peso.

O primeiro patrono de Israel foi a União Soviética, que via o país como um poder antibritânico que poderia se tornar um aliado. A URSS fornecia armas a Israel pela Tchecoslováquia, mas esse relacionamento se desfez rapidamente. Então, a França, ainda combatendo na Argélia, substituiu os soviéticos como um benfeitor de Israel. Os países árabes apoiaram os rebeldes argelinos e, portanto, era interesse da França ter um Estado israelense forte para que o apoiasse em oposição. Portanto, a França forneceu a Israel aviões, tanques e a tecnologia básica para seus artefatos nucleares.

Nessa época, os Estados Unidos ainda viam Israel como tendo marginal importância para seus objetivos estratégicos mais amplos na área. Após a crise de Suez, no entanto, o país começou a reconsiderar suas relações estratégicas. Os norte-americanos intervieram em favor do Egito em Suez, mas os egípcios, em contrapartida, migraram para o campo soviético. Os franceses e britânicos tinham deixado para trás uma série de regimes, na Síria e no Iraque em particular, que eram inerentemente instáveis e extremamente suscetíveis à doutrina de Nasser de estimular militarmente um nacionalismo árabe. A Síria começou a se aliar aos soviéticos já em 1956, mas em 1963 um golpe militar de esquerda selou essa posição. Um golpe similar ocorreu naquele mesmo ano no Iraque.

Na década de 1960, o apoio norte-americano aos árabes tinha começado a dar sinais de uma aventura cada vez mais questionável. Apesar do fato de que a única assistência que os Estados Unidos estavam fornecendo a Israel era em alimentos, o mundo árabe tinha se tornado resolutamente antiamericano. Os soviéticos estavam preparados para financiar projetos que os Estados Unidos não financiariam, e o modelo soviético era mais atrativo para os socialistas árabes. Os Estados Unidos continuaram relativamente desinteressados por um período, contentes em deixar que a França mantivesse sua relação com Tel Aviv. Mas, quando o país começou a fornecer sistemas antiaéreos para regimes antissoviéticos na região, Israel foi incluído na lista de presentes.

Em 1967, Charles de Gaulle terminou a guerra argelina e buscou reativar a relação anterior que os franceses tinham com o mundo árabe. Ele não queria que Israel atacasse seus vizinhos. Quando os israelenses descartaram suas exigências e lançaram-se na Guerra dos Seis Dias, perderam acesso às armas francesas. A vitória de Israel sobre seus vizinhos árabes, no conflito de 1967, gerou o suporte pró-Israel nos Estados Unidos, que estavam atolados no Vietnã. Os israelenses pareciam fornecer um modelo de guerra decisivo e rápido que revitalizava o espírito norte-americano. Os israelenses capitalizaram esse sentimento para persuadir agressivamente os Estados Unidos.

Tentando superar as dificuldades com a Guerra do Vietnã e com a opinião pública, Lyndon Johnson via a obsessão do público norte-americano com os sucessos militares israelenses como útil sob dois aspectos. Primeiro, a criação de apoio para qualquer guerra poderia reforçar o suporte para a Guerra do Vietnã. Segundo, a vitória israelense tinha fortalecido uma ajuda soviética já poderosa para o Egito e a Síria, tornando Israel um aliado ainda mais proveitoso. Nascia uma base estratégica para a relação entre Estados Unidos e Israel. Os soviéticos tinham penetrado na Síria e no Iraque em meados de 1960 e já estavam consolidando as forças militares de ambos os países. A estratégia soviética para lidar com o cerco dos aliados norte-americanos era tentar avançar em turnos, recrutando seus próprios aliados para, em seguida, tentar aumentar a pressão militar e política sobre eles. A Turquia, que sempre tinha estado no centro do pensamento estratégico norte-americano, era a chave para os soviéticos, assim como o era para os norte-americanos. Os golpes na Síria e no Iraque, bem antes de 1967, tinham intensificado o problema estratégico para os Estados Unidos. A Turquia agora estava espremida entre uma poderosa União Soviética ao Norte e dois clientes soviéticos ao Sul. Se os soviéticos alocassem suas próprias forças no Iraque e na Síria, a Turquia poderia se ver em problemas e, com isso, acabaria toda a estratégia norte-americana de contenção dos soviéticos.

Os israelenses, agora, representavam um aliado estratégico, possibilitando que os Estados Unidos se movessem em turnos num revide. A fim de tolher as forças iraquianas, os Estados Unidos armaram o Irã, importante em seu próprio direito, pois o país fazia fronteira com a Rússia. Israel não fazia fronteira com os soviéticos, mas sim com a Síria, e um Israel pró-americano servia para tolher a Síria e, ao mesmo tempo, tornava a organização e a preparação de tropas soviéticas nesse país mais complexa e arriscada. Além disso, Israel ficaria numa posição destacada em oposição ao Egito. Os soviéticos estavam não apenas armando os egípcios, mas também estavam usando o porto de Alexandria como base naval, que poderia se desenvolver como uma ameaça à sexta frota norte-americana no Mediterrâneo.

Contrariamente à crença extremamente difundida, os egípcios e os sírios não se tornaram pró-soviéticos por causa do suporte norte-americano para Israel. De fato, o que aconteceu foi o contrário. A virada egípcia e o golpe sírio aconteceram antes de os Estados Unidos substituirem a França como fonte de armas para Israel, desenvolvimento esse que, de fato, ocorreu em resposta às políticas egípcia e síria. Quando o Egito e a Síria se alinharam com os soviéticos, armar os israelenses foi uma solução de baixo custo para limitar as forças desses dois países e, ao mesmo tempo, forçar os soviéticos a ficarem na defensiva tanto no Egito como na Síria. Isso ajudou a garantir o Mediterrâneo para os Estados Unidos e aliviou a pressão sobre a Turquia. Foi nesse momento, e por razões estratégicas, não morais, que os Estados Unidos começaram a fornecer uma grande ajuda a Israel.

A estratégia norte-americana deu certo. Os egípcios expulsaram os soviéticos em 1973 e estes assinaram um tratado de paz com Israel em 1978. Embora os sírios permanecessem pró-soviéticos, a expulsão das forças soviéticas do Egito enfraqueceu a ameaça soviética no Mediterrâneo. No entanto, outro perigo tinha surgido nesse período: o terrorismo palestino.

A OLP tinha sido arquitetada por Nasser como parte de sua luta estendida contra as monarquias na Península Arábica, um esforço para destituir as casas reais e integrá-las à República Árabe Unida. A inteligência soviética, querendo minar os Estados Unidos ao contribuir com a instabilidade na Arábia, treinou e distribuiu operações da OLP. A situação tornou-se crítica em setembro de 1970, quando Yasser Arafat maquinou um levante contra os governantes hachemitas da Jordânia, aliados-chave dos Estados Unidos e secretos de Israel. Ao mesmo tempo, a Síria mobilizou seus veículos blindados para o Sul da Jordânia, pretendendo claramente utilizar o caos para reafirmar sua autoridade. A força aérea israelense interveio para bloquear os sírios, enquanto os Estados Unidos voavam com as tropas paquistanesas para apoiar as forças jordanianas de modo a reprimir a rebelião. Cerca de 10 mil palestinos foram mortos nos combates e Arafat fugiu para o Líbano.

Esse conflito foi a origem do grupo conhecido como Setembro Negro, que, entre outras ações, executou o massacre de atletas israelenses nas Olimpíadas de Munique, em 1972. O Setembro Negro foi a arma secreta do movimento Fatah de Arafat, mas o que o tornou particularmente importante foi que também serviu para os interesses soviéticos na Europa. Durante a década de 1970, os soviéticos tinham organizado uma campanha de desestabilização, mobilizando grupos terroristas na França, Itália e Alemanha, entre outro países, e suportando organizações como o Exército Republicano Irlandês (IRA).

Os palestinos tornaram-se uma força de peso nesse “terrorismo internacional”, um desenvolvimento que serviu para unir ainda mais Estados

Unidos e Israel. Para evitar a desestabilização da OTAN, os Estados Unidos queriam acabar com as organizações terroristas patrocinadas pelos soviéticos, cujos membros estavam sendo treinados na Líbia e na Coreia do Norte. Por sua parte, os israelenses queriam destruir a capacidade secreta dos palestinos. A CIA e a Mossad, agência de inteligência internacional israelense, cooperaram intensamente durante os vinte anos seguintes para suprimir o movimento terrorista, o qual não enfraqueceu até meados de 1980, quando os soviéticos mudaram para uma política mais conciliatória em relação ao Ocidente. Durante esse período, as duas agências também cooperaram para proteger a Península Arábica contra operações secretas empreendidas pelos soviéticos e pela OLP.

O colapso da União Soviética e, de fato, a mudança na política que ocorreu após a morte de Leonid Bréjnev, alteraram essa dinâmica drasticamente. A Turquia não estava mais em risco. O Egito era uma nação decadente e fraca que não oferecia perigo para Israel e mantinha-se bastante hostil ao Hamas. Formado em 1987, esse grupo era derivado da Irmandade Muçulmana que tinha ameaçado o regime do presidente egípcio Hosni Mubarak. A Síria estava isolada e focada no Líbano. A Jordânia era, agora, sob vários aspectos, um protetorado de Israel. A ameaça imposta pelo movimento palestino, secular e socialista, que formara a OLP e apoiara os movimentos terroristas na Europa, tinha arrefecido grandemente. A ajuda norte-americana a Israel continuou estabilizada enquanto esta economia mantinha um desenvolvimento considerável. Em 1974, quando a ajuda norte-americana começou a fluir em volumes substanciais, representava cerca de 21% do PIB israelense. Hoje ela representa cerca de 1,4%, de acordo com o Congressional Research Office (Departamento de Pesquisas do Congresso).

Mais uma vez, é vital entendermos que a cooperação entre Estados Unidos e Israel não gerou antiamericanismos no mundo árabe, mas foi resultante disso. Os interesses que uniram os dois países de 1967 a 1991 foram transparentes e substanciais. Igualmente importante para entendermos é que, desde 1991, a base da relação entre os dois países tem sido muito menos clara. O atual estado do jogo torna necessário perguntar precisamente o que os Estados Unidos querem de Israel e o que, na verdade, Israel quer dos Estados Unidos. Quando consideramos a política externa norte-americana durante os próximos dez anos, é também vital que perguntemos de que forma exatamente um laço forte com Israel serviria aos interesses nacionais norte-americanos.

Quanto à questão moral dos direitos entre israelenses e palestinos, o registro histórico é caótico. Argumentar que os judeus não têm direito algum na Palestina é uma posição defensável somente se você estiver preparado para afirmar que os europeus não têm direito algum de estarem na América ou na Austrália. Ao mesmo tempo, há uma diferença óbvia entre o direito de Israel de existir e seu direito de ocupar o território natal de grandes levas de palestinos que não querem ser ocupados. Por outro lado, como você pode exigir que Israel renuncie ao controle quando um grande número de palestinos não reconhece o direito de o país existir? O argumento moral torna-se mais débil e não pode servir de base para uma política externa de ambas as partes. Apoiar Israel porque apoiamos democracias é um argumento muito mais persuasivo, mas até essa opção deve estar embutida na questão do interesse nacional. E deve-se lembrar de que os Estados Unidos não têm mostrado, para dizer o mínimo, consistência na aplicação desse princípio.

ISRAEL CONTEMPORÂNEO

O Estado de Israel de hoje é estrategicamente seguro. Ele tem se tornado o poder dominante entre as nações fronteiriças na criação de um equilíbrio de poder regional entre seus vizinhos, poder este que se baseia na hostilidade mútua bem como na dependência de alguns destes vizinhos ao país.

De longe, o elemento mais importante desse sistema é o Egito, que no passado representou a maior ameaça estratégica para Israel. A decisão egípcia, na década de 1970, que continuou a hostilidade em relação a Israel e o alinhamento com a União Soviética, levou a um tratado de paz em que o Sinai tornou-se uma zona desmilitarizada. Isso manteve as forças egípcias e israelenses longe de se agredirem mutuamente. Sem um perigo oferecido pelas forças egípcias, Israel estava seguro, pois a Síria em si não representava um perigo não gerenciável.

A paz entre Egito e Israel sempre aparenta ser tênue, mas ela é efetivamente baseada em forças geopolíticas profundamente poderosas. O Egito não pode derrotar Israel, por razões geográficas e também tecnológicas. Para derrotar Israel, o Egito teria de criar um sistema lógico, por meio do Sinai, que pudesse suportar centenas de milhares de tropas, o que é difícil de criar e de defender.

Os israelenses não podem derrotar o Egito nem poderiam manter uma guerra de atritos prolongada. Para vencer, teriam de fazê-lo rapidamente, pois Israel tem um pequeno exército reservista e deve recrutar combatentes de seus contingentes civis, o que é insustentável durante um período prolongado. Até em 1967, quando a vitória veio em questão de dias, as necessidades de força humana para os combates paralisaram a economia israelense. Ainda que Israel pudesse derrotar o exército egípcio, não poderia ocupar o território egípcio, a bacia do rio Nilo. Essa região é o lar de mais de 70 milhões de pessoas, e o Exército israelense simplesmente não possui os recursos, sobretudo para controlá-la.

Por causa desse impasse, Egito e Israel arriscariam muito e ganhariam pouco se lutassem um contra o outro. Além disso, ambos os governos, agora, estão combatendo as mesmas forças islâmicas. O atual regime egípcio ainda deriva da revolução militar, secular e socialista de Gamal Abdel Nasser. Ele jamais foi islâmico e foi sempre desafiado por muçulmanos devotos, particularmente os organizados em torno da Irmandade Muçulmana, a organização sunita que é a maior força de oposição a regimes estabelecidos pelo mundo árabe. Os egípcios reprimiram esse grupo. Eles temem que a eficácia do Hamas possa ameaçar a estabilidade de seu regime. Portanto, por mais queixosa que possa ser sua política para com a relação entre judeus e árabes, eles compartilham da hostilidade de Israel pelo Hamas e trabalham ativamente para contê-lo em Gaza.

O acordo entre Israel e o Egito é, efetivamente, o relacionamento mais importante que existe. Contanto que os egípcios permaneçam alinhados a Israel, a segurança nacional israelense é assegurada, pois nenhuma outra combinação de vizinhos pode ameaçar o país. Ainda que o regime secular com base nos princípios de Nasser caísse, seria necessário o decorrer de uma geração antes de o Egito poder ser uma ameaça, e, ainda assim, somente se esta geração ganhasse o patrocínio de uma potência.

Tampouco Israel enfrenta uma ameaça da Jordânia, muito embora a linha do Rio Jordão seja a área mais vulnerável enfrentada por Israel. Com centenas de quilômetros de extensão, a distância entre essa linha e o corredor entre Tel Aviv e Jerusalém tem menos de 75 quilômetros. No entanto, as forças de inteligência e militares jordanianas guardam essa fronteira para Israel, uma circunstância peculiar que existe por duas razões. Primeira, a hostilidade entre jordanianos e palestinos é uma ameaça para o regime hachemita, e os israelenses servem aos interesses de segurança nacional da Jordânia ao reprimir os palestinos. Segundo, os jordanianos têm um número bem mais reduzido de tropas e seriam muito facilmente derrotados pelos israelenses para significar alguma ameaça. A única situação em que a linha do Rio Jordão poderia se tornar uma ameaça para Israel seria se algum país estrangeiro (mais provavelmente, Irã ou Iraque) enviasse suas forças militares para serem distribuídas ao longo dela. Como há um deserto que separa o Rio Jordão desses países, a organização e a preparação destas forças seria muito difícil. Mais que isso, essa disposição de tropas significaria o fim do reino hachemita da Jordânia, que faria qualquer coisa para evitar uma distribuição de tropas tão significativa e seria apoiado pelos israelenses. Israel e Jordânia estão, desta forma, unidos até o pescoço.

Resta a Síria, que por si só não impõe nenhuma ameaça para Israel. Suas forças são menores do que as israelenses, que são totalmente mobilizadas, e as regiões em que poderiam atacar são muito limitadas para que pudessem explorar eficazmente. Ainda mais importante, a Síria é um país orientado para o Ocidente, e, portanto, para o Líbano, que não somente é visto como sua propriedade, mas onde sua elite regente, os alauitas, guardam estreitos vínculos históricos.

O Líbano é a interface entre o mundo árabe setentrional e o Mediterrâneo. Os bancos e os imóveis de Beirute, bem como o contrabando e o tráfico de drogas do Vale de Bekaa, são do maior interesse prático para os sírios do que qualquer convicção de que a Síria otomana pertence a eles. Esses interesses encaminham a Síria para dominar e integrar o Líbano informalmente em sua economia nacional.

Após os acordos de Camp David de 1978 entre Egito e Israel, e confrontados com a hostilidade do Iraque, os sírios viram-se isolados na região. Eles também eram hostis ao movimento Fatah de Arafat, tão hostis que invadiram o Líbano em 1975 para combater os palestinos. No entanto, eles se deparam com um risco. A Revolução Iraniana em 1979 criou um novo relacionamento, embora distante, que possibilitava aos sírios aumentar suas forças no Líbano utilizando os recursos ideológicos e financeiros do Irã. Na década de 1980, após a invasão do Líbano por Israel, foi formada, no Líbano, uma milícia xiita anti-israelense denominada Hezbollah. Em parte, o Hezbollah é simplesmente um pedaço da constelação política libanesa. Por outra parte, trata-se de uma força desenhada para combater Israel. Mas em troca da ajuda de Israel contra o movimento Fatah no Líbano, os sírios se comprometeram a restringir as ações do Hezbollah contra Israel. Esse acordo foi rompido em 2006, quando os Estados Unidos empurraram as forças uniformizadas sírias para fora do Líbano, uma punição pelo suporte que tinham oferecido aos jihadistas no Iraque. Como resultado, a Síria renunciou a qualquer promessa feita para Israel.

Israel está em paz com o Egito e com a Jordânia, uma paz baseada em interesses mútuos substanciais. Com esses dois países alinhados com Israel, a Síria é fraca e isolada e não impõe nenhum risco. O Hezbollah é uma ameaça, mas não possui peso suficiente para ameaçar Israel.

A ameaça mais importante a Israel vem do interior de suas fronteiras ocupadas pelos palestinos. E, ainda que sua principal arma, o terrorismo, seja dolorosa, é uma arma que em si não pode destruir os israelenses. Mesmo quando o Hezbollah e outras forças externas são adicionados, o Estado de Israel não está em risco, primeiro porque os recursos que essas forças podem pôr em vigor são insuficientes, depois porque a Síria, temendo a retaliação de Israel, limita as possíveis ações desses grupos.

De fato, os problemas de Israel têm sido atenuados pela divisão entre os palestinos. O Fatah, organização de Arafat, foi até a década de 1990 a principal força dentro da comunidade palestina. Como um movimento que segue a doutrina de Nasser, do qual ele se originou, ele era secular e socialista, não islâmico. Durante essa década, surgiu o Hamas, um movimento palestino islâmico, que tem fracionado os palestinos, criando uma guerra civil. O Fatah controla a Cisjordânia; o Hamas, a Faixa de Gaza. Os israelenses, que fazem o jogo do equilíbrio de poder dentro da comunidade palestina também na região, agora apoiam e veem com simpatia o Fatah, mas são hostis ao Hamas. Os dois grupos têm a mesma probabilidade de lutar entre si como a de lutar contra Israel.

O perigo do terrorismo para os israelenses, além das tragédias pessoais que provoca, é que ele pode alterar a política de Israel sobre questões estratégicas e levar os judeus a viver em função de um gerenciamento de ameaças. A morte de israelenses por bombas suicidas jamais será aceitável, e nenhum governo israelense pode sobreviver se descartar essa inquietação, mas o equilíbrio de poder tem permitido manter Israel seguro de confrontos contra outras nações e o perigo de terrorismo, dentro dos territórios ocupados, é secundário.

O problema para Israel permanece o mesmo que era nos tempos bíblicos. Israel tem sido capaz de controlar o Egito e quaisquer poderes existentes no Leste e no Norte. Foram somente as grandes potências mais distantes, como a Babilônia, a Pérsia, a Grécia Alexandrina e Roma que foram capazes de esmagar o antigo reino dos judeus. Esses impérios eram competidores que Israel não tivera de administrar geopoliticamente e com quem, às vezes, se engajara catastroficamente por superestimar sua força ou subestimar a necessidade de sutilezas diplomáticas.

O terrorismo coloca Israel na mesma posição hoje em dia. A ameaça dessa violência não é minar o regime, mas sim levar o regime a agir de tal modo que provocará uma potência mais importante a concentrar esforços no país.

Nada bom pode acontecer se Israel exibir-se tão brilhantemente na tela do radar global.

Do ponto de vista israelense, a insatisfação, a intranquilidade ou até mesmo o terrorismo palestinos são sentimentos com os quais se pode viver. O que Israel não pode aceitar é a intervenção de uma potência de grande porte apoiando os palestinos. Grandes potências, potências imperialistas, podem ser dar ao luxo de gastar uma pequena fração de seus vastos recursos em questões que satisfazem interesses marginais ou que meramente abrandam a opinião pública. Essa pequena fração pode reduzir sensivelmente os recursos de um país como Israel. Esta é a razão pela qual Israel deve manter seus arranjos regionais e gerenciar os palestinos e seu terrorismo.

A única dessas potências imperialistas na atualidade é os Estados Unidos. Como tal, o país tem interesses globais variados, alguns dos quais tem negligenciado durante esse período de preocupação com o terrorismo e o islamismo radical. Os Estados Unidos devem desatrelar sua política externa de seu foco no terrorismo e se realinhar com países que não veem o terrorismo como o problema primordial do mundo, e que não veem a ocupação de Israel pelos palestinos como algo muito significativo.

Ao mesmo tempo, há numerosas potências regionais, como a Rússia e a Europa, que podem ter enorme impacto sobre Israel não podem ser negligenciados e tratados indiferentemente a seus interesses. A menos que Israel reavalie sua própria visão sobre o terrorismo e sobre os palestinos, pode se encontrar isolado de muitos de seus aliados tradicionais, incluindo os Estados Unidos. Ainda que isso não o destruísse, seria um caminho para sua destruição.

Conforme temos visto, o apoio norte-americano para Israel não é o principal estimulador da hostilidade muçulmana contra os Estados Unidos, e nenhuma evolução dos eventos em Israel afeta diretamente os interesses centrais norte-americanos. Portanto, os Estados Unidos ganhariam pouco se rompessem com Israel ou se forçassem os israelenses a mudar suas políticas em relação aos palestinos. De fato, o efeito de um estranhamento entre os Estados Unidos e Israel seria de pânico entre os vizinhos desse país.

Excluindo-se as escaramuças no Líbano, Israel mantém um equilíbrio estável de poder e faz isso sem a assistência norte-americana. A Jordânia e o Egito, efetivamente, dependem de Israel sob vários aspectos, assim como outros países árabes. Os israelenses não serão subjugados pelos palestinos e, portanto, o complexo equilíbrio de poder regional na parte mediterrânea Sul permanecerá igual, independentemente do que os Estados Unidos façam ou não. Tudo isso leva à conclusão de que, por mais longe que o conflito entre israelenses e palestinos vá, devemos deixar as coisas como estão.

A melhor opção para o presidente norte-americano é marginalizar o conflito sem indicar claramente qualquer mudança nas relações com os judeus. Os Estados Unidos devem adotar calmamente uma política de desatrelamento de Israel, o que significaria simplesmente aceitar o atual desequilíbrio de poder. No entanto, no longo prazo, seu objetivo seria o de reorganizar tal equilíbrio, mantendo Israel dentro da estrutura, sem colocar em risco sua existência. Contudo, tal medida obrigaria Israel a considerar quais são seus interesses nacionais.

Um distanciamento declarado entre os Estados Unidos e Israel não somente daria a impressão de oportunidades abertas para a Síria e o Egito, mas também apresentaria problemas políticos domésticos nos próprios Estados Unidos. O voto judaico é pequeno, mas a influência política dos judeus assume proporções maiores por causa das iniciativas de *lobbies* cuidadosamente organizadas e financiadas. Acrescente-se a isso os interesses dos conservadores cristãos que veem as posições de Israel como importantes em termos teológicos, e o presidente enfrentaria um bloco poderoso contra quem não deveria querer se opor. Por essas razões, o presidente deve continuar remetendo enviados para construir mapas para a paz, e deve continuar a condenar todos os lados por quaisquer ultrajes que cometam. Deve continuar a fazer discursos de apoio a Israel, mas não deve ter ambições de uma "paz duradoura", pois qualquer esforço para atingir essa meta poderia, na realidade, desestabilizar a região.

Os motivos pelos quais os Estados Unidos precisavam de Israel, no passado, não existem mais. Não precisam de Israel para lidar com regimes pró-soviéticos no Egito e na Síria. Israel é, no entanto, valioso por compartilhar a inteligência e por atuar como base para suprimentos de modo a apoiar os combates norte-americanos na região. Israel não enfrenta a probabilidade de guerras convencionais importantes. O país não necessita de fornecimentos repentinos de tanques ou aviões, como foi feito em 1973. Nem precisa da assistência financeira que os Estados Unidos têm suprido desde 1974. A economia de Israel é robusta e está crescendo.

Para Israel, a ajuda internacional significa bem menos que os laços estreitos com os fundos *hedge* proporcionados pelos Estados Unidos. Israel sabe bem fazer sozinho seu controle financeiro. O que a ajuda internacional significa para Israel, que não tem tratado formal com os Estados Unidos, é um compromisso público. O país usa isso como uma carta, seja na região, seja para confortar a opinião pública israelense. O que os Estados Unidos já obtiveram em troca por essa ajuda foi um parceiro estável na região, que poderia ser administrado sem o dinheiro. Agora os Estados Unidos têm um parceiro independentemente da ajuda. No entanto, essa ajuda fornece base para os argumentos islâmicos de que os Estados Unidos são a fonte de todos os seus problemas, inclusive de um comportamento impiedoso por parte dos israelenses. Dado que essa ajuda tem uma importância realmente marginal, esse preço é essencialmente alto. Desistir desse comprometimento com a ajuda eliminaria um argumento principal do *lobby* anti-israelense nos Estados Unidos.

Certamente, essa é toda uma cortina para a política central de estabelecimento e manutenção do equilíbrio de poder. Israel foi de grande valor para os Estados Unidos durante a segunda parte da Guerra Fria. Após esse evento, os benefícios norte-americanos com esse relacionamento diminuíram enquanto os custos aumentaram. A equação não exige uma quebra nas relações com Israel. Requer sim um realinhamento com base nas realidades correntes. Israel não precisa de assistência estrangeira e não está num risco estratégico de forças convencionais. Há uma necessidade mútua para compartilhamento de inteligência e desenvolvimento de armas, mas essa é uma parte tranquila do relacionamento.

Não há nenhum desafio moral nesse ponto. Nenhum aliado está sendo abandonado, e a sobrevivência de Israel não está em questão. Ao mesmo tempo, embora as colônias na Cisjordânia possam ser um interesse nacional fundamental para Israel, não são de interesse dos Estados Unidos. Há duas nações soberanas, o que significa que ambas devem definir o relacionamento. E cada relacionamento tem de ser visto em termos de seu valor para o sentido mais amplo do interesse nacional. O que os Estados Unidos queriam de Israel há trinta e cinco anos não é o que querem hoje.

Do lado dos israelenses, a principal pressão para fechar um acordo com os palestinos vem das preocupações de que acabarão alienados dos Estados Unidos e, particularmente, da Europa, haja vista o tratamento que dispensam aos palestinos. As relações econômicas são importantes para Israel, mas também o são os laços culturais. Mas os israelenses sofrem pressões internas. Por causa da desordem palestina, a ideia de fechar um acordo com um Estado palestino que não deseje ou que seja incapaz de controlar ataques terroristas tem suporte limitado. Qualquer acordo exigiria concessões aos palestinos que os israelenses não desejarão fazer e que, dada a fraqueza dos primeiros, não estão inclinados a fazer.

O equilíbrio de poder entre árabes e israelenses está numa situação precária. O Egito e a Jordânia optaram pelo equilíbrio, e Israel está livre para criar sustentações nesse terreno. Não é de interesse dos Estados Unidos que Israel, ou qualquer outro país, tenha liberdade de ação na região. Como tenho dito, o equilíbrio de poder deve ser o princípio governante dos norte-americanos. Os Estados Unidos devem reestruturar o equilíbrio de poder regional movendo-se parcialmente para mais perto das nações árabes e afastando-se parcialmente de Israel. Isso não impõe nenhuma ameaça existencial a Israel, para que se configure um desafio moral. Israel não está mais sob risco de sofrer alguma queda e não depende dos Estados Unidos para sobreviver. Isso foi no passado. Não é o caso na próxima década. Os Estados Unidos precisam de distância. O país tomará distância. Haverá resistência política doméstica. Haverá também suporte político doméstico. Esse não é um abandono de Israel, mas as relações entre os dois países não podem ser congeladas num modo ultrapassado.

O fator complicador nessa análise é o restante do mundo islâmico, particularmente o Irã e a Turquia. O primeiro ameaça se tornar uma potência nuclear, e o segundo se tornará uma força poderosa na região, modificando seus laços estreitos com Israel. Tendo atuado no Oriente Médio com um foco fechado sobre Israel, necessitamos mudar para lentes mais amplas. É assim que o equilíbrio de poder de um império funciona.

Capítulo 7

Inversão estratégica: Estados Unidos, Irã e Oriente Médio

Além do caso especial de Israel, a área entre a parte Leste do Mediterrâneo e o Hindu Kush continua sendo o foco atual da política norte-americana. Conforme já observamos, os Estados Unidos têm três principais interesses nela: manter um equilíbrio de poder regional, garantir que o fluxo de petróleo não seja interrompido e derrotar os grupos islâmicos centrados na região. Qualquer passo que os norte-americanos deem para abordar qualquer um desses três objetivos deve levar em consideração os outros dois, o que aumenta significativamente o grau de dificuldade para atingir qualquer um deles.

Adicionado a esse desafio, é preciso manter o equilíbrio de poder em três regiões da área: entre árabes e israelenses, indianos e paquistaneses, e iraquianos e iranianos. Cada um desses equilíbrios está desordenado, mas o mais crucial, entre iraquianos e iranianos, colapsou completamente com a desintegração do Estado e das forças militares iraquianas após a invasão dos Estados Unidos em 2003. A distorção do equilíbrio entre indianos e paquistaneses não está muito distante, pois a guerra no Afeganistão continua a desestabilizar o Paquistão.

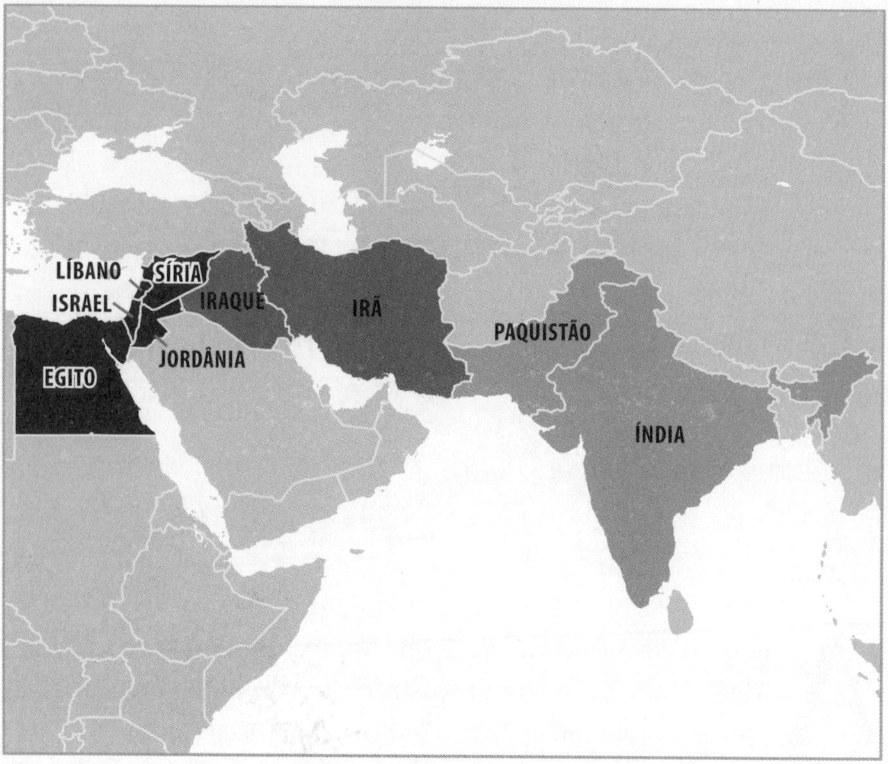

Três equilíbrios regionais

Conforme vimos no capítulo anterior, a fragilidade do mundo árabe tem criado uma situação em que os israelenses não têm mais de se preocupar consigo mesmos em relação às reações de seus oponentes. Nas próximas décadas, os israelenses tentarão tirar vantagem disso para criar novas realidades no terreno, enquanto os Estados Unidos, ao manterem sua busca por equilíbrio estratégico, tentarão limitar os movimentos de Israel.

O equilíbrio indo-paquistanês está sendo desestabilizado no Afeganistão, uma complexa zona de guerra em que as tropas norte-americanas estão perseguindo dois objetivos concorrentes, pelo menos conforme declarado oficialmente. O primeiro é evitar que a Al Qaeda utilize o Afeganistão como uma base de operações; o segundo é criar um governo democrático estável. Mas negar aos terroristas um refúgio no Afeganistão tem uma função limitada, pois os grupos que seguem os princípios da Al Qaeda (a rede principal, que foi construída em torno de Osama Bin Laden, não é mais funcional) podem se desenvolver em qualquer parte, do Iemen a Cleveland. Esse é um fator especialmente significativo quando a tentativa de fragmentar a Al Qaeda exige desestabilizar o país, treinar o incipiente Exército afegão, administrar a força policial dos recrutas afegãos e se intrometer na política afegã. É impossível efetivamente estabilizar um país em que você tem de desempenhar um papel tão invasivo.

Ordenar essa complexidade começa com o reconhecimento de que os Estados Unidos não têm interesse vital no tipo de governo desenvolvido pelo Afeganistão e que, mais uma vez, o presidente não pode permitir que o contraterrorismo seja uma força primária na modelagem de uma estratégia nacional.

Mas o reconhecimento mais importante e necessário para assegurar o equilíbrio durante a próxima década é que o Afeganistão e o Paquistão são, de fato, uma entidade, ambos compartilhando vários grupos e tribos étnicas, com fronteira política que significa muito pouco. A população combinada desses dois países é superior a 200 milhões de habitantes, e os Estados Unidos, com somente cerca de 100 mil soldados na região, jamais serão capazes de impor sua vontade diretamente e implantar a ordem segundo seu gosto.

Além do mais, a principal questão estratégica não é efetivamente o Afeganistão, mas sim o Paquistão, e o equilíbrio de poder realmente significativo na região é, na verdade, o equilíbrio entre o Paquistão e a Índia. Desde a independência, esses dois países divididos da mesma porção do Império britânico têm mantido relações difíceis e, às vezes, violentas. Ambos são potências nucleares e obcecados um com o outro. Embora a Índia seja maior, o Paquistão tem o terreno mais defensável, ainda que seu território esteja mais exposto à Índia. No entanto, os dois têm se mantido em posição estática, que é justamente onde os Estados Unidos desejam que fiquem.

Obviamente, os desafios inerentes para a manutenção desse complexo equilíbrio durante a próxima década são enormes. Até o ponto em que o Paquistão se desintegre, sob a pressão norte-americana, para ajudar no combate à Al Qaeda e para cooperar com suas forças no Afeganistão, a situação de equilíbrio com a Índia fracassará, deixando este país com o poder predominante na região. A guerra no Afeganistão deve, inevitavelmente, disseminar-se até o Paquistão, desencadeando batalhas internas que podem, potencialmente, enfraquecer a nação. Isso não é certo, mas é possível demais para ser descartado. Sem inimigos significativos, exceto os chineses, que estão sequestrados no outro lado do Himalaia, a Índia ficaria livre para usar seus recursos de modo a tentar dominar a bacia do Oceano Índico e muito provavelmente aumentaria sua frota naval para fazer isso. Uma Índia triunfante destruiria o equilíbrio que os Estados Unidos desejam tão intensamente, e, portanto, o problema da Índia é mais saliente do que as questões do terrorismo ou da construção de uma nação no Afeganistão.

Essa é a razão pela qual, na próxima década, a principal estratégia norte-americana nessa região deve ser a de ajudar a criar um Paquistão forte e viável. O passo mais significativo nesta direção seria aliviar a pressão sobre esse país, terminando a guerra no Afeganistão. A ideologia específica do governo paquistanês realmente não interessa, e os Estados Unidos, de qualquer modo, não podem impor suas visões sobre o Paquistão.

O fortalecimento do Paquistão não apenas ajuda a restaurar o equilíbrio com a Índia, mas também restaurará o Paquistão e dará um relevo ao Afeganistão. Nesses dois países muçulmanos, há muitos grupos e interesses divergentes, e os Estados Unidos não podem administrar seus planejamentos internos. Todavia, podem seguir a mesma estratégia selecionada após a queda da União Soviética: podem possibilitar, no maior grau possível, o retorno do equilíbrio natural que existia antes da invasão norte-americana do Afeganistão. Os Estados Unidos podem, então, gastar seus recursos ajudando a construir um forte exército paquistanês para controlar a situação.

As forças jihadistas no Paquistão e Afeganistão provavelmente ressurgirão, mas isso aconteceria mesmo que os Estados Unidos se atolassem no Afeganistão ou que fossem embora. A guerra simplesmente não tem nenhum impacto nessa dinâmica. Há uma leve chance de que as forças militares paquistanesas, com o apoio norte-americano, possam ser, de alguma forma, mais bem-sucedidas na repressão aos terroristas, mas isso é incerto e definitivamente insignificante. Novamente, o objetivo-chave a ser seguido é a manutenção do equilíbrio de poder indo-paquistanês.

Como no caso de se afastar de Israel, o presidente não poderá expressar abertamente sua estratégia para lidar com o Afeganistão, o Paquistão e a Índia. Certamente será impossível para os Estados Unidos parecerem vitoriosos, e a guerra afegã acabará sendo resolvida praticamente da mesma forma que a do Vietnã: graças a um acordo de paz negociado que permita às forças insurgentes, neste caso, o Talibã, assumirem o controle. Um exército paquistanês forte não terá interesse algum em esmagar o Talibã, mas tomará providências para controlá-lo. O Estado paquistanês sobreviverá, o que equilibrará relações com a Índia e permitirá que os Estados Unidos foquem em outros pontos de equilíbrio na própria região.

O CORAÇÃO DA REGIÃO: IRÃ E IRAQUE

O equilíbrio de poder entre o Irã e o Iraque permaneceu intacto até 2003, quando a invasão norte-americana destruiu tanto o governo como o exército iraquianos. Desde então, a força mais importante, que tem mantido os iranianos sob supervisão, tem sido os Estados Unidos. Mas o país anunciou que pretende retirar suas forças do Iraque, que, dado o estado de seu governo e exército, acabará permitindo que Irã se torne o poder dominante no Golfo Pérsico. Isso impõe um desafio fundamental tanto para a estratégia norte-americana como para a região extremamente complexa. Considere as alianças que podem ocorrer na ausência dos Estados Unidos.

A população iraquiana é de cerca de 30 milhões de habitantes. A população da Arábia Saudita é de aproximadamente 27 milhões. A população de toda a Península Arábica é de cerca de 70 milhões, mas esse número é dividido entre várias nações, particularmente entre a Arábia Saudita e o Iemen. O último tem cerca de um terço desta população, e é muito distante dos campos petrolíferos vulneráveis da Arábia Saudita. Por outro lado, o sozinho Irã tem uma população de 70 milhões de habitantes. A Turquia tem uma população bem aproximada. No sentido mais amplo, esses números e como essas populações se combinarão em potenciais aliados definirão a realidade geopolítica da região do Golfo Pérsico no futuro. A população e a riqueza da Arábia Saudita combinadas com a população iraquiana podem contrabalançar o Irã ou a Turquia, mas não ambos. Durante a guerra entre o Irã e o Iraque na década de 1980, foi o apoio da Arábia Saudita ao Iraque que permitiu todo o sucesso que este país desfrutou.

Embora a Turquia seja um poder emergente com uma grande população, o país ainda tem poder limitado, incapaz de projetar sua influência até o Golfo Pérsico. A Turquia pode pressionar o Irã e o Iraque no Norte, desviando sua atenção do golfo, mas não pode intervir diretamente para proteger os campos petrolíferos árabes. Além do mais, a estabilidade do Iraque, na atual conjuntura, está muito dependente do Irã.

O Irã talvez não seja capaz de impor um regime pró-iraniano em Bagdá, mas tem o poder de desestabilizar Bagdá quando quiser.

Com o Iraque essencialmente neutralizado, e seus 30 milhões de habitantes lutando entre si em vez de contrabalançar qualquer país, o Irã pela primeira vez, em séculos, está livre de uma ameaça externa significativa de seus vizinhos. A fronteira iraniano-turca é extremamente montanhosa, dificultando operações de ofensivas militares na região. Ao Norte, o país é protegido do poder russo por Armênia, Azerbaijão e Geórgia, e, no Noroeste, pelo Turcomenistão. Ao Leste ficam o Afeganistão e o Paquistão, ambos no caos. Se os Estados Unidos se retirarem do Iraque, o Irã ficará livre de uma ameaça imediata também desse enorme poder. Portanto, o Irã está, pelo menos por enquanto, numa posição extraordinária, seguro contra invasões no território e livre para explorar pelo Sudoeste.

Com o Iraque numa conturbação só, as nações da Península Arábica poderiam não resistir ao Irã mesmo que agissem coordenadamente. Lembre-se de que as armas nucleares não são relevantes para essa realidade. O Irã seria o poder dominante no Golfo Pérsico mesmo que suas armas nucleares fossem destruídas. De fato, um ataque nas instalações nucleares iranianas poderia se confirmar extremamente contra-producente, levando o Irã a reagir de modo desagradável. Embora este país não possa impor seu próprio governo ao Iraque, poderia, se provocado, impedir qualquer outro governo de surgir do caos na região, mesmo enquanto forças norte-americanas estivessem no terreno presas numa nova rodada de guerras internas e com um menor número disponível de tropas.

A resposta final do Irã a um ataque em suas instalações nucleares seria tentar bloquear o Estreito de Ormuz, em que há cerca de 45% do fluxo de petróleo do mundo exportado via marítima. O Irã tem mísseis antinavais e, mais importante, minas. Se o Irã colocasse minas no estreito e os Estados Unidos não conseguissem limpar essa passagem com um grau razoável de competência, a rota de suprimentos poderia ser fechada. Isso provocaria um aumento dramático nos preços do petróleo e, certamente, abortaria a recuperação econômica global.

Qualquer ataque isolado nas instalações nucleares iranianas, o tipo de ataque que Israel pode empreender sozinho, viria selado da própria derrota, tornando o Irã mais perigoso do que nunca. O único meio de neutralizar essas instalações sem incorrer em danos colaterais seria atacar, também, a força naval do Irã, e usar o poder aéreo para diminuir seus recursos convencionais. Um ataque desse nível levaria meses (se fosse para atingir o exército iraniano) e sua eficácia, a exemplo de combates aéreos, é incerta.

Para os Estados Unidos atingirem suas metas estratégicas na região, é preciso encontrar um modo de contrabalançar o Irã sem manter sua atual disposição de forças (já reduzida a 50 mil tropas) no Iraque e sem aumentar o poder militar destacado para a região. Uma campanha aérea maciça contra o Irã não é uma perspectiva desejada, nem podem os

Península Arábica, Golfo Pérsico

Estados Unidos contar com o ressurgimento do poder iraquiano como um contrapeso, pois o Irã nunca possibilitaria isso. Os Estados Unidos têm de se retirar do Iraque de modo a gerenciar seus outros interesses estratégicos. Mas, acoplado a essa retirada, é preciso ter uma mentalidade radical.

Na próxima década, a opção mais desejável com o Irã será executada graças a um movimento que, no momento, parece inconcebível. Trata-se da opção escolhida por Roosevelt e Nixon quanto tiveram de enfrentar situações estratégicas aparentemente impossíveis: a criação de alianças com países que previamente eram considerados ameaças estratégicas e morais. Roosevelt aliou os Estados Unidos à Rússia stalinista, e Nixon com a China maoísta, cada um com a finalidade de bloquear um terceiro poder que era visto como mais perigoso. Em ambos os casos, houve uma intensa rivalidade ideológica entre o aliado e os Estados Unidos, aliado este que muitos consideravam extremo e totalmente inflexível. No entanto, quando os Estados Unidos se depararam com alternativas inaceitáveis, o interesse estratégico superou a revolta moral em ambos os lados. Inaceitável, para Roosevelt, era uma vitória alemã na Segunda Guerra Mundial. Para Nixon, bastava os soviéticos utilizarem a debilidade norte-americana provocada pela Guerra do Vietnã para alterar o equilíbrio de poder global.

As condições no terreno colocavam os Estados Unidos numa posição similar à de hoje, frente a frente com o Irã. Esses países se desprezam mutuamente. Nenhum pode facilmente destruir o outro, e, verdade seja dita, os dois têm alguns interesses em comum. Em termos simples, o presidente norte-americano, de modo a atingir seus objetivos estratégicos, deve buscar um acordo com o Irã.

A situação estratégica que impele os Estados Unidos para esse gesto é, conforme discutimos, a necessidade de manter o fluxo de petróleo pelo Estreito de Ormuz, e mantê-lo num período em que o país deve reduzir as forças devotadas a essa parte do mundo.

A principal razão pela qual o Irã pode aderir a um acordo é que o país vê os Estados Unidos como perigoso e imprevisível. De fato, em menos de dez anos, o Irã já se deparou com tropas norte-americanas tanto na fronteira oriental como na ocidental. Seu interesse estratégico mais importante é a sobrevivência do regime. O país deve evitar uma intervenção esmagadora norte-americana enquanto garante que o Iraque jamais se torne uma ameaça. No entanto, o Irã deve aumentar sua autoridade no mundo muçulmano contra os muçulmanos sunitas com os quais rivaliza e, às vezes, ameaça.

Na tentativa de imaginar uma aliança dos Estados Unidos com o Irã, considere as sobreposições nos objetivos dos dois países. O primeiro está em guerra contra alguns sunitas, mas nem todos, e estes são também inimigos dos iranianos xiitas. O segundo não quer tropas norte-americanas dispostas ao longo de suas fronteiras oriental e ocidental. (Na realidade, os Estados Unidos também não querem ficar nessas regiões.) Da mesma forma que os Estados Unidos querem ver o petróleo continuar a fluir livremente por Ormuz, o Irã quer lucrar com esse fluxo, não interrompê-lo. Finalmente, os iranianos entendem que os Estados Unidos, eles mesmos, impõem a maior ameaça para sua segurança. De forma que o acordo resolve o problema norte-americano e a sobrevivência do regime é assegurada. Os Estados Unidos entendem, ou devem compreender, que ressuscitar o contrapeso do Iraque em relação ao Irã não é simplesmente uma opção em curto prazo. A menos que os Estados Unidos queiram manter um compromisso significativo de longo prazo com forças de solo no Iraque, o que claramente não farão, a solução óbvia para esse problema na região é fazer um acordo com o Irã.

O maior risco que pode surgir dessa estratégia de acomodação seria que o Irã desse passos maiores e tentasse ocupar os países produtores de petróleo diretamente no Golfo Pérsico. Dadas as limitações logísticas do exército iraniano, isso seria difícil. E dado que essa ação causaria uma intervenção norte-americana rápida, esse movimento agressivo por parte dos iranianos seria sem sentido e provocaria sua própria derrota. O Irã já é o poder dominante na região e os Estados Unidos não têm nenhuma necessidade de bloquear a influência iraniana entre seus vizinhos. Os aspectos da influência iraniana vão desde a participação financeira em projetos regionais até uma influência significativa nas cotas da OPEC e alguma influência nas políticas internas dos países árabes.

Mesmo, com um entendimento com os Estados Unidos, a dominação iraniana da região teria limites. O Irã desfrutaria de uma esfera de influência dependente de seu alinhamento com os Estados Unidos em outras matérias, o que significa não cruzar nenhuma linha que desencadeasse uma intervenção direta daquele país. Com o tempo, o crescimento do poder iraniano dentro dos limites beneficiaria tanto os Estados Unidos como o Irã. A exemplo dos acordos com Stálin e Mao, essa aliança entre os dois países seria repugnante, porém necessária, mas também temporária.

Certamente os maiores perdedores com essa aliança seriam os sunitas na Península Arábica, incluindo a família imperial saudita. Sem o

Iraque, eles são incapazes de se defender, e já que o petróleo flui e não há um único poder controlando diretamente toda a região, os Estados Unidos não têm interesses de longo prazo em seu bem-estar econômico e político. Portanto, uma aliança entre os dois países redefiniria também a relação histórica dos Estados Unidos com os sauditas. Essa etnia deverá olhar para os Estados Unidos como um gestor de seus interesses enquanto tenta atingir algum acordo político com o Irã. A dinâmica geopolítica do Golfo Pérsico seria transformada para todos.

Os israelenses também seriam ameaçados, embora não tanto como os sauditas e outros principados no Golfo Pérsico. Através dos anos, a retórica anti-israelense do Irã tem sido extrema, mas suas ações, prudentes. O Irã tem feito um jogo de espera, utilizando a retórica para acobertar sua inação. No final, os israelenses seriam encurralados pela decisão norte-americana. Israel não tem a competência necessária para o tipo de campanha aérea intensiva que destrua o programa nuclear iraniano. Certamente falta ao país o poder militar para modelar os alinhamentos geopolíticos da região do Golfo Pérsico. Além do mais, um Irã presenteado com seu sonho de uma fronteira ocidental segura e a dominação do Golfo Pérsico poderia se tornar bastante conciliatório. Comparadas a essas oportunidades, Israel é para eles uma questão menor, distante e simbólica.

Até agora, os israelenses ainda tinham a opção potencial de atacar o Irã unilateralmente, na esperança de gerar uma reação iraniana no Estreito de Ormuz e arrastar os Estados Unidos para o conflito. Caso os norte-americanos e iranianos avançassem em um entendimento, Israel não teria mais essa influência sobre a política norte-americana. Um ataque israelense poderia desencadear uma resposta norte-americana totalmente inoportuna em vez de uma reação em cadeia que Israel pudesse ter esperado no passado.

O maior choque da aliança entre os Estados Unidos e o Irã seria político, de ambos os lados. Durante a Segunda Guerra Mundial, o acordo americano-soviético chocou profundamente a população norte-americana (a soviética menos, pois eles já tinham absorvido o pacto de não agressão pré-guerra com Stálin). A aliança entre Nixon e Mao, vista como inteiramente inimaginável na época, chocou ambas as partes. No entanto, quando aconteceu, passou a ser totalmente imaginável, até administrável.

Quando Roosevelt fez a aliança com Stálin, ele estava politicamente vulnerável junto da direita, que, nos extremos, o considerava um socialista inclinado aos soviéticos. Nixon, um claro oponente ao comunismo, não teve tantos problemas. O presidente Obama estará na posição de Roosevelt, mas sem a ameaça extraordinária de um mal comparativamente muito maior, ou seja, a Alemanha nazista.

Uma acomodação com o Irã será particularmente difícil para ele, pois isso será visto como um exemplo de fraqueza em vez de astúcia. O presidente iraniano Ahmadinejad terá muito mais facilidade para vender a ideia desse acordo ao seu povo. Mas diante das outras opções, um Irã nuclear, ofensivas aéreas estendidas com todas as consequências concomitantes, e a presença extremamente indesejável, de longo prazo, das forças norte-americanas no Iraque, essa aliança parece perfeitamente razoável.

Nixon e a China mostraram que mudanças diplomáticas importantes podem ocorrer de maneira bastante repentina. Há, frequentemente, um longo período de negociações nos bastidores seguido por uma ruptura movida quer por alterações nas circunstâncias quer por negociações habilidosas.

O atual presidente necessitará de habilidade política considerável para associar a aliança a uma ajuda na ofensiva contra a Al Qaeda, deixando claro que o Irã dominado por xiitas é tão hostil aos sunitas quanto aos norte-americanos. Ele terá a oposição de dois *lobbies* poderosos neste caso: os sauditas e os israelenses. Israel será ultrajado pela manobra, mas os sauditas ficarão apavorados, o que é uma das maiores vantagens da manobra, aumentar a tração norte-americana sobre suas políticas. Os israelenses podem, sob muitos aspectos, ser controlados mais facilmente, porque suas forças militares e serviços de inteligência, há tempos, veem os iranianos como aliados ocasionais contra ameaças árabes. Eles têm tido uma relação complexa durante os últimos trinta anos. Os sauditas condenarão esse movimento, mas a pressão que isso colocará no mundo árabe será atrativa para Israel. Ainda assim, a comunidade judaica norte-americana não é tão sofisticada ou cínica como em Israel nestas questões, e seus membros farão barulho. Ainda mais difícil de administrar será o *lobby* saudita, suportado como ele é por empresas norte-americanas que fazem negócios no reino.

Mas haverá diversas vantagens para os Estados Unidos. Primeira, sem fundamentalmente ameaçar os interesses israelenses, o movimento demonstrará que os Estados Unidos não são controlados por Israel. Segunda, o movimento colocará um país geralmente impopular, a Arábia Saudita, um Estado que costuma a persuadir Washington, de sobreaviso sobre as outras opções dos Estados Unidos. Por sua parte, os sauditas não têm para onde ir e eles se prenderão a quaisquer garantias que os Estados Unidos lhes ofereçam diante de um entendimento americano-iraniano.

Recordando os trinta anos de hostilidades com o Irã, a população norte-americana ficará ultrajada. O presidente terá de estruturar essa manobra oferecendo uma retórica de proteção de seu território contra a maior ameaça. Ele, certamente, usará a China como um exemplo de reconciliação bem-sucedida com o irreconciliável.

O presidente também terá de lidar com o redemoinho de batalhas públicas de *lobbies* estrangeiros e defender a aliança. Mas, ele terá de, definitivamente, manter suas posições morais, lembrando que, no fim, o Irã não é um amigo dos Estados Unidos mais do que Stálin e Mao foram.

Se houve uma necessidade de se chegar a entendimentos secretos, esta é a hora, e uma grande parte desse entendimento permanecerá não revelada. Nenhum dos dois países desejará incorrer no dano político interno de excessivas reuniões públicas e apertos de mão. Mas, no fim, os Estados Unidos precisam sair da armadilha em que se colocaram e o Irã tem de evitar uma confrontação real com os Estados Unidos.

O Irã é um país inerentemente defensivo. Não é suficientemente forte para ser uma base da política norte-americana na região, nem um problema real no longo prazo. Sua população fica concentrada em montanhas que circundam suas fronteiras, enquanto uma grande parte do centro do país é minimamente habitável ou completamente inabitável. O Irã pode projetar poder sob certas condições especiais, tais como as que obtém no momento, mas no longo prazo é meramente uma vítima de poderes externos.

Uma aliança com os Estados Unidos dará ao Irã, temporariamente, o controle nas relações com os árabes, mas, em questão de anos, os Estados Unidos terão de reafirmar um equilíbrio de poder. O Paquistão é incapaz de estender sua influência para o Oeste. Israel é demasiadamente pequeno e distante para contrabalançar o Irã. A Península Arábica é excessivamente fragmentada, e a duplicidade dos Estados Unidos em estimulá-la a aumentar suas armas é muito óbvia para ser um contrapeso alternativo. Uma opção mais realística é incentivar a Rússia a estender sua influência para a fronteira iraniana. Isso, de qualquer modo, poderia ocorrer, mas, como veremos, não geraria maiores problemas nas outras regiões.

O único país na região capaz de atuar como contrapeso ao Irã e ser uma potência no longo prazo é a Turquia, e atingirá esse *status* dentro dos próximos dez anos, independentemente do que os Estados Unidos façam. A Turquia tem a 17ª maior economia do mundo e é a maior economia no Oriente Médio. O país tem o exército mais forte da região e, excluindo o russo e possivelmente o britânico, provavelmente o mais forte da Europa. A exemplo da maior parte dos países no mundo muçulmano é, atualmente, dividido entre secularistas e islâmicos dentro de suas próprias fronteiras. Mas suas lutas estão muito mais restritas aos acontecimentos em outras partes do mundo muçulmano.

A dominação iraniana da Península Arábica não é de interesse da Turquia, pois os turcos têm seu próprio apetite pelo petróleo da região, reduzindo sua dependência do petróleo russo. Ainda, o país não quer que o Irã se torne mais poderoso do que ele mesmo. E, embora o Irã tenha uma pequena população curda, o Sudeste turco é lar de uma quantidade extremamente grande de curdos, fato esse que o Irã pode explorar. Poderes globais e regionais têm apoiado os curdos a impor pressão ou desestabilizar o Iraque, a Turquia e o Irã. Trata-se de um velho jogo e de uma vulnerabilidade constante.

No curso da próxima década, os iranianos terão de alocar a maior parte dos recursos a fim de lidar com a Turquia. Nesse intervalo, o mundo árabe estará procurando um defensor contra o Irã xiita e, apesar da amarga história do poder turco no mundo árabe durante o Império Otomano, a Turquia sunita é a melhor opção.

Nos próximos dez anos, os Estados Unidos devem assegurar que a Turquia não se torne hostil a seus interesses e que o Irã e a Turquia não formem uma aliança para domínio e divisão do mundo árabe. Quanto mais esses dois países temerem os Estados Unidos, maior a probabilidade de que isso ocorra. Os iranianos ficarão satisfeitos no curto prazo com sua aliança com os Estados Unidos, mas estarão completamente cientes de que se trata de uma aliança de conveniência, não de uma amizade de longo prazo. São os turcos que estão abertos a um alinhamento de prazo mais longo com os norte-americanos, e a Turquia pode ser valiosa aos Estados Unidos em outras regiões, particularmente nos Bálcãs e no Cáucaso, onde serve como um bloqueio para as aspirações russas.

Pelo tempo que os Estados Unidos mantiverem os termos básicos de seu acordo com o Irã, este representará uma ameaça à Turquia. Quaisquer que sejam as inclinações turcas, eles terão de se proteger, e, para fazer isso, deverão trabalhar para reduzir o poder iraniano na Península Arábica e nos países árabes do norte da península: Iraque, Síria e Líbano. Eles se engajarão nisso não apenas para limitar o Irã, mas também para melhorar seu acesso ao petróleo mais ao sul, tanto porque necessitarão desse petróleo como também desejarão obter lucro com ele.

À medida que Turquia e Irã estiverem competindo na próxima década, Israel e Paquistão estarão preocupados com o equilíbrio de poder locais. No longo prazo, a Turquia não pode ser contida pelo Irã. O país é, de longe, o mais dinâmico economicamente e, portanto, pode suportar uma força militar mais sofisticada. Mais importante, enquanto o Irã tem opções regionais geograficamente limitadas, a Turquia pode atingir o Cáucaso, os Bálcãs, a Ásia Central e, finalmente, o Mediterrâneo e a África setentrional, o que oferece oportunidades e aliados contrários aos iranianos. O Irã nunca teve um poder naval significativo desde a Antiguidade e, por causa da posição de seus portos, jamais poderá ter um no futuro. Em contrapartida, a Turquia frequentemente tem sido o poder dominante no Mediterrâneo e o será novamente. Na próxima década, veremos o início da ascensão turca para dominar a região. É interessante notar que embora não possamos pensar no século sem que a Turquia desempenhe um papel extremamente importante, essa década será a de uma preparação. A Turquia terá de aceitar seus conflitos domésticos e fazer crescer sua economia. Continuará na mesma linha de política externa prudente que tem seguido recentemente. Isso não está a mergulhando em conflitos. Os Estados Unidos devem elaborar uma visão de longo prazo da Turquia e evitar pressões que possam diminuir seu desenvolvimento.

Como solução aos complexos problemas do Oriente Médio, o presidente norte-americano deve escolher um entendimento temporário com o Irã que dê a este país o que ele deseja, mas que ofereça aos Estados Unidos espaço para se retirar e que seja uma base para hostilidade mútua contra fundamentalistas sunitas. Em outras palavras, o presidente deve colocar a Península Arábica dentro da esfera de influência iraniana, embora limitando seus controles diretos e posicionando os sauditas, entre outros, numa enorme desvantagem.

Essa estratégia confrontaria a realidade do poder iraniano e tentaria modelá-lo. Quer fosse ou não configurada, a solução no longo prazo para o equilíbrio de poder na região seria a ascensão da Turquia. Uma Turquia poderosa contrabalançaria Irã e Israel, e, paralelamente, estabilizaria a Península Arábica. No devido tempo, os turcos começariam a reagir desafiando os iranianos, e, portanto, o equilíbrio central de poder seria ressuscitado, estabilizando a região. Isso geraria um novo equilíbrio de poder regional. Mas esses movimentos não são para essa década.

Estou defendendo que essa é a opção política preferida dadas as circunstâncias. Mas também estou defendendo que esse é o resultado mais lógico. As outras alternativas são inaceitáveis para ambos os lados, há um risco excessivo. E, quando as alternativas são inaceitáveis, o que resta, por mais irracional que pareça, é o resultado mais provável.

Para ver como isso afetaria os círculos mais amplos de poder e de seu equilíbrio, recorreremos ao próximo problema, o equilíbrio entre Europa e Rússia.

Capítulo 8

O retorno da Rússia

O colapso da União Soviética parecia sinalizar o fracasso da Rússia como jogador internacional, mas as notícias dessa morte foram prematuras. Uma nação tão vasta, tão repleta de recursos e tão estrategicamente localizada simplesmente não se dissolve no ar. Entretanto, nos anos 1990, a queda da URSS abalou o vasto império formado pelos czares e mantido unido pelos comunistas, deixando Moscou com o controle de uma fração do que mantinha em 1989. A divisão administrativa moscovita em si, a região que tinha sido o centro do império, e a Sibéria permaneceram sob o controle russo. Se esse núcleo fosse mantido, no entanto, o jogo não acabaria. A Federação Russa, bastante enfraquecida, ainda sobreviveu, e desempenhará uma função cada vez mais importante na próxima década.

Enquanto a Rússia sofria o desmoronamento de regiões e uma economia convulsionada, os Estados Unidos emergiram como única potência global remanescente e capaz de dominar o planeta de um modo casual, quase indolente. Mas o colapso soviético deu aos Estados Unidos somente um tempo limitado para cravar uma estaca no coração de seu antigo rival, garantindo que ele permanecesse abatido. Os norte-americanos poderiam ter aplicado pressão no sistema russo ao dar apoio a movimentos separatistas ou aumentar a tensão econômica. Esses movimentos poderiam, muito bem, ter provocado o esfacelamento da Federação Russa, permitindo a seus ex-parceiros menores absorver o que restara e formar um novo poder de equilíbrio na Eurásia.

Todavia, à época, o esforço não parecia valer o risco, principalmente porque a Rússia parecia ter pouca probabilidade de emergir de seu caos durante gerações. Destruir o que restara do poder russo nem mesmo parecia ser necessário, pois os Estados Unidos poderiam criar o equilíbrio de poder regional que queriam bastando, para isso, expandir a OTAN e o sistema de alianças para o Leste.

Mas os norte-americanos estavam profundamente preocupados com o futuro do arsenal nuclear soviético, que era ainda mais volumoso que o norte-americano. Mais caos na região teria feito com que as armas ficassem vulneráveis a terroristas e operadores do mercado negro. Os Estados Unidos queriam armas nucleares no interior da antiga União Soviética para ficar no controle de um Estado que pudesse ser observado e monitorado, e esse estado era a Rússia, não a Ucrânia, Belarus ou todos os demais. Assim, embora o arsenal nuclear russo não tivesse preservado a União Soviética, ele salvaria a Federação Russa pelo menos de uma intervenção norte-americana.

Durante a década de 1990, os membros não russos da antiga União Soviética, países como Casaquistão e Ucrânia, estavam desesperados para se organizarem. Ao integrá-los de forma rápida e agressiva à OTAN, os Estados Unidos poderiam ter aumentado a força e coesão dessas nações circundantes para engarrafar a Rússia e ex-repúblicas soviéticas, e a Rússia teria ficado desamparada.

No entanto, embora os Estados Unidos tivessem planos para fazer exatamente isso, o país não se moveu suficientemente rápido. Somente as nações bálticas e do Leste Europeu foram absorvidas pela OTAN, uma mudança estratégica importante que se tornou ainda mais significativa se consideramos este fato: quando a União Soviética ainda controlava a Alemanha oriental, a distância entre as forças da OTAN e São Petersburgo era cerca de 1.400 quilômetros, mas após os países bálticos serem admitidos na entidade, a distância era cerca de 140 quilômetros. Essa sensação de estar circundado, diminuído e invadido formataria o comportamento russo do futuro.

MEDOS RUSSOS

Com a OTAN em sua porta, os russos ficaram alarmados. De seu ponto de vista, essa aliança era, antes de tudo, militar, e, por mais agradável que fosse sua disposição no momento, suas futuras intenções eram imprevisíveis. Os russos sabiam muito bem com que facilidade os humores poderiam mudar, recordando dolorosamente como a Alemanha tinha se transformado de um país caótico, pobre e mal armado em 1932 em uma força militar dominante na Europa seis anos depois. A Rússia não via nenhuma razão para o Ocidente expandir a OTAN até que, mais cedo ou mais tarde, quisesse que essa organização ficasse numa posição de ataque. Afinal de contas, argumentavam os russos, os países da OTAN certamente não estavam prestes a invadir a Europa.

Havia alguns membros da OTAN, particularmente os norte-americanos e os antigos satélites da União Soviética, que queriam se beneficiar da oportunidade para se expandir por razões estratégicas. Mas outros, particularmente os europeus, tinham começado a pensar na OTAN de outra maneira. Em vez de considerarem essa instituição como uma aliança militar voltada para a guerra, viam-na como uma "Nações Unidas regional", desenhada para incorporar democracias amigáveis, liberais, em uma organização cuja principal função era a de manter a estabilidade.

A inclusão dos países bálticos foi o marco da expansão da OTAN. A ascensão de Vladimir Putin ao poder criou uma Rússia muito diferente daquela que existia sob o governo de Boris Yeltsin, na década de 1990. No entanto, a única instituição que jamais parou de funcionar foi a dos serviços de inteligência. Tendo mantido a Rússia e seu império juntos por gerações, eles operavam por aquela década praticamente como um Estado autônomo ou uma organização criminosa. Putin tinha sido treinado na KGB e, como resultado, ele via o mundo geopoliticamente e não ideologicamente. Em sua mente, um Estado forte era o essencial para a estabilidade russa, de modo que, desde o momento em que assumiu o poder, em 2000, ele começou o processo de restaurar a força russa.

Por mais de um século, a Rússia tentara se tornar uma potência industrial que pudesse competir com o Ocidente. Ao perceber que o país jamais conseguiria atingir esse feito, Putin mudou a estratégia econômica da nação para focar no desenvolvimento e na exportação de recursos naturais, tais como metais, cereais e, particularmente, energia. A estratégia foi brilhante porque gerou uma economia que a Rússia podia sustentar e que sustentaria a Rússia. Isso fortaleceu o Estado russo, que fez do Gazprom uma arma de seu governo através do monopólio de gás natural e provocou uma dependência europeia da energia russa, tornando menos provável que os europeus, particularmente os alemães, visassem ou apoiassem confrontos.

O momento decisivo nas relações entre os Estados Unidos e a Rússia foi em 2004, quando eventos na Ucrânia convenceram os russos de que os norte-americanos pretendiam destruí-los ou, pelo menos, controlá-los com firmeza. A Ucrânia, uma nação de grande porte, cobre toda a fronteira sudoeste da Rússia e, do ponto de vista dos russos, é a chave para sua segurança nacional.

O território russo existente entre a Ucrânia e o Casaquistão tem apenas cerca de 420 quilômetros de extensão, e toda a influência russa no Cáucaso, junto com um grande volume de petróleo nos dutos ao Sul, flui por esse corredor. No centro dele está Volgogrado, antiga Stalingrado. Durante a Segunda Guerra Mundial, os soviéticos sacrificaram um milhão de vidas na batalha para evitar que esse corredor fosse fechado pelos alemães.

O vencedor da eleição ucraniana em 2004, o presidente Viktor Yanukovich, foi acusado de disseminar uma fraude eleitoral, da qual ele, sem dúvida, era culpado, e ocorreram manifestações para exigir que a eleição fosse anulada, que Yanukovich deixasse o cargo e que se fizessem novas eleições. Esse tumulto, conhecido como a Revolução Laranja, foi visto por Moscou como um levante antirrusso e pró-

Corredor entre Ucrânia e Casaquistão

-Ocidente planejado para deixar a Ucrânia entrar na OTAN. Os russos também afirmaram que, em vez de um levante popular, foi um golpe cuidadosamente orquestrado, patrocinado pela CIA e o MI6 britânico. De acordo com os russos, as organizações não governamentais ucranianas e grupos de consultoria, que tinham inundado o país para participar das manifestações, destituíram um governo pró-Rússia e ameaçaram a segurança nacional.

Certamente os norte-americanos e os britânicos tinham patrocinado essas ONGs e os consultores que estavam administrando as campanhas de alguns dos candidatos pró-ocidentais na Ucrânia anteriormente tinham administrado, também, as eleições nos Estados Unidos. O dinheiro ocidental de múltiplas fontes estava sendo injetado no país, mas do ponto de vista norte-americano não havia nada obscuro ou ameaçador nesse ato. Os Estados Unidos estavam simplesmente fazendo o que tinha sido feito desde a queda do Muro de Berlim: trabalhando com grupos democráticos para construir democracias.

Esse é o ponto em que Estados Unidos e Rússia fragmentaram profundamente a cooperação. A Ucrânia estava dividida entre facções pró e anti-Rússia, mas os norte-americanos se consideravam democratas de apoio. As facções vistas como democráticas pelos norte-americanos eram também as anti-Rússia o que foi um acidente para os norte-americanos.

Para os russos, nada era acidental. Eles tinham memórias vivas da política de contenção que os Estados Unidos, há tempos, tinham praticado com a União Soviética, agora só mudava o destinatário. Eles viam as ações norte-americanas como uma tentativa deliberada de tornar a Rússia indefensável e como um cerco aos interesses vitais russos no Cáucaso, região na qual os Estados Unidos já tinham um acordo bilateral com a Geórgia.

A contenção foi de fato uma estratégia norte-americana, apesar do aspecto benigno de como foi exposta. O fundamental interesse norte--americano é sempre o equilíbrio de poder, e tendo se abstido de destruir a Federação Russa na década de 1990, os Estados Unidos se moveram para criar um equilíbrio regional em 2004, tendo a Ucrânia como sua base e com a clara intenção de incluir a maior parte dos antigos países da União Soviética nesse contrapeso ao poder russo.

Os temores russos foram agravados quando viram o que os Estados Unidos estavam fazendo na Ásia Central. Ainda assim, quando o país decidiu, na esteira do 11 de setembro, derrubar rapidamente o governo talibã no Afeganistão, os russos cooperaram de dois modos. Primeiro, eles proveram acesso à Aliança do Norte, uma facção pró-russa que remontava à ocupação russa e à guerra civil que se seguira. Segundo, a Rússia usou sua influência para obter bases aéreas e terrestres nos três países que fazem fronteira com o Afeganistão — Uzbequistão, Tajidquistão e Turcomenistão — a partir dos quais os Estados Unidos poderiam dar apoio às suas forças de invasão. A Rússia também concedeu privilégios de voos sobre seu território, o que foi extremamente útil para as viagens partindo da costa ocidental ou da Europa.

Foi entendimento da Rússia que essas bases nos países fronteiriços eram temporárias, mas, após três anos, os norte-americanos não mostraram sinais de deixá-las. Nesse ínterim, a invasão do Iraque tinha acontecido, com objeções da Rússia, e os Estados Unidos estavam atolados no que era claramente uma ocupação de longo prazo. O país também ficou extremamente envolvido na Ucrânia e na Geórgia e estava consolidando uma presença significativa na Ásia Central. Embora essas ações possam não parecer tão prejudiciais aos interesses de Moscou quando consideradas individualmente, tomadas juntas elas dão a impressão de um esforço concentrado para estrangular a Rússia.

Especialmente a presença norte-americana na Geórgia pode ser vista como uma provocação deliberada, pois esse país faz fronteira com a região russa da Chechênia. Os russos temiam que, se a Chechênia se separasse da Federação Russa, toda a estrutura se desintegraria à medida que outros países seguissem sua liderança. A Chechênia também é localizada na encosta do extremo norte do Cáucaso, e as forças russas já tinham recuado centenas de quilômetros de suas fronteiras originais nos confins dessas montanhas. Se os russos recuassem ainda mais, eles ficariam totalmente fora do Cáucaso. Além do mais, uma linha de petróleo importante passava pela cidade de Grozny, a capital da Chechênia, e sua perda (embora esteja atualmente inoperante devido à sabotagem dos chechenos) teria um impacto significativo na estratégia de exportação de energia russa.

Retomando a década de 1990, os russos acreditavam que os georgianos estavam permitindo um fluxo de armas para a Chechênia graças ao que era chamado o Desfiladeiro de Pankisi. Acreditavam ainda que os Estados Unidos, que tinham conselheiros das Forças Especiais na Geórgia, não estavam fazendo nada para parar o tráfico e, o que é pior, o estavam facilitando.

Seguindo sua política central, os Estados Unidos estavam tentando fazer amigos na região, especialmente na Geórgia, mas era bastante óbvio a todos que os norte-americanos não eram mais capazes de uma projeção séria de poder. Ainda contavam com poder aéreo e naval de reserva, mas seu exército estava com as forças exauridas no Iraque e no Afeganistão.

Isso foi suficiente do ponto de vista psicológico e, então, a guerra do Iraque criou também um enorme efeito político. A divisão que se desenvolveu entre os Estados Unidos, França e Alemanha sobre o Iraque, e a antipatia geral europeia contra a administração Bush, indicavam que a Alemanha, em particular, estava menos inclinada do que tinha estado a apoiar os planos norte-americanos para a expansão da OTAN ou de confrontações com a Rússia. Além disso, os russos tinham tornado a Alemanha dependente de seu gás natural ao fornecerem praticamente a metade de suas necessidades, de modo que os alemães não estavam numa posição de buscar confrontação. A combinação entre o desequilíbrio militar e a tensão diplomática limitou severamente as opções norte-americanas, se bem que, por hábito, os Estados Unidos continuaram a tentar aumentar sua influência.

Em seu discurso à nação em 25 de abril de 2005, Putin declarou a queda da União Soviética como a "maior catástrofe geopolítica do século". Esse foi um anúncio público em que tentou reverter algumas das consequências daquela queda. Embora a Rússia não fosse mais uma potência global, dentro da região ainda era, tirando os Estados Unidos, extremamente poderosa. Dadas as guerras no Irã e no Afeganistão, os Estados Unidos, agora, estavam ausentes. Tendo isso em vista, Putin partiu para aumentar os recursos de seu contingente militar. Ele também deu espaço para fortalecer seu regime por meio do aumento das receitas de exportações de *commodities*, uma decisão fortuita em face da subida dos preços. Putin usou as competências de inteligência da FSB e da SVR, herdeiras da KGB, para identificar e controlar figuras-chave na antiga União Soviética. Desde que a maioria deles estivera continuamente ativa sob o regime soviético, era ex-comunista ou, ao menos, famosa para a FSB em seus arquivos. Todos têm vulnerabilidades, e Putin utilizou seu mais forte recurso para explorar essas deficiências.

Em agosto de 2008, o governo georgiano, por razões que jamais foram completamente esclarecidas, atacou a Ossétia do Sul. Outrora anexada à Geórgia, essa região tinha se fragmentado e era efetivamente independente desde os anos 1990, sendo aliada da Rússia. Putin respondeu como se a Rússia estivesse esperando o ataque: a ofensiva de contra-ataque aconteceu em questão de horas, derrotando o exército georgiano e ocupando parte do país.

O principal ponto do ataque foi demonstrar que a Rússia ainda podia projetar seu poder. O exército russo tinha colapsado na década de 1990, e Putin precisava dissipar a ideia de fragilidade de seu exército. Mas ele também queria demonstrar aos países da antiga União Soviética que a amistosidade e as garantias norte-americanas não significavam nada. Foi um pequeno ataque contra uma pequena nação, mas uma ofensiva contra uma nação que tinha se aproximado muito dos Estados Unidos. A operação surpreendeu tanto a região como a Europa oriental, assim como a falta de uma resposta norte-americana e uma efetiva indiferença dos europeus. A inação americana, limitada a notas diplomáticas, levou para casa o fato de que a América estava muito distante e a Rússia muito perto, e que, enquanto os Estados Unidos continuassem a comprometer suas forças terrestres no Oriente Médio, sua incapacidade de agir persistiria. Os apoiadores dos russos na Ucrânia, ajudados pela inteligência russa, começaram a reverter os resultados da Revolução Laranja. Em 2010, as eleições substituíram o governo pró-ocidental pelo homem que essa revolução tinha destituído.

Ao mover-se com muita lentidão, os Estados Unidos permitiram que os russos recuperassem seu equilíbrio e, da mesma forma, os norte-americanos estavam perdendo seu próprio equilíbrio estratégico no Iraque. Naquele exato momento em que era necessário concentrar poder na periferia russa para implementar seu sistema de contenção, os Estados Unidos tinham suas forças em outro lugar, e suas alianças na Europa eram excessivamente fracas para serem significativas. Evitar esses passos mal dados e oportunidades perdidas é o que o presidente norte-americano precisará fazer para adotar uma nova e mais consistente estratégia na próxima década.

O RESSURGIMENTO DA RÚSSIA

No longo prazo, a Rússia é um país fraco. A estratégia de Putin de focar na produção energética e nas exportações é uma ferramenta eficiente no curto prazo, mas isso funciona somente se formar a base para uma expansão econômica mais profunda. Para atingir esse objetivo maior, o país tem de lidar com suas deficiências estruturais subjacentes, ainda que estas estejam enraizadas em problemas geográficos que não são facilmente superáveis.

À diferença de uma grande parte do mundo industrial, a Rússia tem tanto uma população relativamente pequena para a sua dimensão como uma população extremamente dispersa unida por pouco mais que um aparato de segurança e uma cultura comum.

Até as cidades mais importantes, como Moscou e São Petersburgo, não são os centros de uma megalópole. Elas são entidades isoladas, separadas entre si por vastas distâncias de fazendas e florestas. Deixando de lado o fato de que a população russa está em declínio, a atual distribuição populacional torna difícil, ou mesmo impossível, uma economia moderna ou mesmo uma distribuição eficiente de alimentos. A infraestrutura que conecta as áreas de cultivo para as cidades é fraca, assim como a infraestrutura que conecta polos industriais e comerciais.

Essa falta de conexão acontece porque o problema nessa conectividade nasce do fato de que os rios russos correm em sentido contrário às conexões comerciais. À diferença dos rios dos EUA, que conectam as regiões de lavouras com os portos onde os alimentos podem ser distribuídos, os rios russos meramente criam barreiras. Nem os czares com suas ligações ferroviárias nem Stálin com seu programa de fome forçado chegaram perto de superar o problema, e o custo de se construir um tecido conectivo para a economia russa — um amplo sistema de ferrovias e rodovias — continua estagnado. A Rússia tem exercido uma força militar maior que sobrepuja sua economia, mas um país não pode fazer isso infinitamente.

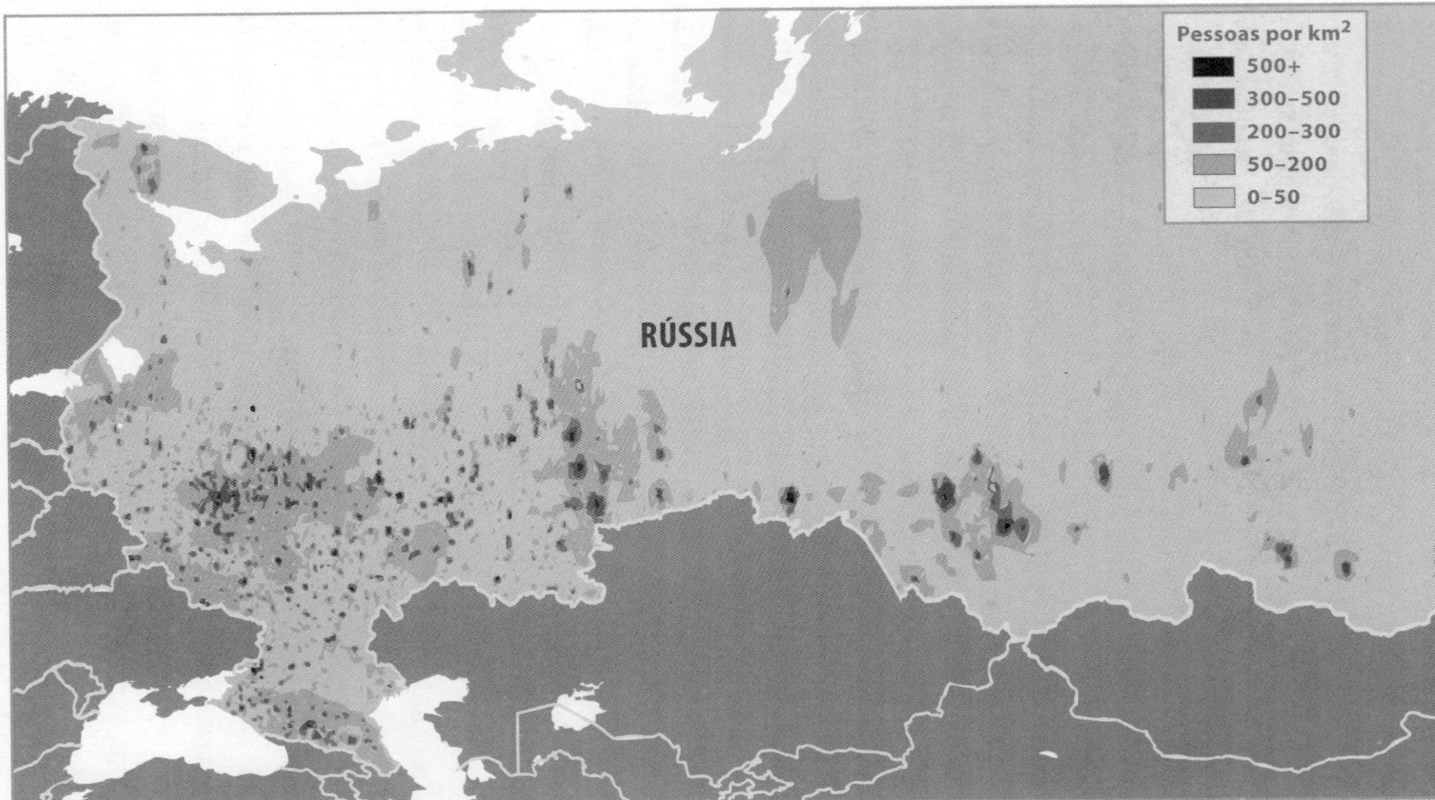

Densidade populacional russa

O país deve se concentrar, no curto prazo, enquanto tem as duas vantagens: a da dependência da Alemanha e o desvio de atenção norte-americano no Oriente Médio. Deve tentar a criação de estruturas duradouras, algumas das quais domésticas, outras internacionais, que possam se manter, inclusive, em face de limitações econômicas.

A estrutura doméstica já está emergindo com a Rússia, Belarus e Casaquistão tendo firmado um acordo sobre a união econômica e agora discutindo uma moeda comum. A Armênia, o Quirguistão e o Tajidquistão têm expressado interesse nessa união, e a Rússia tem proposto a ideia de que a Ucrânia também se junte a ela. Esse relacionamento evoluirá até uma união política, como a União Europeia, alinhamento esse que avançará muito na recriação das características centrais da antiga União Soviética.

A estrutura internacional que a Rússia precisará é, talvez, mais importante e problemática. Ela começa com uma relação com a Europa, particularmente com a Alemanha. A Rússia necessita de acesso à tecnologia, que os alemães têm em abundância, enquanto a Alemanha precisa de acesso aos recursos naturais russos. A Alemanha combateu em duas guerras para obter a posse desses recursos, mas fracassou. Seu interesse neles não tem diminuído, mas seus meios agora são diplomáticos e não militares. O desejo de explorar essa relação complementar estará no cerne da estratégia russa durante os próximos dez anos.

A Alemanha é a força motriz da União Europeia, portanto, como veremos, carrega fardos inesperados. O país tem pouco interesse nas expansões norte-americanas no Oriente Médio e absolutamente nenhum interesse na expansão da OTAN na periferia russa. A Alemanha quer manter distância dos Estados Unidos e precisa de opções para isso. Uma cooperação mais estreita com a Rússia não é uma má ideia do ponto de vista alemão e se trata de uma excelente ideia do ponto de vista russo. Putin conhece muito bem a Alemanha para entender o receio e a desconfiança que sentem da Rússia. Mas, por conhecê-la, sabe também que superou o mundo pós-guerra, está enfrentando graves problemas econômicos internos e precisa dos recursos russos.

A reconstrução simultânea de uma esfera de influência dominada pela Rússia e a criação de relações estruturais com a Alemanha são uma ideia que a Rússia precisa forçar, e forçar rapidamente, pois o tempo não está ao seu lado. O país deve convencer a Alemanha de que pode ser um parceiro confiável sem tomar nenhuma providência para interromper suas relações norte-americanas ou alemãs.

Para ter alguma chance de manobra nos próximos anos, a Rússia deve separar os Estados Unidos da Europa. Ao mesmo tempo, terá de fazer o máximo possível para manter os norte-americanos presos no Iraque, no Afeganistão e, se possível, no Irã. Do ponto de vista russo, a guerra entre os Estados Unidos e os jihadistas é como o Vietnã: ela alivia a Rússia do fardo de lidar com as forças militares norte-americanas, e isso torna, efetivamente, os norte-americanos dependentes da cooperação russa em medidas tais como impor sanções a países como o Irã. Os russos podem jogar com os norte-americanos indefinidamente, ameaçando o envio de armas para grupos antiamericanos e para países como o Irã e a Síria. Isso prende os Estados Unidos em um esquema de sedução dos russos e deixa passar a real intenção russa que é que os norte-americanos fiquem presos, permanentemente, na guerra.

Essa estratégia russa revela o preço desse supercomprometimento norte-americano com a investida contra o Terror. Ela ainda mostra que é imperativo que os Estados Unidos encontrem uma resposta efetiva ao islamismo radical, bem como uma resposta efetiva aos russos. Espreitar por trás de cada movimento russo é um potencial pesadelo geopolítico para os norte-americanos.

A ESTRATÉGIA NORTE-AMERICANA

O interesse norte-americano na Eurásia, entendida como a Rússia e a península Europeia, é o mesmo interesse que o país tem em quaisquer outras regiões: que nenhum poder ou coalizão dominem a região. A unificação da Rússia com a Europa criaria uma força cujas competências populacional, tecnológica e industrial, e os recursos naturais seriam, na pior das hipóteses, iguais aos da América, e com muita probabilidade de superá-los.

Durante o século 20, os Estados Unidos agiram três vezes para evitar o tipo de entendimento germano-russo que poderia unificar a Eurásia e ameaçar seus interesses mais importantes. Em 1917, um acordo separado de paz entre a Rússia e a Alemanha mudou o curso dos acontecimentos contra a aliança anglo-francesa na Primeira Guerra Mundial. Mas, na Segunda Guerra Mundial, os Estados Unidos intervieram oferecendo provisões aos britânicos e especialmente aos soviéticos, que "sangraram" a Wehrmacht e evitaram que a Alemanha se apoderasse dos vastos territórios russos. Em 1944, os Estados Unidos, então, invadiram a Europa ocidental, bloqueando não apenas os alemães, mas também os soviéticos. De 1945 a 1991, o país alocou quantidades enormes de recursos para evitar que os soviéticos dominassem a Eurásia.

A resposta dos Estados Unidos ao entendimento germano-russo deve ser a mesma, durante a próxima década, que a do século 20. O país deve continuar a fazer de tudo para obstar um entendimento como esse e para limitar o efeito que a esfera de influência russa pode ter na Europa, pois a simples presença de uma Rússia militarmente poderosa altera o modo de comportamento da Europa.

A Alemanha é o centro de gravidade europeu e, se há uma mudança de sua posição, outros países europeus mudarão e o equilíbrio da região sairá do eixo. Como a Rússia reconstitui e solidifica seu domínio sobre os países da antiga União Soviética, ela será capaz, junto da Alemanha, de influenciar a maior parte dos países da Europa. Por mais informal que esse relacionamento possa ser no início, ele se transformará em algo mais substancial com o tempo por um ajuste natural das partes. Essa será uma redefinição histórica das relações entre Estados Unidos e países europeus, uma mudança fundamental não apenas no equilíbrio de poder regional, mas também no global, com resultados que são extremamente imprevisíveis.

Embora eu veja uma provável confederação entre Belarus e Rússia, uma vez que esses dois países já compartilham uma aliança militar, entendo que esse movimento traria o exército russo para as fronteiras europeias. Acrescente a esta confederação a Ucrânia e as forças russas estariam nas fronteiras da Romênia, Hungria, Eslováquia, Polônia e nos países bálticos, todos ex-satélites russos, recriando, dessa forma, o Império Russo, embora em uma outra modalidade institucional.

No entanto, os países atrás da primeira camada estão mais preocupados com os Estados Unidos do que com a Rússia. Veem os norte-americanos muito mais como competidores do que parceiros econômicos, e veem o país como uma força que os atrai para conflitos dos quais não querem fazer parte. Os russos, por outro lado, parecem ter uma sinergia econômica com os países europeus avançados.

As nações europeias também consideram os ex-satélites russos como uma proteção física contra Moscou, garantindo que podem trabalhar com a Rússia e se manterem seguros em suas próprias regiões. Entendem a preocupação que os europeus orientais têm, mas acreditam que os benefícios econômicos do relacionamento, bem como a dependência deles em relação à economia do restante do continente, manterão os russos alinhados. Os europeus podem diminuir suas relações com os norte-americanos, construir uma nova e benéfica relação com os russos, e ainda ter o benefício de uma proteção estratégica como uma apólice de seguro. Isso imporia um grande risco aos Estados Unidos. Portanto, o presidente norte-americano deve atuar para conter a Rússia, permitindo que as deficiências inerentes desse país, no longo prazo, exijam um alto tributo. Ele não pode esperar que a guerra entre seu país e os jihadistas termine, deve agir imediatamente.

Se a Alemanha e a Rússia continuarem a se mover na direção do alinhamento, então os países entre o Mar Báltico e o Mar Negro, que costumavam ser chamados de países *intermarium*, passam a ser indispensáveis aos Estados Unidos e à sua política. Desses países, a Polônia é o maior e o mais bem posicionado estrategicamente. É também o único que tem mais a perder e uma consciência aguda desse potencial de perda. Ser membro da União Europeia é algo para os poloneses, mas ser enredado num entendimento germano-russo é outra coisa. Tanto a Polônia como os outros países da Europa oriental ficam apavorados de serem arrastados para as esferas de influência de um ou de ambos os inimigos históricos.

A maior parte desses países não era independente até que a Primeira Guerra Mundial provocou o colapso dos impérios austro-húngaro, russo, otomano e germânico. Em geral, acabaram sendo divididos, subjugados ou explorados. Em casos como o da Hungria, a opressão foi branda. Em outros casos, brutal. No entanto, essas nações lembram-se da ocupação pelos nazistas e, posteriormente, pelos soviéticos, e essas ocupações foram monstruosas. É verdade que os regimes alemão e russo são diferentes na atualidade, mas, para os países do Leste Europeu, a ocupação não ocorreu há muito tempo e a memória do que significaria ser enredado no campo de força germano-russo tem definido seus caracteres nacionais. Essas lembranças continuarão a modelar seus comportamentos na próxima década.

Isso é particularmente verdade para a Polônia que, em vários períodos, foi absorvida pela Alemanha, Rússia e Áustria. O compromisso histórico desses países foi a divisão da Polônia, o que vem sendo um pesadelo para os poloneses desde então. Quando o país se tornou independente após a Primeira Guerra Mundial, teve de travar uma guerra para evitar a invasão soviética. Depois de vinte anos, os alemães e soviéticos o invadiram ao mesmo tempo, baseados num acordo secreto para fazer justamente isso. A metade seguinte do século, do comunismo e da Guerra Fria, foi um completo pesadelo.

Os poloneses têm sofrido diretamente em relação à importância estratégica de sua localização, que faz fronteira com a Alemanha e Rússia, e ocupa a planície do Norte Europeu, que se estende como uma passagem da costa francesa do Atlântico até São Petersburgo. Os outros países do Leste Europeu compartilham da mesma visão da Polônia, mas são geograficamente mais seguros, situando-se além dos Montes Cárpatos.

Exposta de todos os lados, a Polônia terá pouca escolha exceto acompanhar o que os alemães e russos decidirem, o que seria desastroso para os Estados Unidos. É, portanto, do interesse norte-americano garantir a independência polonesa da Rússia e da Alemanha, não apenas formalmente, mas criando uma economia e uma força militar polonesa viável e vibrante que pode servir como modelo e motor para o restante dos países do Leste Europeu. A Polônia é o osso histórico na garganta da Alemanha e da Rússia, e é interesse norte-americano certificar que ela fique lá alojada. Uma Polônia alinhada com a Alemanha é uma ameaça à Rússia, e o inverso também é verdadeiro. A Polônia deve continuar como uma ameaça às duas nações, pois os Estados Unidos não podem deixar nenhuma delas segura.

Durante a próxima década, uma relação norte-americana com a Polônia teria duas funções: poderia evitar ou limitar o entendimento germano-russo, mas, se isso falhasse, poderia criar um contrabalanço. Os Estados Unidos precisam, urgentemente, da Polônia, pois não há estratégia alternativa para equilibrar uma aliança entre Rússia e Alemanha. Do ponto de vista polonês, a amizade com os norte-americanos serviria para protegê-la de seus vizinhos, mas há um problema especial. A mentalidade nacional polonesa foi endurecida devido à França e à Grã-Bretanha deixarem de vir em sua defesa contra a Alemanha no início da Segunda Guerra Mundial, apesar das garantias. A hipersensibilidade polonesa a traições levará o país a preferir a acomodação aos poderes hostis ao alinhamento com um parceiro não confiável. Por essa razão, o presidente dos Estados Unidos deve tomar uma decisão estratégica que é, sob certos aspectos, manter-se em uma posição aberta porque insistir em muitos espaços de manobra poderá fechar imediatamente a opção polonesa.

Quando a administração George W. Bush começou a criar um sistema de defesa de mísseis balísticos voltados para os países do Leste Europeu, os próprios poloneses ofereceram apoio. Decidiu-se criar um sistema de defesa contra pequenos números de mísseis disparados de países perigosos, particularmente do Irã. Planejou-se instalar um sistema de radares na República Tcheca e foram feitos planos para instalar os mísseis na Polônia. Esse foi um complemento para enviar à Polônia armas sofisticadas como os aviões de combate F-16 e os

Planície do Norte Europeu

mísseis Patriotas. O sistema poderia ter sido implantado em qualquer país, mas foi localizado na Polônia a fim de tornar claro que esse país era essencial para os interesses estratégicos norte-americanos e para intensificar a cooperação entre Estados Unidos e Polônia fora do contexto da OTAN. Os russos entenderam isso e tentaram fazer tudo o que podiam para bloqueá-lo.

Os russos se opuseram à implantação de mísseis na Polônia, muito embora o sistema pudesse defender somente um número reduzido de mísseis e os russos tivessem números surpreendentes. Na realidade, o problema para os russos nunca foi uma defesa contra mísseis, era o fato de que os Estados Unidos estavam instalando sistemas estratégicos no solo polonês. Um sistema estratégico tinha de ser defendido e os russos entenderam que o sistema BMD era apenas o começo de um comprometimento significativo dos norte-americanos com a Polônia.

Quando a administração Obama entrou em cena, seus líderes queriam "restabelecer" suas relações com a Rússia. Os russos deixaram claro que embora não quisessem voltar às hostilidades da Guerra Fria, as coisas poderiam avançar somente se o sistema BMD fosse retirado da Polônia. Naquele tempo, os poloneses consideravam o sistema como um símbolo do comprometimento norte-americano com eles, apesar de o sistema em si não proteger a Polônia de nada e poderia, inclusive, tornar o país um alvo. No entanto, os poloneses, sensíveis a traições, queriam urgentemente ter essa relação com Washington. Quando Obama decidiu transferir tal sistema da Polônia para navios sediados em alto-mar, os poloneses entraram em pânico, acreditando que os Estados Unidos estavam a ponto de firmar um acordo com a Rússia.

Se a Polônia for levada a acreditar que somente os Estados Unidos terão vantagem nesse acordo, é possível que se sinta traída. A retirada do sistema de defesa da Polônia poderia ser contemplada somente se lhe fosse fornecida alguma vantagem estupenda, e é difícil ver qual vantagem poderia ser, dado que manter uma cunha poderosa entre a Alemanha e a Rússia é de um interesse excepcional para os Estados Unidos.

A condição dos países bálticos é um problema diferente. Eles representam um meio ofensivo sensacional para os Estados Unidos, apontando, como o fazem, como uma baioneta contra São Petersburgo, a segunda maior cidade da Rússia, e contra a fronteira leste da Lituânia somente a cerca de 140 quilômetros de Minsk, capital da Belarus.

Todavia, os Estados Unidos não têm a força ou o interesse em invadir a Rússia. E, dado que a posição norte-americana é estrategicamente agressiva e taticamente defensiva, os países bálticos se tornam uma desvantagem. Com cerca de 420 quilômetros de extensão e, em nenhum ponto, mais de 280 quilômetros de largura, eles são praticamente impossíveis de ser defendidos. No entanto, servem para bloquear a marinha russa em São Petersburgo. Assim, os países bálticos permanecem como um ativo, mas que pode ser caro de se manter. O presidente norte-americano, portanto, pode parecer estar completamente comprometido com os países bálticos para dissuadir os russos, enquanto extrai concessões máximas dos russos para um acordo norte-americano de se retirar da região. Dada a inconstância polonesa, uma manobra como esta deve ser postergada pelo máximo tempo possível. Infelizmente, os russos estarão cientes desse fato e, provavelmente, farão pressão nos países bálticos mais cedo do que tarde, tornando este um ponto evidente e precoce de desavença.

Independentemente do que ocorra para a Alemanha, é de extrema importância que os Estados Unidos mantenham uma relação bilateral forte com a Dinamarca, cujas águas bloqueiam as saídas do Mar Báltico. A Noruega, cujo Cabo Norte oferece facilidades para bloquear a frota russa em Murmansk, tem valor para os norte-americanos assim como a Islândia, uma plataforma maravilhosa da qual é possível procurar submarinos russos. Nenhum desses países é membro da União Europeia e este último é ressentido com a Alemanha por causa das ações econômicas tomadas durante a crise financeira de 2008. Portanto, Islândia e Estados Unidos podem se unir a um custo relativamente baixo.

O restante da fronteira com a Rússia serão os Montes Cárpatos, além dos quais ficam a Eslováquia, a Hungria e a Romênia. Trata-se de um imperativo estratégico para os Estados Unidos manter relações amistosas com esses três países e ajudá-los a desenvolver seus recursos militares. Dado o obstáculo que os Cárpatos apresentam para um invasor, os recursos militares gastos com defesa serão mínimos. Como esses países estão menos em risco que a Polônia e, portanto, com maior espaço para manobras, haverá também um maior grau de complexidade política. Desde que os russos não se desloquem para essa região e os alemães não conduzam esses países para uma completa dependência econômica, os Estados Unidos podem controlar a situação com uma estratégia simples: fortalecer essas economias e forças militares, torná-las satisfeitas por continuarem pró-americanas e esperar. Não fazer nada que provoque os russos em suas esferas de influência. Não fazer nada que sabote as relações econômicas russas com o resto da Europa. Não fazer nada que inquiete o restante dos europeus sobre serem arrastados para uma guerra.

No Cáucaso, os Estados Unidos estão, atualmente, alinhados com a Geórgia, um país que permanece sob pressão russa e cujas políticas internas são imprevisíveis, para dizer o mínimo. A próxima linha de países, Armênia e Azerbaijão, também é problemática. O primeiro é um aliado russo; o segundo está mais próximo da Turquia. Devido à hostilidade histórica com a Turquia, a Armênia está mais próxima à Rússia. O Azerbaijão tenta se equilibrar entre Turquia, Irã e Rússia.

Os Estados Unidos demarcarem uma posição na Polônia, um país com 40 milhões de habitantes, é uma coisa, mas permanecer comprometido com a Geórgia, um país de apenas 4 milhões de habitantes que é muito menos desenvolvido que a Polônia, é muito mais difícil. E uma derrota na Geórgia, na forma de um governo pró-russo que pedisse aos conselheiros e forças norte-americanas que se retirassem, não apenas degringolaria a posição norte-americana no Cáucaso, mas também criaria uma crise de confiança na Polônia.

A situação no Cáucaso só pode ser controlada pela Turquia. Enquanto a fronteira movia-se para o Norte, desvendando os três Estados da Armênia, Azerbaijão e Geórgia, a fronteira da Turquia continuava estável. Para os Estados Unidos, não importa onde estão as fileiras russas, contanto que estejam em alguma parte no Cáucaso. O único resultado desastroso seria uma ocupação russa da Turquia, que é inconcebível, ou uma aliança russo-turca, que é um perigo mais realista.

A Turquia e a Rússia têm sido rivais históricos, dois impérios no Mar Negro, ambos competindo nos Bálcãs e no Cáucaso. Mais importante, os russos consideram o Bósforo seu portão bloqueado para o Mediterrâneo. A Turquia pode muito bem colaborar com os russos na próxima década, particularmente devido à dependência do petróleo russo, mas a ideia de que mudaria sua própria fronteira no Cáucaso para o Sul ou abandonaria o Bósforo está fora de questão. Portanto, simplesmente por existir, a Turquia serve aos interesses norte-americanos em relação à Rússia. Como os Estados Unidos não têm interesse nos detalhes específicos de qual é o ponto em que a Rússia está contida no Cáucaso, contanto que esteja contida, segue-se que um grande compromisso norte-americano com a Geórgia faz pouco sentido. A Geórgia atua como sorvedouro de recursos dos Estados Unidos e lhes oferece poucos benefícios. Assim, a estratégia norte-americana naquele país deveria ser eliminada. Ela foi abandonada no período em que os norte-americanos acreditavam que essas posições de domínio eram livres de risco e de custo. Numa época em que riscos e custos estão aumentando, os Estados Unidos devem gerir sua exposição mais cuidadosamente, reconhecendo que a Geórgia é mais uma desvantagem que um ativo.

Na próxima década, haverá uma pequena janela por onde os Estados Unidos poderão abandonar a Geórgia e o Cáucaso sem causar dano psicológico à sua nova coalizão. Mais provavelmente, abandonar a Geórgia geraria uma incerteza psicológica na Polônia e na região *intermarium* que poderia muito rapidamente levar esses países a reavaliar suas posições. Portanto, repensar a Geórgia o mais breve possível tem quatro vantagens. Primeira: isso dá aos Estados Unidos tempo para estabilizar a psicologia da região *intermarium*. Segunda: deixa claro que os Estados Unidos estão fazendo esse movimento por suas próprias razões, não por causa da pressão russa. Terceira: demonstrará para os turcos que os Estados Unidos podem alterar posições, deixando uma Turquia cada vez mais confiante, mais preocupada com os norte-americanos e, às vezes, ter preocupações é bom. Quarta: os Estados Unidos podem pedir concessões russas na Ásia Central em troca de sua retirada do Cáucaso.

Contanto que os Estados Unidos ainda estejam combatendo no Afeganistão, é necessário um acesso desatrelado aos países vizinhos em quem confia para um suporte logístico. As empresas de petróleo norte-americanas também precisam de acesso aos depósitos de petróleo e gás da Ásia Central. No longo prazo, os Estados Unidos deixarão o Afeganistão e não poderão ser uma força dominante na região. A geografia simplesmente impede o domínio norte-americano e a Rússia sabe disso.

Os Estados Unidos fizeram promessas à Geórgia que não vão cumprir. Quando examinamos o quadro mais amplo, sua traição aumenta sua habilidade de manter outros compromissos. A Geórgia tem pouca importância para os Estados Unidos, mas é de enorme importância para os russos, garantindo a segurança de sua fronteira ao Sul. Os russos estariam preparados para pagar um preço substancial pela Geórgia e a disposição norte-americana de sair voluntariamente, e logo, deve merecer um prêmio.

Esse prêmio não levaria a Rússia a aderir a um regime efetivo de sanções se a abertura norte-americana em relação ao Irã fracassar, por exemplo. Mas os Estados Unidos podem exigir que a Rússia suspenda o envio de armas na região, particularmente para a Síria. Se feito simultaneamente com a abertura em relação ao Irã, um acordo como este emprestaria a essa abertura um peso maior. Daria aos Estados Unidos mais credibilidade e opções expandidas. Poderia também comprar tempo na Polônia para lá consolidar ativos norte-americanos.

Como um ponto de apoio norte-americano no Cáucaso, a Geórgia é muito menos viável que o Azerbaijão, que não apenas faz fronteira com a Rússia e o Irã, e mantém relações estreitas com a Turquia, mas também é um dos principais produtores de petróleo. Enquanto a Armênia é um aliado russo e para a Geórgia falta ter uma base econômica forte, o Azerbaijão tem recursos econômicos e pode ser uma plataforma para operações norte-americanas. Assim, na próxima década, haverá a necessidade de uma estratégia de retirada e uma de realinhamento. Ambas conseguirão bons resultados. A atual estratégia não conseguirá.

Se os Estados Unidos convencerem a Rússia de que sua retirada da Geórgia é opcional, feita por etapas e, acima de tudo, reversível, é possível extrair concessões que tenham real significado enquanto justifica sua posição estratégica. Em certo sentido é um blefe, mas um bom presidente precisa saber blefar, bem como racionalizar uma traição.

COMO ADMINISTRAR A RÚSSIA

A Rússia não ameaça a posição global norte-americana, mas a mera possibilidade de que possa colaborar com a Europa e, particularmente, com a Alemanha, abre a ameaça mais significativa da década, um perigo que precisa ser abortado. Os Estados Unidos não podem esperar que a Alemanha desempenhe o papel que teve na Guerra Fria como o bloco fronteiriço contra o Império Soviético. Na próxima década, os Estados Unidos devem trabalhar para fazer da Polônia o que a Alemanha foi nos anos 1950, embora o perigo russo não seja tão significativo, impetuoso ou monocromático como era à época. Ao mesmo tempo em que continuam a confrontação geopolítica, os Estados Unidos e a Rússia estarão engajados em colaborações econômicas e políticas em outras regiões. Essa não é a Guerra Fria de seus pais. Os dois países podem muito bem colaborar na Ásia Central ou até no Cáucaso, embora se confrontem na Polônia e nos Montes Cárpatos.

No longo prazo, os russos estarão com problemas e serão incapazes de sustentar um papel principal em questões internacionais. A dependência que têm em exportações de *commodities* enche seus cofres, mas não erige sua economia. A população está num severo declínio, sua estrutura geográfica é imutável, mas, em geopolítica, uma década não é o longo prazo. O mero colapso da União Soviética levou uma década para terminar seu curso. Para esta década, as ameaças russa e europeia persistirão e preocuparão o presidente à medida que ele tente restaurar o equilíbrio da estratégia global norte-americana.

Capítulo 9

O retorno da Europa à história

A Europa contemporânea é a busca de uma saída para o inferno. A primeira metade do século 20 foi uma carnificina, de Verdun a Auschwitz. A segunda metade foi vivida sob a ameaça de uma possível guerra nuclear entre os Estados Unidos e a Rússia, travada em solo europeu. Exausta de sangue e caos, a Europa começou a imaginar um mundo em que todos os conflitos fossem econômicos e os burocratas em Bruxelas os administrassem. Eles, inclusive, chegaram a falar no "fim da história", no sentido de que todos os conflitos hegelianos, ideológicos, tinham sido resolvidos. Nos vinte anos seguintes, com o colapso da União Soviética, parecia que tinham encontrado sua utopia; porém, agora o futuro é muito mais incerto. Visualizando os próximos dez anos, não vejo um retorno para as trincheiras e campos de concentração, mas sim um crescimento das tensões geopolíticas no continente e, com isso, podem surgir as raízes de conflitos mais graves.

Dois problemas conformam o dilema europeu para a década que se segue. O primeiro é definir o tipo de relação que a Europa terá com o ressurgimento da Rússia. O segundo é determinar o papel que a Alemanha, a economia mais dinâmica da Europa, desempenhará. O paradoxo da Rússia, economia fraca e força militar substancial, continuará, assim como o dinamismo da Alemanha. Todas as demais nações europeias devem definir seu relacionamento com esses dois poderes como um pré-requisito para definir seus relacionamentos mútuos. A tensão desse processo levará ao aparecimento de um tipo muito diferente de Europa na próxima década, e isto apresentará um desafio significativo para os Estados Unidos. Para entender o que deve ser feito em termos de política norte-americana, primeiro temos de considerar a história que nos trouxe até essa conjuntura.

A Europa tem sido um local sangrento. Após 1942, quando novas descobertas impeliram a competição por vastos impérios, o continente abrigou uma batalha pela dominação do mundo que envolvia Espanha, Portugal, França, Holanda e Grã-Bretanha, países que bordejavam o oceano Atlântico ou com o mar do Norte. O império austro-húngaro e a Rússia foram deixados fora da disputa por impérios coloniais, enquanto

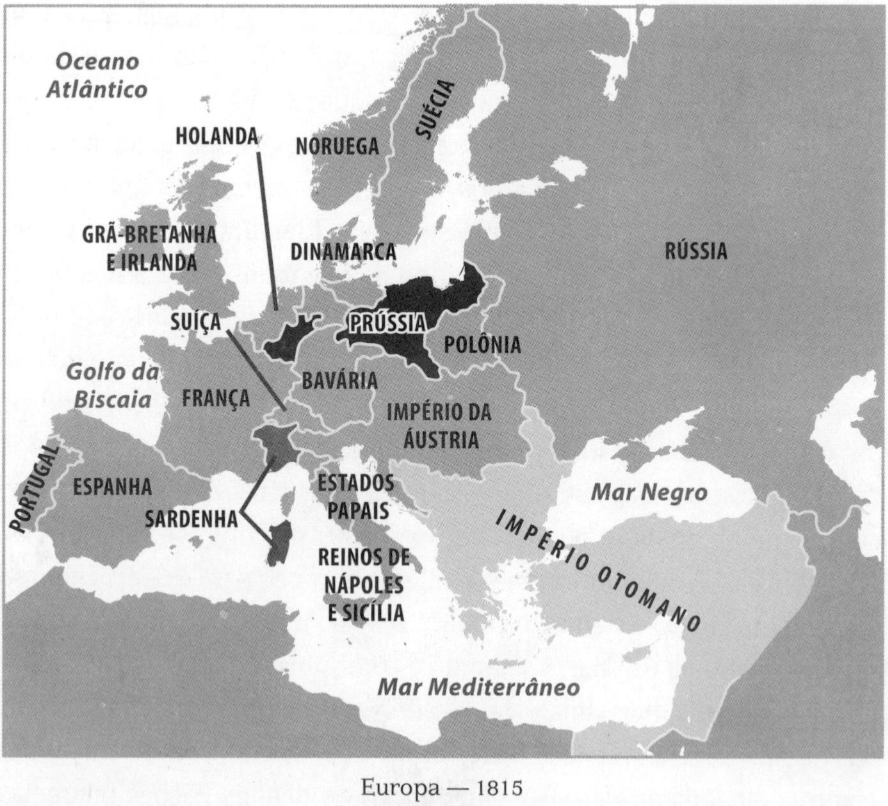

Europa — 1815

a Alemanha e a Itália permaneceram como aglomerados de principados feudais, fragmentados e impotentes.

Pelos dois séculos seguintes, a Europa consistia de quatro regiões: Europa Atlântica, Escandinávia, Sudeste Europeu e Rússia, com uma zona neutra no centro que ia da Dinamarca à Sicília. Essa zona era uma região fragmentada em diminutos reinos e ducados, incapaz de se defender sozinha, mas que ajudava a dar estabilidade ao continente.

Então Napoleão redefiniu a Europa. Quando ele movimentou suas tropas para o Leste, invadindo a Alemanha, e para o Sul, invadindo a Itália, destruiu o complexo equilíbrio que tinha existido entre essas duas nações incipientes. Pior, ele ativou a Prússia, instigando-a a se tornar uma das maiores potências europeias. Foram os prussianos, mais do que qualquer outro povo, que maquinaram a derrota de Napoleão na Batalha de Waterloo. Passado meio século, após uma breve e bem-sucedida guerra contra a França em 1871, a Prússia unificou o restante da Alemanha em um Estado coeso. A unificação da Itália foi praticamente finalizada na mesma época.

De repente, havia uma nova realidade geopolítica do Mar do Norte ao Mediterrâneo. A Alemanha, em particular, era problemática, por causa de sua enorme produtividade e rápido crescimento, e, também, porque sua geografia deixava o país profundamente inseguro. A história tinha colocado a Alemanha no norte da planície do Norte Europeu, uma área com alguns rios que serviam de defesa, mas algumas das regiões mais produtivas dessa nova nação-Estado estavam na margem oposta do Rio Reno, completamente desprotegidas. A Oeste localizava-se a França. A Leste, a Rússia. França e Rússia tinham aproveitado aqueles séculos enquanto a Alemanha estivera fragmentada e fraca, mas agora havia uma nova e assustadora Alemanha, economicamente o país mais dinâmico da Europa, com uma força militar poderosa e uma sensação profunda de insegurança.

A Alemanha, de seu lado, estava assustada com os receios de seus vizinhos. Os líderes alemães sabiam que sua nação não conseguiria sobreviver se fosse atacada simultaneamente pela França e pela Rússia. Eles ainda acreditavam que esse ataque aconteceria a qualquer momento, pois entendiam o grau de intimidação que supostamente provocavam nos vizinhos. A Alemanha não podia permitir que a França e a Rússia começassem uma guerra e, assim, impelida por seu próprio medo, elaborou uma estratégia de alianças.

A Europa, no século 20, era definida por esses temores, que, por serem impostos pela geografia, eram racionais e inevitáveis. Os europeus tentaram abolir as consequências da geografia pela eliminação do nacionalismo, mas, como já começamos a ver, o nacionalismo não é facilmente suprimido e a geografia tem o seu dever. Essas questões continuam particularmente convincentes no caso da Alemanha, que é, novamente, como nos séculos 19 e 20, o motor econômico da Europa e está profundamente insegura e cercada por nações com interesses potencialmente divergentes. A questão que se segue é se a lógica geopolítica que levou às guerras do passado terá o mesmo resultado ou se, nos próximos anos, a Europa conseguirá passar no teste de política de boa vizinhança no qual foi reprovada anteriormente.

Ambas as guerras mundiais foram iniciadas de acordo com um único cenário: a Alemanha, insegura devido à sua posição geográfica, varreu a França num ataque fulminante. O objetivo nos dois eventos era derrotar este país rapidamente e depois negociar com a Rússia. Em 1914, os alemães não conseguiram derrotar a França rapidamente, as tropas "encalharam", e o conflito tornou-se uma guerra prolongada. Os alemães se viram combatendo a França, a Grã-Bretanha e a Rússia simultaneamente, tanto no Leste como no Oeste. Ao mesmo tempo em que a revolução bolchevique aparentemente salvou a Alemanha por tirar a Rússia da guerra, os Estados Unidos enviaram contingentes militares para a Europa, desempenhando seu principal papel no palco mundial e impedindo as ambições germânicas.

Em 1940, a Alemanha conseguiu aniquilar a França, mas acabou descobrindo que ainda não podia derrotar a Rússia. Uma razão para isso foi o segundo ato de emergência dramático dos nortes-americanos. Os Estados Unidos forneceram ajuda aos soviéticos, e isso os manteve na guerra até que a invasão anglo-americana da França, após três anos, pudesse contribuir para destruir a Alemanha pela segunda vez em um quarto de século.

A Alemanha emergiu da Segunda Guerra Mundial humilhada pela derrota, mas também moralmente humilhada por seu barbarismo sem precedentes, tendo cometido atrocidades que não tinham relação alguma com as necessidades geopolíticas. A nação foi dividida e ocupada pelos vitoriosos.

A Alemanha estava fisicamente devastada, mas suas ações tinham levado à devastação de algo ainda mais importante. Por cinco séculos, a Europa tinha dominado o mundo. Antes da onda de autodestruição que começara em agosto de 1914, o continente controlava diretamente vastas regiões na Ásia e na África e, indiretamente, dominava uma grande extensão do restante do planeta. Países bem pequenos, como a Bélgica e a Holanda, controlavam áreas tão vastas como o Congo ou a atual Indonésia.

As guerras que seguiram à criação da Alemanha destruíram esses impérios. Além disso, a matança das duas guerras, a destruição de gerações de trabalhadores e de montantes extraordinários de capital deixaram a Europa exaurida. Seus impérios se dissolveram em fragmentos que passaram a ser disputados pelos únicos dois países que saíram do conflito com poder e interesse de competir pelo espólio: os Estados Unidos e a União Soviética. Contudo, de início, os dois países perseguiram os fragmentos de um império como um sistema de alianças e relações comerciais em vez de uma dominação imperialista formal.

A Europa abandonou o centro de um império mundial para ser o potencial campo de batalha de uma terceira guerra mundial. No cerne da Guerra Fria estava o receio de que os soviéticos, ao marcharem para o centro da Alemanha, viessem a capturar o restante do continente. Para a Europa ocidental, o perigo era óbvio. Para os Estados Unidos, a maior ameaça era a de que a mão de obra e os recursos soviéticos se combinassem com a industrialização e tecnologia europeias para criar um poder potencialmente maior que o seu. Temendo a ameaça a seus interesses, os Estados Unidos viraram-se para a contenção da União Soviética em torno de sua periferia, incluindo a Europa.

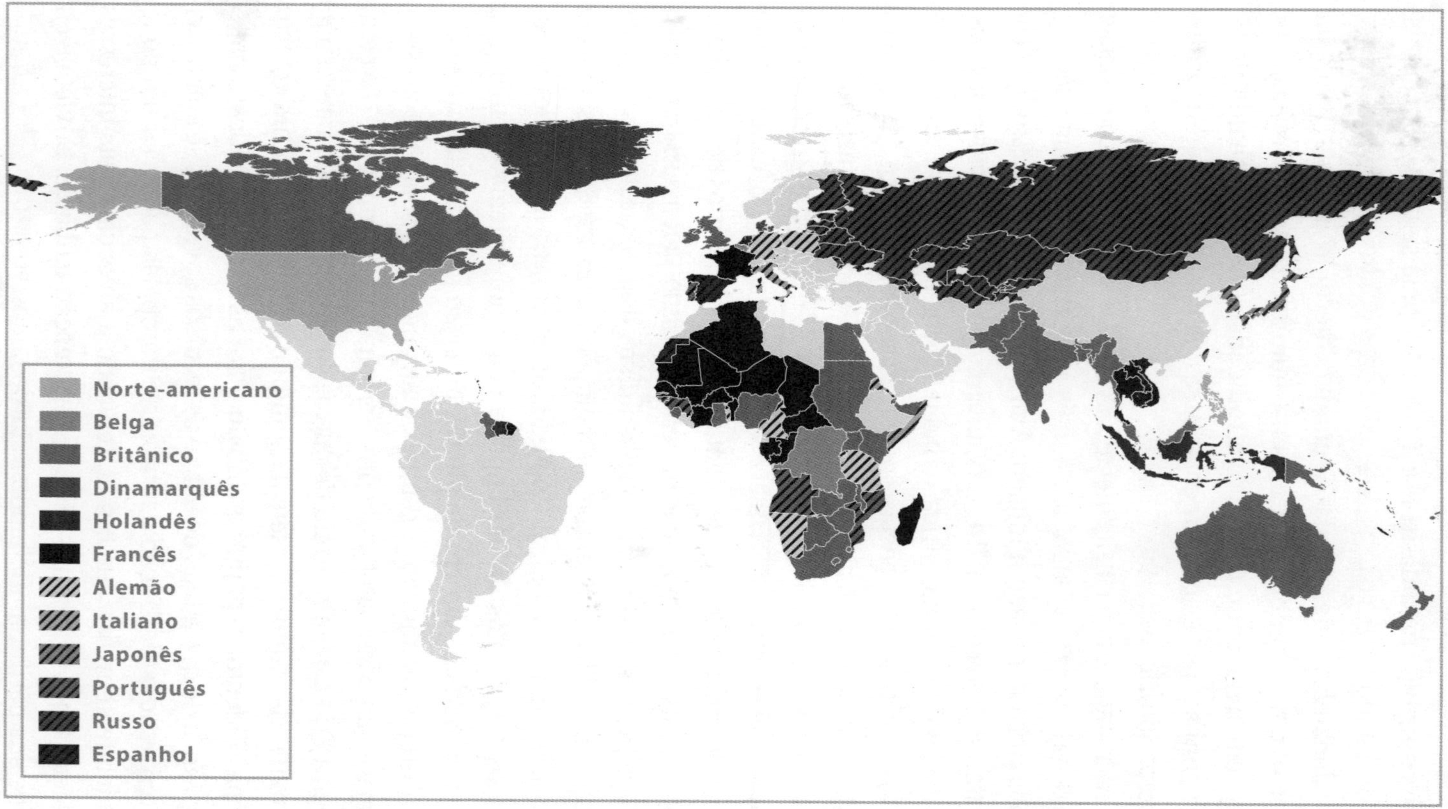

Impérios — 1900

Duas questões convergiram, então, preparando o terreno para os eventos que se darão durante a próxima década. A primeira foi a definição do papel da Alemanha na Europa já que, desde sua unificação no século 19, tinha sido o de desencadear guerras. A segunda, foi o encolhimento do poder europeu. No fim da década de 1960, não havia nenhum país europeu isolado, salvo a União Soviética, genuinamente global. Todas as nações restantes tinham sido reduzidas a poderes regionais, numa região em que o poder dessas nações era sufocado pelos poderes soviético e norte-americano. Se a Alemanha tivesse que encontrar um novo lugar na Europa, o país teria de encontrar um novo lugar no mundo.

As duas Guerras Mundiais e a drástica redução de *status* resultante dessas guerras tiveram um impacto psicológico profundo na Europa. A Alemanha entrou num período de baixíssima autoestima e o restante do continente parecia dividido entre a nostalgia de ver suas colônias perdidas e o alívio de que os fardos do império, e até da genuína soberania, tivessem sido dissipados. Junto com a exaustão europeia veio sua fraqueza, mas algumas das ciladas do *status* de grande poder permaneceram e eram simbolizadas pelos assentos permanentes para a Grã-Bretanha e a França no Conselho de Segurança das Nações Unidas. E mesmo a posse de armas nucleares por parte de algumas dessas nações significava pouco. A Europa estava presa no campo de força criado pelas duas superpotências.

A reação alemã à diminuição de seu poder foi, no microcosmo, a reação europeia: a Alemanha reconhecia seu principal problema como sendo o de um ator independente enredado entre dois poderes potencialmente hostis. A ameaça da União Soviética era fixa. No entanto, se a Alemanha conseguisse redefinir sua relação com a França e, graças a essa ponte, com o restante da Europa, o país não se encontraria mais apanhado nesse meio. Para a Alemanha, a solução era se tornar integrada ao restante do continente e, particularmente, à França.

Para a Europa como um todo, a integração era um resultado inevitável imposto pelo perigo soviético e pela pressão dos Estados Unidos. A estratégia norte-americana para resistir aos soviéticos era organizar seus aliados europeus para se defenderem, se necessário, enquanto garantia sua segurança com tropas já distribuídas pelo continente. Havia também a promessa de mais tropas se a guerra eclodisse, e, por fim, a promessa de utilização de armas nucleares se absolutamente necessário. Estas armas, no entanto, seriam mantidas sob controle americano. As forças convencionais seriam organizadas num comando conjunto pertencente à Organização do Tratado do Atlântico Norte (OTAN). Essa organização criou uma força de defesa multilateral, unificada, que era, em efeito, controlada pelos Estados Unidos.

Os norte-americanos também tinham um interesse investido na prosperidade europeia. Por meio do Plano Marshall e de outros mecanismos, os Estados Unidos criaram um ambiente favorável em que poderiam fazer reviver a economia europeia enquanto criavam as bases para uma força militar no continente. Quanto mais prosperidade era gerada, através da associação com os Estados Unidos, mais atrativa se tornava a inclusão como membro da OTAN. Quanto maior o contraste entre as condições de subsistência no bloco soviético e na Europa ocidental, maior a probabilidade de que o contraste fosse gerar intranquilidade no Leste. Os Estados Unidos acreditavam ideológica e praticamente no livre-comércio, mas, mais do que acreditar, eles desejavam ver uma maior integração entre as economias europeias, tanto para seu próprio benefício como para consolidar a aliança interna dos europeus, potencialmente fragmentada.

Os norte-americanos consideravam uma união econômica europeia como um esteio para a OTAN. Os europeus a viam como um meio não apenas de se recuperarem da guerra, mas também de encontrarem um lugar para si próprios num mundo que os havia reduzido, na melhor das hipóteses, ao *status* de poderes regionais. O poder, se havia algum a ser recuperado, tinha de ser encontrado em alguma espécie de federação. Esse foi o único modo de criar um equilíbrio entre a Europa e as duas superpotências. Essa federação deveria também resolver o problema da Alemanha ao integrá-la com a Europa, transformando a extraordinária máquina econômica alemã numa engrenagem do sistema europeu. Uma das questões-chave para a próxima década é se os Estados Unidos continuarão a considerar a integração europeia do mesmo modo.

Em 1992, o Tratado de Maastricht instituiu a União Europeia, mas o conceito era de fato um antigo sonho europeu. Seus antecedentes remontam ao início da década de 1950 e à European Steel and Coal Community (Comunidade Europeia do Carvão e do Aço), uma entidade de foco estreito cujos líderes falavam sobre carvão e aço como a base para uma federação europeia.

Foi coincidente, mas extremamente importante, que, embora a ideia da UE se originasse durante a Guerra Fria, ela emergisse como resposta para o fim dela. No Ocidente, a pressão esmagadora da OTAN e seu controle sobre políticas de defesa e relações exteriores foram afrouxados drasticamente. Na parte oriental, a queda do Muro de Berlim e o colapso da União Soviética presenciaram a saída de nações soberanas das sombras. Foi nesse ponto que a Europa recuperou a soberania que tinha perdido, mas que, agora, está batalhando com dificuldades para definir.

A UE foi prevista para servir a dois propósitos. O primeiro era a integração da Europa ocidental em uma federação limitada, resolvendo o problema da Alemanha graças à sua união com a França, reduzindo dessa forma o perigo de uma guerra. O segundo era a criação de um veículo para a reintegração dos países do Leste Europeu à comunidade europeia. A UE passou de uma instituição da Guerra Fria, que servia à Europa ocidental no contexto de tensões entre os dois blocos (ocidental e oriental), a uma instituição pós-Guerra Fria desenhada para unir as partes da Europa. Além disso, a iniciativa foi considerada como um passo adiante no retorno do continente à sua posição anterior de poder global, se não como nações individuais, como um grupo igual aos Estados Unidos. E é nessa ambição que a UE encontrou dificuldades.

A CRISE DA UE

No final do século 18, quando treze colônias britânicas recém--libertas formaram uma confederação norte-americana, essa foi uma solução prática a problemas econômicos e políticos. Mas os Estados Unidos da América, como a confederação veio a ser conhecida, ainda eram vistos como uma missão dedicada a maiores verdades, incluindo a ideia de que "todos os homens são criados igualmente e são dotados por seu Criador com certos direitos inalienáveis". Os Estados Unidos estavam também enraizados na ideia de que, com os benefícios da sociedade liberal, derivavam riscos e obrigações. Conforme colocado por Benjamin Franklin: "Aqueles que conseguem desistir de uma liberdade essencial para obter uma frágil segurança temporária não merecem nem a liberdade nem a segurança". Nos Estados Unidos, com esses sentimentos em seu cerne, os temas de conforto material e propósito moral caminharam de mãos dadas.

Os Estados Unidos também criaram uma federação daquilo que poderiam ser chamados países independentes, compartilhando uma linguagem comum, mas profundamente diferentes sob outros aspectos. Quando essas diferenças provocaram a secessão, muitos dos estados norte-americanos travaram uma guerra para preservar a União. Essa disposição de se sacrificarem teria sido impossível a menos que os Estados Unidos fossem vistos como um projeto moral e prático.

Nos Estados Unidos, a Guerra Civil determinou que o Governo Federal era soberano, e absolutamente soberano em questões internacionais. A vitória federal colocou de lado as reivindicações dos estados confederados soberanos.

Na União Europeia, em contraste, o modelo confederado ainda está implementado e a soberania reside em cada nação-Estado individual. Então, até no nível de sua premissa mais básica, a UE estabelece diversos limites sobre suas reivindicações de autoridade e de seu direito de exigirem sacrifício. Essa união é estranhamente calma, pelo fato de que nem toda a Europa faz parte dela. Alguns de seus membros compartilham uma moeda, outros não. Não há uma política de defesa unificada, muito menos um exército europeu. Além do mais, cada uma das nações constituintes tem sua própria história, sua identidade única e sua relação individual com a ideia de sacrifício. A autoridade militar para agir internacionalmente, uma parte indispensável do poder global, é também retida pelas nações individuais. A UE continua a ser uma organização criada para a conveniência de seus membros, e se ela se tornar inconveniente, as nações podem abandoná-la. Não há nenhum padrão para a retirada.

Fundamentalmente, a UE é uma união econômica. Essa limitação significa que sacrificar a segurança por um objetivo maior é, em termos, uma contradição, pois esse organismo tem fundido a segurança e o bem-estar como seu propósito moral. Não há simplesmente nenhum fundamento para o tipo de retórica inspiracional que possa induzir alguém a lutar e morrer para preservar os ideais da União Europeia.

Quando olhamos para a próxima década, percebemos que o delicado equilíbrio de poder estabelecido para conter a Alemanha está se desintegrando, não porque o país queira, e sim porque as circunstâncias têm mudado dramaticamente.

A dissolução começou durante a crise financeira de 2008. A Alemanha tinha sido um dos poderes econômicos mais importantes desde a década de 1960, quando a porção ocidental ressurgiu da devastação da Segunda Guerra Mundial. O colapso do comunismo em 1989 forçou o próspero Oeste a assimilar o empobrecido Leste, uma obrigação econômica. Embora fosse doloroso, durante a década que se seguiu a Alemanha absorveu sua parte pobre remanescente e continuou sendo o país mais poderoso da Europa, satisfeito com os acordos econômicos e políticos da UE. A Alemanha era o poder que liderava, mesmo não sendo o único. O país não tinha qualquer apetite por um domínio maior nem necessidade alguma disso.

Quando assolou a crise financeira de 2008, a Alemanha sofreu, assim como outros países, mas sua economia era suficientemente robusta para atravessar incólume o choque. A primeira onda de devastação foi mais grave na Europa oriental, a região que tinha apenas recentemente saído do domínio soviético. O sistema bancário de muitos dos países dessa parte tinha sido criado ou adquirido por países do Oeste Europeu, particularmente bancos na Áustria, Suécia e Itália, mas também por algumas instituições alemãs. Em um país, a República Tcheca, o sistema bancário tinha uma participação de 96% de outros países europeus. Dado que a UE aceitara muitos desses países — República Tcheca, Polônia, Eslováquia, Hungria, Romênia e Bulgária — bem como as nações bálticas da Letônia, Lituânia e Estônia, aparentemente não havia razão para sofrer problemas com isso. Mas, embora esses países do Leste Europeu fossem parte da UE, eles ainda tinham suas próprias moedas. Essas moedas, por sua vez, não eram apenas mais fracas que o euro, também requisitavam maiores taxas de juros.

Em um capítulo anterior, discutimos o problema gerado pelo *boom* de moradias e as hipotecas dos países do Leste Europeu lastreadas em euros, francos suíços e até ienes. Os bancos de outros países-membro da UE detinham muitos dos bancos da Europa oriental, utilizavam euros e estavam sob a supervisão financeira do Banco Central Europeu e do sistema bancário da UE. Os países do Leste Europeu estavam numa posição estranha de não possuírem seus próprios sistemas bancários. Em vez de serem simplesmente supervisionados pelos próprios governos, seus bancos estavam sob a supervisão da UE. Uma nação que não controla seu próprio sistema financeiro chega, rapidamente, a perder sua soberania. E isso levou ao problema futuro da UE. Os membros mais fortes, como a Alemanha, retiveram e aumentaram sua soberania durante a crise financeira, enquanto as nações mais fracas viram o declínio de sua soberania. Esse desequilíbrio terá de ser tratado na próxima década.

Dado que a União Europeia era uma entidade econômica individual, e dado que os países do Leste Europeu tinham poucos recursos e controles limitados sobre seus próprios bancos, a expectativa era de que as nações mais saudáveis da União Europeia fornecessem ajuda financeira aos bancos da parte oriental. Essa foi a expectativa não só no Leste, mas também a expectativa dos países europeus que investiram nessa região. A Alemanha tinha, entre todos, a economia e o sistema bancário mais fortes, então era esperado que assumisse a liderança.

Mas a Alemanha recusou. O país não queria subscrever o resgate da Europa oriental. Havia efetivamente muito dinheiro envolvido e o país não quis aceitar o ônus. Ao contrário, os alemães encorajaram os países do Leste Europeu a recorrer ao Fundo Monetário Internacional para uma saída financeira. Isso reduziria o fardo alemão e europeu, diluindo suas responsabilidades com contribuintes norte-americanos e outros benfeitores do FMI.

Essa consequência negativa da crise de 2008 sublinhou quão distante a Europa estava de ser uma associação coesa. Também chamou a atenção para o fato de que era a Alemanha quem tomava as principais decisões na Europa. Se a Alemanha desejasse uma saída financeira, a Europa teria tido uma.

Mas os problemas financeiros não terminaram naquele ponto. Quando a Europa foi atingida pela recessão, as receitas tributárias caíram e a tomada de empréstimos para serviços sociais aumentou. Alguns países foram apanhados num aperto tremendo, seus problemas agravados pela pressão política doméstica. Para aqueles que utilizavam o euro, não existiam algumas das ferramentas básicas para gerenciar um problema como esse. Por exemplo, a baixa de uma moeda torna as importações mais caras e as exportações mais baratas e competitivas. Isso prejudica o lado do consumo, mas ajuda a criar empregos e aumentar as receitas tributárias. Ajustar o valor de uma moeda é um mecanismo fundamental para gerir a recessão, mas países como a Grécia não controlavam sua própria moeda, na realidade, nem mesmo possuem sua própria moeda. Suas assimetrias de poder transformaram a UE num campo de batalha. A Alemanha não queria a responsabilidade de fornecer ajuda financeira aos países mais fracos, mas estes não tinham um controle completo sobre suas economias, de modo que não podiam assumir o controle de seu próprio destino. A questão que se segue é se a UE, especialmente sob a luz da história europeia, pode resistir a essa força centrífuga. A resposta reside, em parte, em qualquer que seja a escolha da Alemanha.

O euro serve a diversos países em diferentes estágios de desenvolvimento e em diferentes fases de seus ciclos de negócio, e a moeda que ajuda um país não necessariamente ajuda o outro. Obviamente, o Banco Central Europeu está mais preocupado com a condição da economia alemã do que com a condição da economia de um país de menor porte, e isso afeta as decisões.

Desde sua fundação, em 1993, até 2008, a UE desfrutou de um período de prosperidade sem precedentes e, por um tempo, essa prosperidade escondeu todos os problemas que ainda não tinham sido completamente resolvidos. Uma das medidas da entidade política é observar como ela trata as adversidades e, com a crise de 2008, todas as questões não resolvidas emergiram, e com elas o nacionalismo que a federação pretendia enterrar. Em algumas situações, esse nacionalismo tornou-se bastante poderoso politicamente. A maioria dos alemães se opôs à ajuda à Grécia. A maioria dos gregos preferia a bancarrota a se submeter aos termos da UE, que viam como termos alemães. A situação se acalmou após uma cessação temporária da crise financeira, mas, em 2010, tivemos um vislumbre da efervescência de forças por trás da calmaria europeia.

A União Europeia não desaparecerá, certamente não no período da próxima década. Ela foi fundada como zona de livre-comércio e continuará como tal. Mas não evoluirá para uma organização multinacional, o que poderia levá-la a ser um jogador importante no palco mundial. Não há interesse comum o bastante entre as nações da UE para compartilharem poder militar, e sem poder militar a Europa não tem o que chamo "poder significativo". Os europeus lutaram pela soberania nacional e por uma solução própria para a crise econômica. Os desafios que as finanças impuseram são cada vez mais significativos para que haja uma verdadeira integração militar. Definitivamente, há uma burocracia europeia, mas não um Estado europeu.

Por outro lado, não é bastante claro se os controles econômicos aplicados, na atualidade, pela UE sobreviverão na próxima década. Para os cidadãos de países mais pobres, trabalhar de modo a construir coalizões políticas para ajudar outros países que apresentam dificuldades é algo difícil. Desvalorizar a moeda é um modo mais simples de tornar as exportações mais baratas e as importações mais caras e, com isso, melhorar a economia. Mas, mais uma vez, a Grécia, por exemplo, não teve essa opção, pois não possuía sua própria moeda.

Nos anos que se seguem, graves limitações econômicas persistirão. A privação não será sem precedentes nem impossível de administrar, mas permanecerá um fator, colocando diferentes problemas para diferentes nações. Certamente, a pressão econômica estimulará o apoio entre essas nações e levantará sérias questões sobre benefícios de uma moeda única. Não tenho dúvida de que a UE sobreviverá, mas ficarei muito surpreso se alguns membros da zona do euro não desistirem, enquanto outros vierem a apresentar advertências sobre o grau de controle que oferecem à burocracia de Bruxelas.

Já vimos o marco de referência da integração europeia. À medida que a onda se alastra até a próxima década, o que estará exposto, acima de tudo, é o poder da Alemanha.

A REEMERGÊNCIA DA ALEMANHA

A Alemanha entrou em guerra contra a França e foi esmagada duas vezes após invadir o país. Sua resolução pós-guerra foi a de se realinhar economicamente com a França e passar a ser o novo eixo da Europa. Mas, embora o impulso das forças militares alemãs parecesse ter sido deixado de lado, persistia o problema da dinâmica de poder. Se a França e a Alemanha permanecem unidas, esses países continuam a ser o centro de gravidade europeu. Se colidirem, essa colisão rompe o tecido da Europa, deixando as nações federadas se dividirem e se realinharem em alguma nova configuração.

Estou deixando a Grã-Bretanha fora dessa equação por razões históricas, geográficas e econômicas. O Canal da Mancha tem possibilitado à Grã-Bretanha que recue e se envolva na Europa seletivamente. Mas, além dessa realidade geográfica, a Grã-Bretanha tem visto os poderes continentais como uma ameaça à sua sobrevivência e tem preferido ficar de lado. A Grã-Bretanha normalmente não constrói um muro contra a Europa (embora tenha feito isso em casos extremos), mas tem limitado seu envolvimento. A geografia possibilita isso.

Apesar de a Europa, como um todo, continuar como o parceiro mais tradicional da Grã-Bretanha, o maior alvo das exportações inglesas, entre as nações, é os Estados Unidos. Quando a Grã-Bretanha está envolvida profundamente na Europa, a causa é, mais frequentemente, a guerra do que a economia. A estratégia britânica tem sido impedir uma Europa unificada como uma ameaça à sua segurança nacional, ao menos porque a ideia de uma Europa militarmente dominada pela França e Alemanha é intolerável. Para os britânicos, tornar-se o parceiro mais inexperiente nesse alinhamento não é prudente nem necessário.

Por todas essas razões, a estratégia britânica é incompatível com um compromisso fechado com a Europa. Preferivelmente, o país tem de se alinhar militarmente aos Estados Unidos. Os britânicos nunca tiveram o peso de impedir os soviéticos sozinhos nem de gerenciar eventos na Europa. O alinhamento que têm com os Estados Unidos permite-lhes influenciar qualquer poder imperialista a um custo relativamente baixo. Durante a próxima década, a Grã-Bretanha continuará a proteger suas apostas em todos os lados, embora com a tendência, como dizem os franceses e alemães, para o bloco e a cultura anglo-saxões.

O alinhamento franco-germânico apresenta seus próprios problemas. Há duas áreas de tensão hoje em dia entre França e Alemanha, e a primeira é a econômica. A Alemanha tem uma disciplina fiscal muito maior que a França, o que significa que os dois países raramente estão em sintonia no que se refere à cooperação financeira. A segunda tensão refere-se à política de defesa. Os franceses, em particular os gaullistas, sempre viram uma Europa unida como contrária aos Estados Unidos, e essa configuração exigiria uma integração da defesa europeia, que, inevitavelmente, significaria uma força sob o controle franco-germânico.

Os alemães certamente valorizam os resultados da integração com a França e o restante da Europa, mas não querem assumir os problemas econômicos franceses nem criar uma força militar europeia contra os norte-americanos. Eles simplesmente não querem os potenciais fardos dos primeiros ou os riscos dos segundos.

Outro problema enfrentado pelos alemães é que, mais uma vez, devido muito à crise financeira e à guerra norte-americana no Iraque, suas relações com os Estados Unidos sofreram uma queda. A Alemanha é um país exportador e os Estados Unidos são um cliente não europeu dos mais importantes. A administração Obama criou um pacote de estímulos para tirar a economia norte-americana da recessão, mas os alemães não adotaram essas medidas. Em vez disso, confiaram no estímulo americano para gerar demanda aos seus produtos, o que significou que os Estados Unidos assumiram dívidas para impulsionar sua economia enquanto (pelo menos do ponto de vista norte-americano) os alemães obtiveram todo lucro sem desembolso. Os alemães também queriam que os norte-americanos participassem na saída financeira dos países europeus por meio do FMI. Mas, além dessas divergências substancialmente econômicas entre os dois países, havia uma divisão geopolítica verdadeira. Os norte-americanos, conforme vimos, têm problemas com os russos; contudo, os alemães não queriam ter nenhuma relação com os esforços norte-americanos para contê-los. Além da aversão a estimular uma outra Guerra Fria, os alemães, conforme já vimos, dependem da Rússia para uma grande parcela de suas necessidades energéticas. Os alemães, de fato, precisam da energia russa mais do que os russos precisam de seu dinheiro.

As relações norte-americanas com a Rússia e a Alemanha vão variar na próxima década, mas podemos antecipar uma mudança fundamental. Qualquer que seja a atmosfera, a presença constante da Rússia no leste da Península Europeia ameaça os interesses norte-americanos. Ao mesmo tempo, quanto mais os Estados Unidos veem seus interesses alocados em guerras como a do Afeganistão, mais a Alemanha vai querer se distanciar de seu aliado na Guerra Fria. Quanto maior a preocupação dos Estados Unidos com a Rússia, maior a distância entre os alemães e os norte-americanos. O relacionamento de sessenta e cinco anos que começou no fim da Segunda Guerra Mundial não sobreviverá inalterado na próxima década.

A Alemanha pode se dar ao luxo de se distanciar dos Estados Unidos, em parte porque seu problema tradicional de ser pressionada de ambos os lados já acabou e o país tem uma relação amistosa e estreita com a França. A nação não faz fronteira com a Rússia e ainda tem a Polônia como um tampão. A Alemanha precisa de gás natural, que os russos têm em abundância, e estes necessitam da tecnologia e *expertise* que a Alemanha tem para compartilhar.

Além disso, um declínio significativo da população logo afetará a planta industrial alemã, pois a escassez de mão de obra combinada com o envelhecimento populacional gera uma fórmula para o desastre econômico. A Rússia, por outro lado, terá um excesso de trabalhadores que a Alemanha poderá utilizar, tanto pela importação destes como mudando a cadeia produtiva para a Rússia. Um modo de diminuir esse declínio de mão de obra é estimular a imigração, mas, então, seria a identidade nacional na Europa que estaria em jogo.

Se a Alemanha não deseja trazer operários para suas fábricas, pode mudá-las para onde estão os trabalhadores. A Rússia também está sofrendo um declínio populacional, mas como tem uma economia fraca e focada em *commodities* primárias, ainda tem um excesso de força de trabalho, isto é, pessoas que estão desempregadas ou em subempregos. Se os russos querem mudar e ir além de simplesmente exportar energia e grãos, e desenvolver uma economia industrial moderna, precisam de tecnologia e capital, o que os alemães têm. A Alemanha quer homens para trabalhar nas fábricas e recursos naturais para impulsionar sua economia. As empresas alemãs de todos os portes já estão profundamente envolvidas com a Rússia e numa relação entre Moscou e Berlim que logo será o eixo central da Europa.

Com a França impulsionada pela Alemanha e unidos por interesses econômicos, a Rússia se moverá mais para perto do Centro Europeu, estabelecendo uma nova dinâmica na UE. A tensão entre o centro e a periferia já é muito comum. O centro é composto da Alemanha, França, Holanda e

Bélgica, o território industrial avançado da Europa. A periferia é composta da Irlanda, Espanha, Portugal, Itália, Grécia e países do Leste Europeu. No entanto, nos primeiros estágios de desenvolvimento econômico, esses países menores precisarão relaxar suas políticas monetárias de forma mais acentuada que seus vizinhos mais avançados e terão mudanças econômicas mais amplas, de modo que serão mais vulneráveis à instabilidade.

Nesse ínterim, a França tem protegido suas apostas, posicionando-se tanto como um poder do Norte Europeu como do Mediterrâneo, chegando ao ponto de considerar a formação de uma União Mediterrânea junto com a UE. Na ideia francesa, esse organismo incluiria os países da Europa meridional, os países da África setentrional, Israel e Turquia. Essa é uma ideia atrativa no campo abstrato, mas, na realidade, a diferença dos níveis de desenvolvimento entre a Líbia e a Itália é tão profunda que é maior que a diferença entre a Alemanha e a Grécia. No entanto, podemos esperar que a França atue moderadamente no Mediterrâneo, tentando compensar o fato de ser o parceiro júnior da Alemanha no Norte.

A Alemanha está desconfortável com o papel que lhe foi atribuído durante as crises de 2008 e 2010. À medida que o país reconsidera seus interesses na periferia da UE, os países periféricos levantam questões sobre o benefício econômico de se integrarem aos alemães. Eles se ressentem de perder o controle sobre vastas áreas de suas economias, tal como o setor bancário, especialmente quando se espera que se posicionem no evento de ocorrência de uma crise. Os países da periferia, dos quais se espera que sustentem suas economias com uma política monetária desenhada para o centro, aumentam a pressão para ambos os lados.

A antiga periferia, da Grécia à Irlanda, tem questões significativas relativas à economia. A nova periferia, os países *intermarium*, e, em particular, a Polônia, estão profundamente preocupados com a Rússia e o problema é geopolítico. Conforme vimos, a Polônia, em especial, dificilmente poderá ser uma zona neutra (tampão) entre a Alemanha e a Rússia, uma função que historicamente jamais terminou bem para esse propósito.

Também temos uma Grã-Bretanha desconfortável com esse alinhamento. O Reino Unido poderia viver com um eixo Paris-Berlim pelo tempo que fosse desde que neutralizado pela relação próxima entre Estados Unidos e Grã-Bretanha. Mas incluir Moscou oferece um peso grande demais ao continente europeu, impondo um desafio para os interesses comerciais e estratégicos britânicos.

À medida do desenvolvimento da próxima década, a Alemanha retomará seu lugar na planície do Norte Europeu, mas, dessa vez, aliada com seus inimigos históricos, a França e a Rússia. Os britânicos se moverão ainda mais para perto dos Estados Unidos. Os países na velha periferia serão deixados com liberdade para escolher seus caminhos, mas o foco das atividades será a nova periferia: países do Leste Europeu. A União Europeia continuará a atuar, assim como o euro, mas será difícil, para a entidade, ser o princípio organizador da Europa quando há tantas forças centrífugas.

A ESTRATÉGIA NORTE-AMERICANA

Um lapso político extraordinário, desde o colapso do comunismo, é que os Estados Unidos jamais desenvolveram uma estratégia voltada para a Europa. Essa situação logo mudará. Durante os anos 1990, os Estados Unidos assumiram interesses com os europeus, mas essa premissa jamais foi testada durante as condições benignas daquela década. O nascimento da UE jamais foi visto como um desafio para o país, mas sim como uma evolução natural que não impunha nenhum problema. Embora os Estados Unidos prosseguissem sem preocupação com a UE, a próxima década exigirá uma nova mentalidade e um planejamento com mais foco.

Quando a resposta norte-americana ao 11 de setembro abriu a primeira brecha significativa no bloco franco-germânico, ela também revelou uma divisão grave na Europa. Os Estados Unidos desejavam uma ajuda militar muito mais assertiva no Afeganistão, assim como uma cobertura menos política sobre a guerra no Iraque. Nas votações feitas na OTAN — tais como garantir apoio à Turquia se este país apoiasse os norte-americanos no Iraque —, a maioria esmagadora dos países votou implicitamente com os Estados Unidos, mas quatro países votaram contra esse suporte: Alemanha, França, Bélgica e Luxemburgo. Deve ser notado que qualquer ação do organismo exige unanimidade. Todavia, enquanto muitas das nações que apoiaram a resolução enviaram forças simbólicas ao Iraque, os britânicos contribuíram mais significativamente.

A geografia desse apoio é extremamente importante. O Centro Europeu, com a exceção da Holanda, se opôs aos Estados Unidos. A maior parte da periferia, os países *intermarium* em particular, apoiou os Estados Unidos, pelo menos inicialmente. Muitos dos países que apoiaram os Estados Unidos o fizeram não porque genuinamente endossavam a ação norte-americana, mas por causa do desconforto em relação ao bloco franco-germânico. Eles não queriam ser membros subordinados da Europa e viam os Estados Unidos como um contrapeso importante aos franceses e alemães. Houve um confronto particularmente interessante entre o presidente francês Jacques Chirac e os representantes dos países *intermarium*, que tinham assinado uma carta em que rejeitavam a posição franco-germânica e apoiavam os Estados Unidos. Quando essa carta apareceu, Chirac repreendeu-os por serem, em seus termos, "mal-educados". Naquele ponto, o distanciamento entre esses países e a França, e, consequentemente, a Alemanha, não poderia ter sido mais profundo. A divisão na Europa sobre a guerra no Iraque, eu penso, se tornará uma estrutura grosseira de desentendimentos estratégicos no continente, e estes redefinirão as alianças norte-americanas para a região na próxima década.

A tensão entre os Estados Unidos e a França tem variado, mas, mesmo após Barack Obama assumir o cargo, os alemães continuaram resolutos quanto ao assunto "islamismo". Eles não gostaram mais da forma como Obama administrou o conflito do que gostaram da administração de Bush, e não queriam ser arrastados para o problema. Como deve ser óbvio agora, os Estados Unidos e o bloco franco-germânico simplesmente têm interesses divergentes.

É difícil imaginar os norte-americanos convencendo a Alemanha a retomar o relacionamento anterior que mantinham entre si ou a Alemanha convencendo os Estados Unidos a serem indiferentes à ascensão da Rússia. Na próxima década, uma solução ideal, do ponto de vista norte-americano, seria a fragmentação do bloco franco-germânico e, de fato, o presidente deve trabalhar para abrir a maior brecha possível entre os dois países. No entanto, esse não pode ser o fundamento da estratégia. Os Estados Unidos têm pouco a oferecer à França, enquanto sua relação com a Alemanha fornece a este país segurança e vantagens econômicas.

Os Estados Unidos devem focar em limitar o poder do Centro enquanto, ao mesmo tempo, fazem todo o possível para evitar uma aliança russo-germânica. Em outras palavras, devem aplicar o princípio do equilíbrio de poder para a Europa de forma parecida com o que os britânicos fizeram. Ironicamente, a primeira fase dessa estratégia norte-americana deve ser reter sua relação atual com a Grã-Bretanha. Os dois países compartilham interesses econômicos e ambos são nações marítimas dependentes do Atlântico. A posição geográfica que beneficiou a Grã-Bretanha pode agora ser utilizada pelos Estados Unidos. Em compensação, essa nação dá um aliado aos Estados Unidos na União Europeia, bem como uma plataforma para influenciar outros países na periferia do Atlântico, da Escandinávia à Península Ibérica, onde os britânicos têm laços comerciais e políticos. Entre esses países, podemos citar a Suécia, a Dinamarca e a Holanda. Na próxima década, as estratégias nacionais norte-americanas e britânicas coincidirão bastante.

Esse ato de equilíbrio dos Estados Unidos na Europa também exige que o país cultive sua relação com a Turquia. Conforme discutimos no capítulo sobre o Oriente Médio, uma forte aliança com a Turquia oferece aos Estados Unidos influência no Mar Negro e neutraliza qualquer estratégia no Mediterrâneo que a França possa querer desenvolver. Um dos fatores que ajudará essa aliança será a política de imigração europeia. O receio dos países europeus de uma imigração turca faz com que impeçam a entrada da Turquia na UE. A Turquia, certamente, caminhará para ser mais forte na próxima década, mas o país não está preparado para operar sozinho. A região circundante é extremamente instável, e ameaças da Rússia no Cáucaso forçarão para que a Turquia mantenha uma forte relação com os Estados Unidos. Isso não será inteiramente um desejo turco, mas eles têm pouca escolha.

Independentemente do que os Estados Unidos façam na periferia europeia, a questão da Alemanha permanece primordial e dominará a política de relações exteriores de muitas nações na próxima década. Os Estados Unidos devem evitar a impressão de serem hostis à Alemanha ou indiferentes à Europa. Não devem abandonar a OTAN, apesar de sua ineficácia, mas devem tratar todas as instituições multilaterais com respeito e todos os países europeus como se fossem poderes significativos. Em outras palavras, os Estados Unidos devem criar um senso de normalidade na Europa, a fim de que não haja uma debandada para o campo franco-germânico. Se os Estados Unidos levarem esse relacionamento para uma crise imediata, isso somente reforçará o controle da Alemanha na região. A tensão inerente entre a Alemanha (ou França e Alemanha) e os países europeus amadurecerá em seus próprios termos. Não há necessidade de os Estados Unidos apressarem o ritmo das coisas, pois é a Alemanha que está sob pressão, não os norte-americanos.

Ao mesmo tempo, os Estados Unidos devem, em seu contexto relativamente amistoso, empreender as etapas necessárias para lidar com a possibilidade de uma aliança russo-germânica. Para fazer isso, o presidente deve começar a avançar nas relações bilaterais com alguns países-chave europeus e deve proceder fora da estrutura usual de relações multilaterais. Durante os próximos anos, os Estados Unidos devem enfatizar relações bilaterais com países na periferia da Europa desviando-se da OTAN, mas concordando com essa entidade da boca para fora.

A escolha das relações pode ser meio aleatória e deve acontecer para mostrar ao mundo como os Estados Unidos e a Alemanha têm uma relação benigna. Mas alguns países são genuinamente importantes aos interesses norte-americanos. A Dinamarca controla o acesso ao Atlântico para os russos, enquanto provê acesso ao Báltico para os Estados Unidos. A Itália é um país que tem tanto uma economia substancial como uma posição estratégica no Mediterrâneo. A Noruega, sempre mais próxima da Grã-Bretanha do que do restante da Europa, pode fornecer vantagens estratégicas para os Estados Unidos, desde bases militares até parcerias em sua indústria petrolífera. E, certamente, uma relação com a Turquia fornece opções aos Estados Unidos nos Bálcãs, Cáucaso, Ásia Central, Irã e no mundo árabe. Mas os Estados Unidos não devem se concentrar totalmente nestes países valiosos, alguns dos quais podem muito bem ser mais um fardo do que uma vantagem. Os alemães e franceses menosprezam os Estados Unidos como não sofisticados. Os Estados Unidos, por sua vez, devem tirar vantagem disso na próxima década, movendo-se propositadamente e, também, de modo arbitrário. Tudo deve ser feito para levar os alemães e, talvez, os franceses, a terem a sensação de que os Estados Unidos não estão concentrados nessas ações.

Essas relações não são fins em si próprias. São uma cobertura para o preço crucial da Polônia e dos países *intermarium* (Eslováquia, Hungria e Romênia), que fornecem a geografia para a contenção da Rússia. Neste ponto, a estratégia norte-americana mais uma vez precisa ser conscientemente enganosa. Ela deve iludir a Europa no sentido de que os Estados Unidos estão meramente se aproximando dos países desejosos de ficarem mais próximos, e que entre eles estão a Polônia, o restante dos países *intermarium* e os países bálticos. Qualquer indicação de que os Estados Unidos estejam claramente visando controlar a Alemanha ou criar uma crise com a Rússia provocará uma contrarreação na Europa que poderá orientar a periferia de volta ao controle do centro. A Europa como um todo não quer ser impelida para tal confrontação. Ao mesmo tempo, o desejo de se ter uma alternativa para um eixo Paris-Berlim-Moscou será forte, e, se o custo for baixo, a periferia será atraída para os Estados Unidos ou para a Grã-Bretanha. Com todos os custos, os Estados Unidos devem evitar o amálgama geográfico da

Rússia com a Península Europeia, pois isso geraria um poder que os norte-americanos sofreriam muita pressão para conter.

Credibilidade será o ponto-chave, particularmente para o caso da Polônia. Os Estados Unidos devem fazer uma defesa de duas vias para superar as cicatrizes históricas polonesas. Primeiro, devem lembrar aos poloneses que eles se enganaram ao acreditar que os franceses e britânicos poderiam defendê-los contra os alemães em 1939, o que era geograficamente impossível. Segundo, os Estados Unidos devem dar um lembrete desagradável avisando aos poloneses que eles não resistirão tempo suficiente para pedir sua assistência: eles colapsaram na primeira semana de uma conquista germânica, que levou somente seis semanas para se completar. A Polônia e os demais países europeus não podem ser ajudados se não puderem ajudar a si próprios.

Esse é o desafio que o presidente norte-americano deve enfrentar na próxima década. Ele deve mover-se na direção contrária de modo a não criar inquietação em Moscou ou Berlim que leve esses governos a aumentar a intensidade de seus relacionamentos antes de os Estados Unidos poderem criar uma estrutura para limitá-los. Ao mesmo tempo, os Estados Unidos devem tranquilizar a Polônia e outros países sobre a seriedade de seu comprometimento com seus interesses. Tudo isso pode ser feito, mas seu sucesso exigirá a falta estudada de requinte de um Ronald Reagan e a desonestidade casual de um Franklin Delano Roosevelt. O presidente deve aparentar não ser muito brilhante, mas ser capaz de mentir convincentemente. O alvo dessa charada não serão futuros aliados, mas potenciais inimigos. Os Estados Unidos precisam comprar o tempo.

A estratégia ideal norte-americana será fornecer ajuda para suportar o desenvolvimento de poder militar nativo que pode deter agressores, ou que ao menos pode perdurar por tempo suficiente para esperar a chegada de ajuda. O suporte norte-americano também pode gerar um meio de crescimento econômico, tanto pela consolidação da economia como pelo fornecimento de acesso aos mercados norte-americanos. Durante a Guerra Fria, essa foi a tática utilizada pelos norte-americanos para induzir a Alemanha ocidental, o Japão e a Coreia do Sul, entre outros, a assumirem o risco de resistir ao comunismo.

Independentemente de qual argumento os Estados Unidos utilizem para convencer a Polônia na próxima década, a disposição e a habilidade deste país para servir aos propósitos norte-americanos dependerão de três fatores. O primeiro é o suporte econômico e técnico norte-americano para construir uma força militar polonesa. O segundo é a transferência de tecnologia militar para consolidar uma indústria doméstica, tanto no apoio da defesa nacional como para o uso civil. O terceiro é fornecer forças norte-americanas suficientes na Polônia para convencer sua população de que a aposta norte-americana em seu país é plenamente confiável.

Essa ação deve concentrar-se na Polônia, mas ser estendida aos outros países *intermarium*, particularmente a Hungria e Romênia. Esses dois países são decisivos para manter a linha dos Cárpatos, e podem responder efetivamente aos tipos de incentivos que os Estados Unidos estão lhes oferecendo. Os países bálticos representam um caso separado. Eles são indefensáveis, mas, se a guerra pode ser evitada, são um bom osso para colocar na garganta russa.

Em toda essa manobra, a questão é primeiramente evitar uma guerra e, depois, limitar uma relação entre a Rússia e a Alemanha que possa, nas próximas décadas, criar um poder que venha a desafiar a hegemonia norte-americana. As intenções atuais dos russos e dos alemães seriam muito mais modestas do que isso, mas o presidente norte-americano deve focar não no que os outros pensam agora, mas no que pensarão mais tarde, quando as circunstâncias mudarem.

Capítulo 10

Enfrentando o Pacífico ocidental

O Pacífico ocidental é uma região que não apresenta uma ameaça imediata aos Estados Unidos, mas sua situação positiva nos negócios não continuará indefinidamente. A Ásia foi um dos pontos-chave problemáticos do mundo por uma grande parte do século passado, e a relativa tranquilidade dos últimos trinta anos tem sido a exceção, não a regra. Essa é a razão pela qual a tarefa do presidente, durante a próxima década, será se preparar cuidadosamente para as inevitáveis crises que assomam pelo horizonte.

Há uma grande dose de preocupação em torno do equilíbrio indo-chinês de poder, mas a Índia e a China são divididas por um paredão, a cordilheira do Himalaia, o que tornaria um conflito muito longo e um transporte de mercadorias terrestre de alto volume virtualmente impossíveis. A oposição central e de longa duração nessa região é, efetivamente, a que existe entre a China e o Japão, as duas nações praticamente empatadas como a segunda economia do mundo. Há uma competição econômica substancial. A economia afeta um equilíbrio de poder somente quando a geografia permite outro tipo de competição. Todos os outros poderes regionais, incluindo a Coreia do Sul, uma força econômica substancial em seus próprios termos, existem dentro da estrutura de equilíbrio entre China, Japão e Estados Unidos. Será no sentido de manter e manipular esse equilíbrio que os Estados Unidos definirão sua política durante a próxima década.

É difícil imaginar duas nações mais diferentes do que a China e o Japão, e a desavença econômica tem provocado hostilidades mútuas desde a primeira guerra do mundo moderno, em 1895, quando o Japão derrotou a Marinha chinesa. O Japão é uma potência industrial marítima totalmente dependente de importações de matérias-primas para sua sobrevivência. A China, com sua imensa população e geografia, baseia-se na terra. Desde o momento em que o Japão começou seu processo de industrialização, precisou de mão de obra, matérias-primas e mercado chineses, e queria esses componentes nos termos mais favoráveis. Os chineses precisavam de capital estrangeiro e de expertise, mas não queriam cair sob o controle japonês. Essa interdependência plena de desconfianças levou as duas nações a uma guerra brutal nos anos 1930 e 1940, durante a qual o Japão ocupou uma boa parte da China continental. A relação entre esses dois países jamais se recuperou desde então, e hostilidade e desconfiança têm sido mantidas sob controle em parte pela presença dos Estados Unidos.

Durante a Guerra Fria, os Estados Unidos mantinham relações complexas com cada país. Precisava do poder industrial japonês para apoiá-los na Guerra da Coreia e em outros conflitos, bem como de sua geografia para impedir que a frota soviética entrasse no Pacífico. O Japão, de boa vontade, forneceu ambos. Em troca, os Estados Unidos deram acesso aos japoneses aos mercados norte-americanos para seus produtos industrializados e não exigiram que o Japão firmasse acordos militares para suas aventuras mundo afora.

Durante o mesmo período, os Estados Unidos passaram cerca de trinta anos numa marcante hostilidade contra a China Comunista. Então, quando dissiparam seu poder geral no Vietnã e precisaram de um contrapeso para os soviéticos, voltaram-se para a China. Esta, receosa da União Soviética e vendo os Estados Unidos como um agente de sua própria segurança, aceitou a abertura.

Porém, nem a China nem o Japão estavam satisfeitos com as relações norte-americanas entre os dois países, mas os Estados Unidos administraram a triangulação sem dificuldade, pois cada país tinha questões mais importantes a considerar. As preocupações da China eram geopolíticas: sobretudo o temor da União Soviética. As do Japão eram econômicas: seu *boom* econômico pós-guerra. Cada país precisava dos Estados Unidos por suas próprias razões.

Com o término da Guerra Fria, a natureza do equilíbrio mudou. Houve uma parada na fase de crescimento rápido do Japão, ao passo que a China, tendo adotado o estilo japonês na economia, estava passando por um *boom* prolongado. O Japão continuou sendo a maior economia, mas a China passou a ser a mais dinâmica, uma situação que os Estados Unidos viam como satisfatória. Focados essencialmente em questões econômicas, os Estados Unidos não examinaram os dois países sob um ponto de vista genuinamente geopolítico. Em geral, a Ásia era um assunto para o Departamento do Tesouro e para gestores de relações externas, não algo que deveria preocupar o Departamento de Defesa.

A estabilidade do Pacífico ocidental e do Sudeste Asiático desde a década de 1980 é notável quando consideramos o fato de que, da Indochina à Indonésia, China e outras partes, a Ásia parece ser uma das mais instáveis e desfavorecidas regiões do mundo, um caldeirão de conflitos, guerras civis e instabilidade geral ao longo das décadas de 1960 e 1970.

O presidente deve lembrar que a Ásia é um local de transformações extraordinárias e onde, na próxima década, indubitavelmente, veremos coisas consideradas imutáveis serem transformadas totalmente. Por exemplo, a economia chinesa enfrentará difíceis testes enquanto o Japão começará a se recuperar de seus fracassos. O consenso em 1970 era que a Ásia era inerentemente violenta e instável; o consenso hoje é que a região é pacífica e estável. Essas avaliações contraditórias demonstram as dificuldades para se determinar como será a Ásia na próxima década, como a dinâmica sino-japonesa será representada e qual deverá ser a política norte-americana para a região.

CHINA, JAPÃO E PACÍFICO OCIDENTAL

Quando discutimos sobre o Leste Asiático, estamos efetivamente falando sobre uma série de ilhas que se estendem do arquipélago de Kuriles (Rússia) à Indonésia, bem como sobre suas relações mútuas e com o continente. Quando falamos sobre o continente, estamos falando principalmente sobre a China.

A China tem uma área continental que se estende por aproximadamente 35 mil quilômetros e faz fronteira com 14 países. Embora seja ladeada pelo oceano em somente um lado, pode ser útil pensar no país como uma ilha presa à borda do Pacífico, isolada ao Norte, Oeste e Sul por obstáculos virtualmente impenetráveis.

A imagem de uma ilha é vantajosa quando consideramos que a vasta maioria da população chinesa vive na região leste do país, dentro de cerca de 560 quilômetros da costa. A razão para essa concentração é o acesso à água. A área entre a linha que divide o mapa e a costa marca a região na qual o índice pluviométrico é superior a 38 centímetros ao ano, o mínimo necessário para manter uma grande população. Como a parte oeste da China é árida demais para manter uma grande população, mais de um bilhão de pessoas ficam espremidas numa região com cerca do tamanho da margem leste do Mississipi, sem incluir a Nova Inglaterra. Essa é a China dos hans, a terra dos chineses étnicos.

A China ocidental é um semideserto vasto e praticamente vazio cercado por quatro Estados-tampões não chineses: Tibet, Xizang, Mongólia e Manchúria. Eles ancoram a China em seus limites geográficos, com o Himalaia ao Sudoeste, que pode ser atravessado apenas minimamente, mas certamente não por exércitos e nem por mercadorias de qualquer volume. A Sibéria fica ao Norte, uma vasta terra isolada sem sistema de transportes de Norte a Sul. Selvas e montanhas escarpadas ficam ao Sul, estendendo-se de Mianmar até o Pacífico, isolando a China do Sudeste Asiático.

Geograficamente, o Japão é um lugar muito mais simples. Consiste de quatro ilhas principais e uma série de ilhas muito menores ao Norte e Sul. Ser um arquipélago é o que faz do Japão uma nação

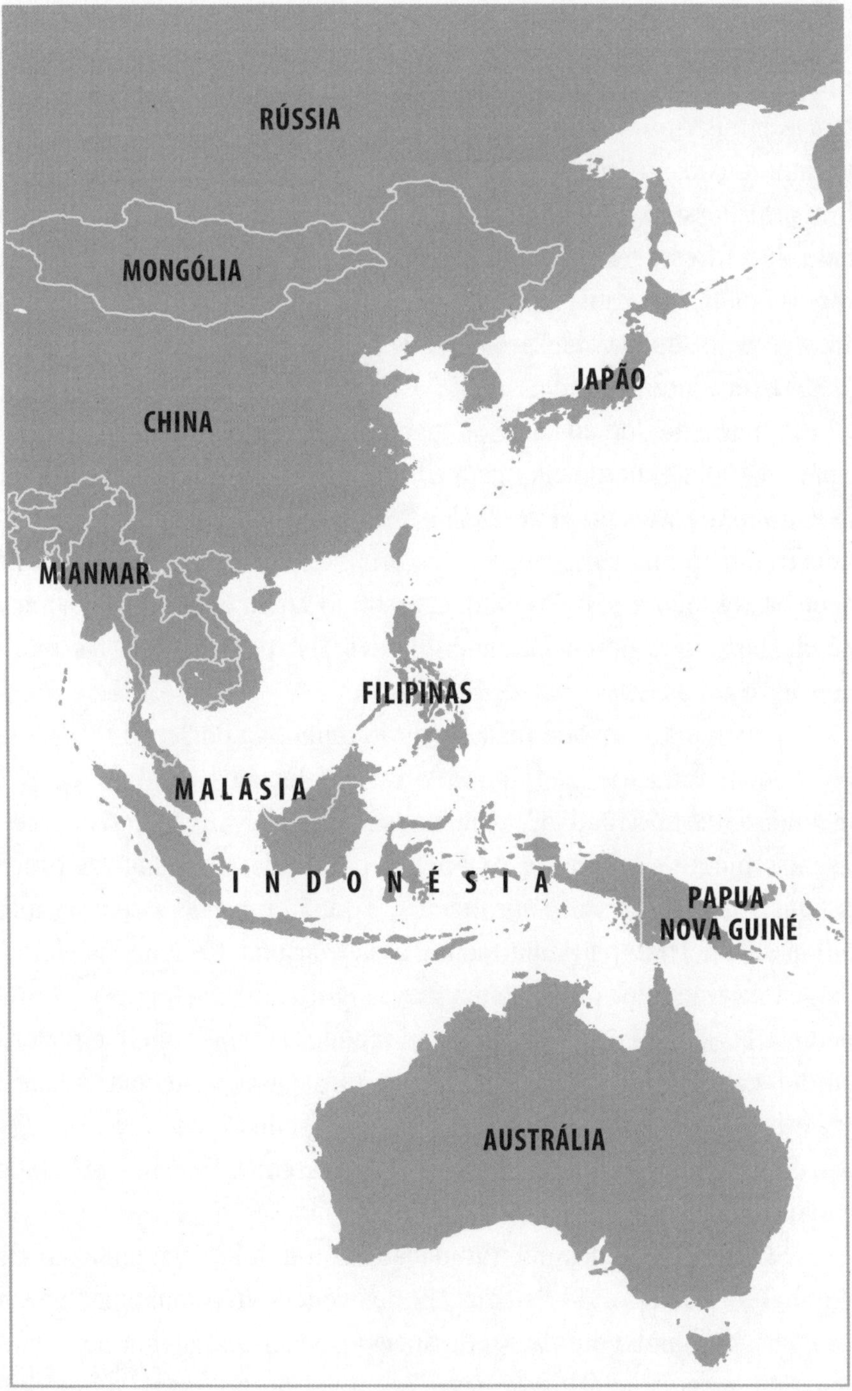

Pacífico ocidental

marítima, um fato piorado por uma extraordinária realidade geológica: o Japão é quase inteiramente destituído de minerais fundamentais para a indústria. A industrialização tem sempre significado recursos de importação, incluindo petróleo, que o Japão obtém essencialmente do Golfo Pérsico. Isso indica que o país, por definição, tem disseminado interesses e vulnerabilidades globais. À diferença da China, que importa matérias-primas, porém tem suficientes recursos próprios para sobreviver, o Japão colapsaria em questão de meses caso suas importações fossem interrompidas.

Em parte devido ao seu isolamento e sua rápida industrialização, o Japão evitou a experiência que a China sofreu nas mãos dos europeus. Os europeus forneceram ao Japão assistência na forma de tecnologia industrial e treinamento militar. Os britânicos organizaram a Marinha japonesa, os alemães, o Exército, e, assim, o Japão evoluiu rapidamente até chegar a uma potência que podia desafiar os europeus. De fato, o país derrotou os russos em 1905.

O país mais alarmado pela ascensão repentina do Japão foi o único outro poder industrializado no Pacífico: os Estados Unidos. Antes da Segunda Guerra Mundial, os japoneses importavam matérias-primas essencialmente do Sudeste Asiático e das Índias orientais. A fim de assegurar acesso a esses suprimentos, o Japão precisava de uma força militar substancial, particularmente, uma Marinha. Os Estados Unidos, que se tornaram uma potência marítima significativa somente no fim do século 19, viam a consolidação naval japonesa como algo que poderia, um dia, expulsá-los do Pacífico. Ao se tornar uma potência industrial e naval, o Japão parecia ameaçar a segurança dos Estados Unidos. Ao expandirem sua força naval para se defenderem do Japão, os Estados Unidos ameaçaram a segurança japonesa.

O resultado dessa intimidação mútua foi a Segunda Guerra Mundial no Pacífico. Os Estados Unidos venceram o Japão não apenas por causa da bomba atômica e do sucesso de sua estratégia de tomada paulatina e sequencial de várias ilhas, mas porque seus submarinos interromperam o fornecimento de matérias-primas do sul e tiraram o

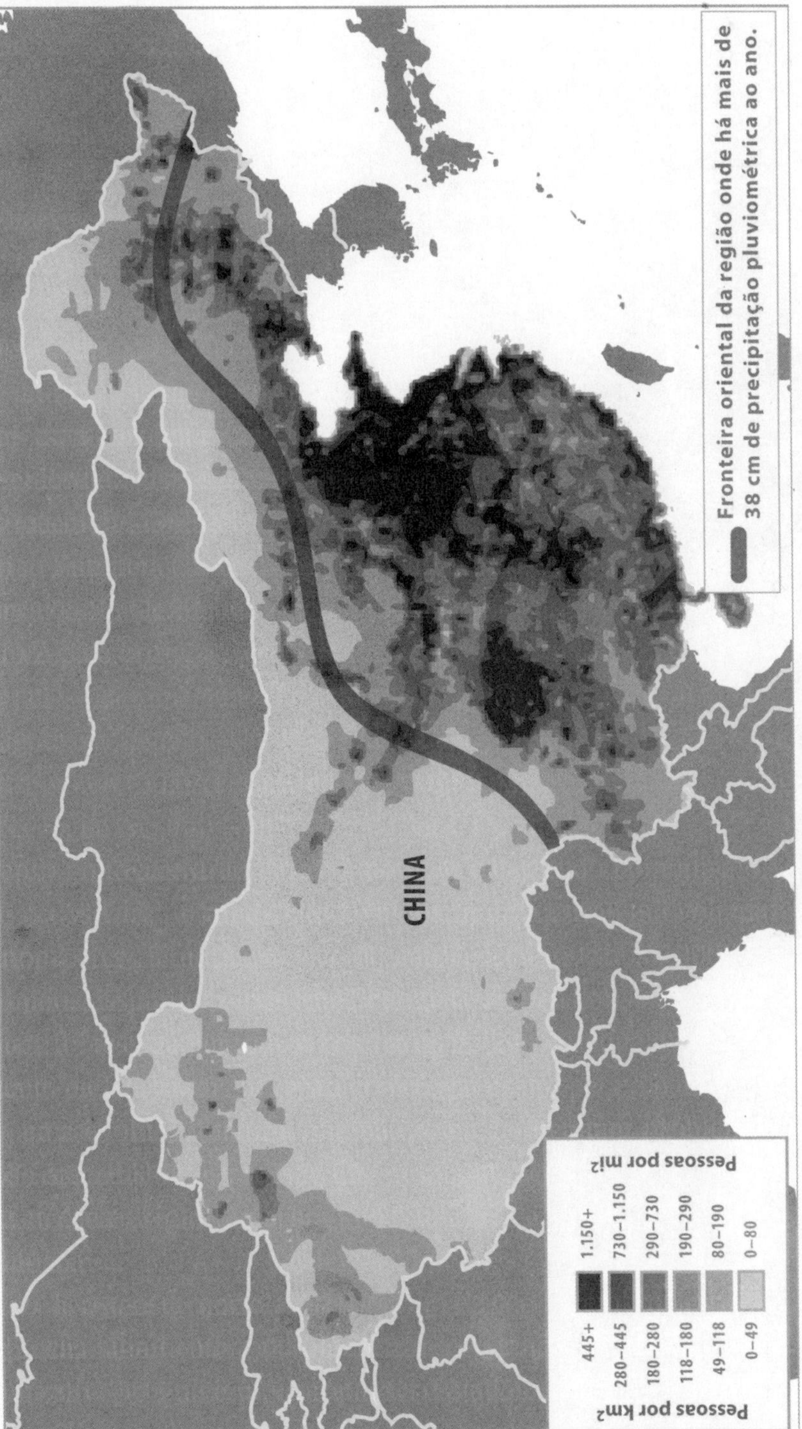

Precipitação pluviométrica e densidade populacional chinesas

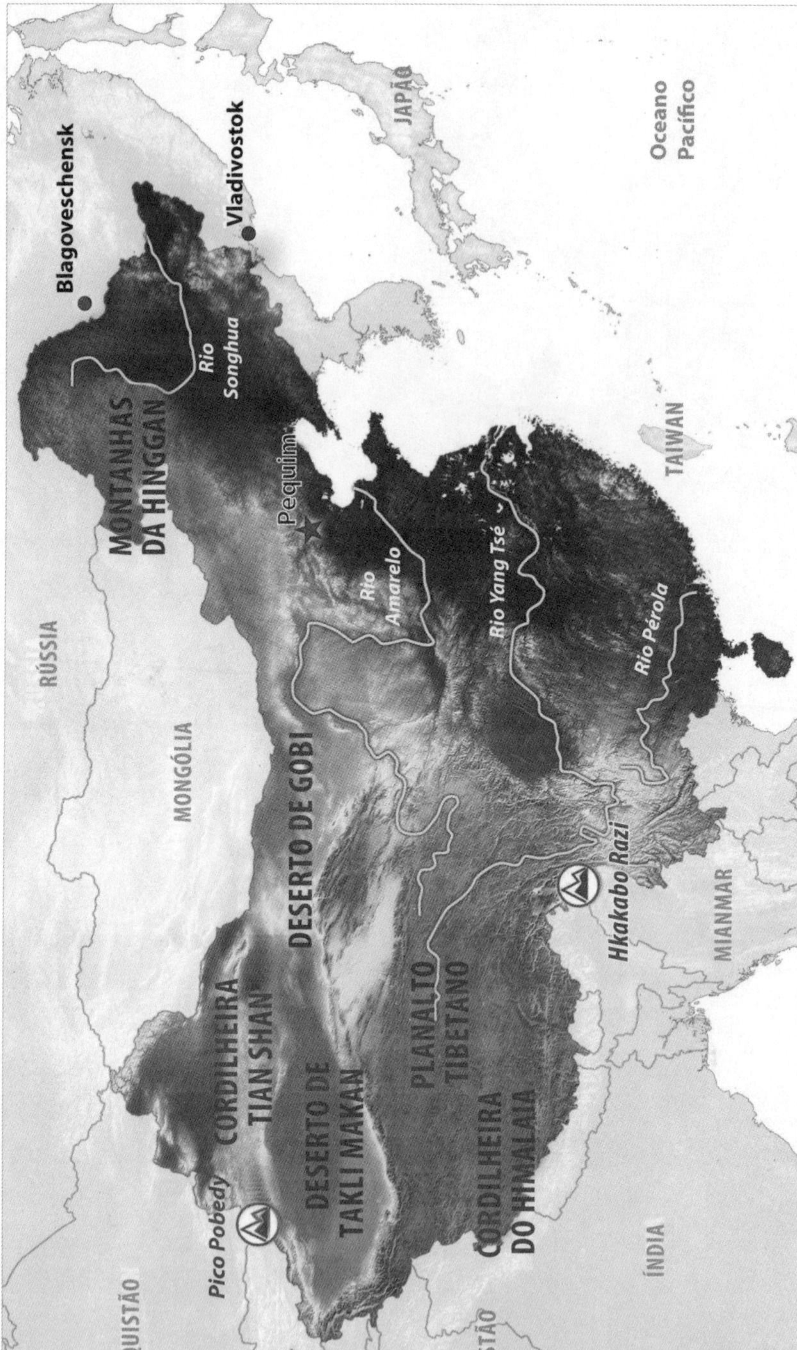

Terreno chinês

Japão da guerra. O Japão continuou a resistir, mas quando a frota de submarinos norte-americanos estrangulou o fluxo de suprimentos, sua posição ficou irremediável.

Hoje o Japão é tão dependente do comércio marítimo como o era nas décadas de 1930 e 1940. O país ainda importa todo seu petróleo, e o faz pelas águas controladas pelos Estados Unidos. Isso significa que a posição industrial japonesa depende da boa vontade norte-americana para garantir as rotas marítimas. Depende também da boa vontade norte-americana de não correr riscos ao longo da linha de suprimentos japonesa, particularmente pelo Estreito de Ormuz.

Dessa forma, o Japão está enredado num relacionamento de subordinação com os Estados Unidos. Não pode se indispor sem primeiro consolidar uma força militar capaz de dar segurança a suas próprias linhas de suprimento, mas esse é um empreendimento muito mais ambicioso e caro do que o país quer tentar nos próximos dez anos. Todavia, sua inerente insegurança devido à dependência de produtos importados, junto com a imprevisibilidade norte-americana, certamente orientarão o Japão a ficar menos dependente e exposto.

A exemplo do Japão, os chineses não podem se dar ao luxo de se indispor com os norte-americanos. Dependem dos Estados Unidos menos pelo fluxo de matérias-primas (embora navios chineses também passem por águas controladas por esse país) do que como um mercado de seus produtos industriais. A China, como o Japão era anteriormente, tem se tornado um exportador de peso para os Estados Unidos e numa extensão tão grande que a habilidade e disposição de os norte-americanos comprarem é um dos alicerces da economia chinesa, junto com o mercado europeu. A China deve ter acesso a ambos. Durante a próxima década, a China, a exemplo do Japão, estará voltada para enfrentar o que é considerado o pior cenário junto de seu parceiro comercial norte-americano, ou seja, a decisão política de limitar o acesso chinês ao mercado norte-americano.

Na medida em que o equilíbrio regional continue, isso ocorrerá não tanto por causa das relações sino-japonesas, mas por causa dos relacionamentos que cada nação asiática tem com os Estados Unidos. Assim que a China e o Japão se tornarem mais fortes, cada um, individualmente, observará inevitavelmente a ascensão do outro e ficará preocupado.

Com a manutenção da atual situação, a relação do Japão com os Estados Unidos permanecerá estável, mas, com a China, a história será diferente. As exportações estabilizam a economia e a sociedade chinesas, mas não basta ter compradores, também é essencial que a venda de produtos exportados construa a prosperidade chinesa. Se exportar aos Estados Unidos não estiver mais na pauta dos chineses, consequentemente o interesse numa relação com os Estados Unidos mudará e a China se afastará de qualquer dependência. Durante a próxima década, à medida que a China se tornar predominantemente um agente econômico livre, embora não particularmente próspero, o Japão terá de forçar os Estados Unidos a garantirem seus interesses contra a China ou mudarem sua postura também. Assim, concluímos o equilíbrio que resta na relação entre os Estados Unidos e a China depende das funções econômicas chinesas durante a próxima década.

CHINA E JAPÃO

Parte da razão pela qual a China foi capaz de crescer tão drasticamente na década de 1980 é que Mao limitara o crescimento de forma extremamente dramática até aquele momento. Quando ele morreu e foi, por fim, substituído por Deng Xiaoping, a mera mudança de ideologia liberou a China para um aumento extraordinário de crescimento baseado numa demanda reprimida combinada aos talentos e recursos nativos da população chinesa.

Historicamente, a China tem passado por ciclos bastante opostos: um isolamento combinado a uma pobreza relativa ou uma abertura ao comércio combinada a uma instabilidade social. Dos anos 1840, quando a Grã-Bretanha forçou a China a abrir seus portos, a 1947 e a tomada de poder pelos comunistas, o país era aberto, próspero em pelo menos algumas regiões e violentamente fragmentado. Quando Mao comandou a Grande Marcha e sublevou um exército de camponeses para expulsar os ocidentais, ele mais uma vez impôs um isolamento relativo e reduziu o padrão de vida para todos, mas criou uma estabilidade e unidade que a China não tinha experimentado em quase um século.

Essa oscilação entre abertura e instabilidade, fechamento e unidade, é baseada em parte na natureza de seu ativo econômico primário, a mão de obra barata. Quando nações estrangeiras receberam autorização para investir na China, foram construídos os tipos de fábricas e empresas que se beneficiam do abundante capital humano chinês. No entanto, o principal propósito dessas fábricas não é vender na China, e sim manufaturar produtos que possam ser vendidos em outros países. Consequentemente, o principal foco de investimento é próximo a portos de grande porte e em áreas com bons sistemas de transporte até esses portos. Como a população está concentrada na região costeira, há pouco motivo para a construção de infraestrutura no interior do país. De fato, a vasta maioria das fábricas está localizada a não mais de cerca de 140 quilômetros da costa.

De acordo com o Banco Popular da China, 60 milhões de chineses, uma população equivalente à de um grande país europeu, vivem em moradias tipo classe média (cuja renda soma mais de US$ 20 mil ao ano). Mas, com uma população no país com cerca de 1,3 bilhão de pessoas, 60 milhões de cidadãos de classe média representam menos de 5% da população total, e a maioria esmagadora destas pessoas vive na região costeira ou em Pequim.

Seiscentos milhões de chineses ganham menos de US$ 1 mil ao ano, ou menos que 3 dólares ao dia para a família. Outros 440 milhões ganham entre US$ 1 mil e US$ 2 mil ao ano, ou de 3 a 6 dólares ao dia. Esses dados indicam que 80% da população chinesa vive em condições comparáveis à da pobreza da África subsaariana. Até no cinturão, dentro de 140 quilômetros da costa, lar dos 15% de chineses que são operários do setor industrial, a China é um país extraordinariamente pobre. Sua zona estreita de prosperidade gera um abismo tanto social como geográfico. A região circunvizinha aos portos lucra com o comércio, e o restante do país, não. Os interesses da região costeira são, de fato, muito mais alinhados com os dos parceiros estrangeiros de negócios com a China que com os interesses do restante do país, ou mesmo com os interesses do governo central.

Ao longo dessas linhas defeituosas é que a China se fragmentou no século 19, e é nestes pontos que pode se fragmentar no futuro. Pequim se equilibra entre a maioria empobrecida e uma minoria próspera. Apoiados por interesses estrangeiros, os chineses afortunados, das regiões costeiras, resistirão ao governo central. As tentativas de transferência de riqueza enfraquecem o governo central ou o forçam a ser ditatorial. A dinastia Qing enfraqueceu-se após a incursão britânica. A solução de Mao nas décadas de 1940 e 1950 foi uma repressão intensiva, a expulsão de estrangeiros e a expropriação e redistribuição de riqueza para o interior empobrecido.

Durante os períodos de relativa prosperidade e crescimento, o problema pode ser administrado pelo Estado. Mas o que acontece quando a economia perde fôlego e os padrões de vida de modo geral declinam? Para a população da classe média isso é inconveniente. Para os mais de 1 bilhão de chineses que vivem numa pobreza terrível, até uma pequena contração nos padrões de vida pode ser catastrófica. Essa é a situação para a qual a China está caminhando num futuro muito próximo, para um declínio de crescimento relativamente pequeno, mas de tal forma que, numa pirâmide econômica e social, gerará resistências ao governo central.

Dado que a China é uma economia de produção completamente desproporcional à sua economia de consumo, o problema é inevitável. Os iPods e roupas que o país manufatura não são vendidos às suas próprias massas indigentes. Sobretudo, a China não tem vantagem salarial em relação a outros países como Paquistão e as Filipinas. Por ter um grupo limitado de operários semiespecializados (contrariamente à sua oferta ilimitada de camponeses sem instrução), o custo da mão de obra tem aumentado. Pressionada pela concorrência, a China tem reduzido preços, o que tem diminuído a lucratividade das exportações. Diante do aumento da competição e do crescimento lento de alguns de seus clientes, a habilidade de a nação competir declinará, aumentando sua dificuldade de pagar empréstimos empresariais e, consequentemente, aumentando a pressão sobre todo o sistema financeiro.

A realidade nua e crua é que a China simplesmente não pode resistir a uma crise de desemprego. Grandes levas de camponeses mudaram para as cidades para conseguir emprego e, se perdem seus trabalhos, ou ficam nas cidades e causam instabilidades, ou retornam a seus povoados e aumentam o nível de pobreza rural. A nação pode manter o nível de emprego com o estímulo aos bancos para emprestar a empresas, o subsídio de produtos exportados ou a criação de empresas estatais, mas esses esforços esvaziam o núcleo econômico.

Durante a próxima década, a China não terá escolha a não ser aumentar sua segurança interna. O Exército de Libertação Popular já é enorme. No final, será ele que manterá o país unido, mas isso pressupõe que essa força, extraída essencialmente das camadas mais pobres da sociedade, também se mantenha unida e permaneça leal. Para sufocar ressentimentos de classes, a nação terá de taxar a região costeira e os 60 milhões de chineses abastados, para então transferir o dinheiro ao exército e aos camponeses. Os que forem taxados resistirão, e as receitas serão insuficientes para aqueles que o governo pretende beneficiar, mas essa medida manterá a submissão do Exército de Libertação Popular.

A questão de longo prazo, que será respondida na próxima década, é se os chineses tentarão resolver seus problemas da mesma forma que Mao — fechando o país, destruindo os homens de negócios da região costeira e expulsando interesses estrangeiros — ou segundo o padrão de regionalismo e instabilidade do fim do século 19 e primeira metade do século 20. As únicas certezas são que o governo chinês será absorvido com problemas internos, trabalhará cuidadosamente para contrabalançar forças competitivas e aumentará a paranoia sobre as intenções dos japoneses e dos norte-americanos.

Em 1990, o Japão passou pelo tipo de declínio que os chineses estão começando a sentir neste momento. O Japão tem um nível muito mais forte de controle social informal do que a maioria dos observadores estrangeiros pode ver e, ao mesmo tempo, tem os grandes conglomerados corporativos, os chamados *keiretsu*. Com o crescimento rápido que tiveram após a Segunda Guerra Mundial, os japoneses sucumbiram a uma crise financeira que se mostrou inevitável em face do fracasso ao desenvolverem um sistema de mercado para o capital. A economia japonesa operava por meio de uma cooperação informal entre os *keiretsu* e o governo. Essa cooperação foi desenhada de modo que não houvesse perdedores, e é nisso que reside seu erro fatal.

O problema do capital foi exacerbado pelo fato de o país não ter um plano de aposentadoria digno de ser mencionado, o que significava que os cidadãos eram forçados a poupar pesadamente, depositando suas economias em agências de bancos governamentais, que pagavam taxas de juros muito baixas. O dinheiro era então emprestado a grandes "bancos metropolitanos" vinculados aos *keiretsu*. Esse sistema deu ao Japão uma enorme vantagem nas décadas de 1970 e 1980, quando as taxas de juros norte-americanas estavam na casa de dois dígitos e as empresas japonesas podiam tomar emprestado a menos de 5%. Mas o dinheiro não estava sendo emprestado a empresas inerentemente rentáveis. A maior parte dos lucros derivava da margem adicional fornecida por dinheiro barato. E a necessidade de os japoneses pouparem uma grande soma, de modo a se aposentarem, significava que eles eram consumidores relutantes. Portanto, o cerne da economia japonesa, a exemplo da atual chinesa, era os produtos exportados particularmente para os Estados Unidos.

Assim que se aumentou a competição com outros países asiáticos, os japoneses cortaram os preços, o que reduziu os lucros. Menores lucros significam que as empresas tinham de tomar emprestado mais dinheiro para crescer, o que foi aumentando a dificuldade de liquidar seus empréstimos. O que se seguiu foi uma quebra econômica não notada pela mídia ocidental até vários anos depois de ter acontecido.

A exemplo da China, os japoneses tiveram de evitar o desemprego, mas por diferentes razões. No Japão, a relutância diante do corte de pessoal estava baseada no contrato social em que um trabalhador se comprometia com uma empresa por um emprego duradouro e a empresa retribuía. Os japoneses honravam a tradição mantendo um índice de emprego praticamente pleno enquanto possibilitava que a taxa de crescimento chegasse a quase zero.

Os economistas ocidentais apelidaram os vinte anos durante os quais a economia japonesa estagnou de as "décadas perdidas", mas esse é um mal-entendido dos objetivos japoneses, ou preferivelmente a imposição de um ponto de vista ocidental em relação aos valores japoneses. Sacrificar o crescimento de modo a manter um índice de emprego pleno foi, para essa sociedade, uma decisão extremamente coesa e sustentada pela honra à tradição, não perder uma década, mas sim guardar a tradição.

Simultaneamente, a taxa de nascimentos japonesa caiu bem abaixo das 2,1 crianças por mulher, necessárias para manter sua população. Agora, com cada geração menor do que a precedente, a economia não pode mais dar apoio aos aposentados. Desse modo, a dívida e a demografia têm gerado uma enorme crise para o Japão.

Durante a próxima década, o país não conseguirá mais manter o pleno emprego por aumentar, exorbitantemente, tanto suas dívidas públicas como privadas. Pelo exemplo da China, o Japão terá de mudar seu modelo econômico. Mas terá uma vantagem extraordinária: não há um bilhão de japoneses vivendo na pobreza. Diferentemente dos chineses, é possível absorver a austeridade, caso ela seja requerida, sem convites à instabilidade.

A fraqueza fundamental do Japão permanece em sua falta de recursos naturais para a indústria: petróleo, borracha e minério de ferro. Para continuar sendo uma potência industrial, o Japão tem de atuar nos mercados de compra e venda globais, e, se perder o acesso às rotas marítimas, perderá tudo.

O EQUILÍBRIO DE PODER SINO-JAPONÊS

Durante os últimos trinta anos, as relações entre China e Japão têm sido secundárias quando se pensa em suas respectivas relações com os Estados Unidos. Esta nação conservou o equilíbrio regional mantendo relações mutuamente benéficas com cada país, mas isto mudará na próxima década. Primeiro, os problemas econômicos da China alterarão seu relacionamento com o mundo enquanto transformam as questões internas. Ao mesmo tempo, os problemas internos do Japão e as soluções que este país escolher transformará seu modo de operação.

Até quando era passivo e dependente de outros países para garantir acesso aos mercados globais, o Japão sempre permaneceu profundamente inserido no mundo. A China também está inserida, mas não tão irrevogavelmente como o Japão. A perda de matérias-primas importadas não representa uma ameaça existencial à China como representa ao Japão. Embora a China dependa das exportações de seus produtos, o país pode se remodelar, se necessário, ainda que dolorosamente.

A China, então, tem menos possibilidade de ser agressiva, e também tem menos habilidade para fazer isso. O principal acesso da China ao mundo é por mar, mas o país não tem uma Marinha substancial se comparada à dos Estados Unidos. Construir um poder naval leva gerações, nem tanto para desenvolver a necessária tecnologia como para repassar a acumulada experiência que forma bons almirantes. Levará um bom tempo antes de a China poder desafiar os Estados Unidos, ou até mesmo o Japão, no mar. Têm ocorrido muitas discussões sobre o desenvolvimento da Marinha chinesa. Certamente, está acontecendo um desenvolvimento significativo, mas há uma enorme lacuna entre o presente nível de esforço e o que o país tem de fazer para desafiar o poder naval norte-americano mesmo em águas próximas à China. O desenvolvimento mais significativo se concentra em mísseis antinavais baseados em terra. Mas os chineses têm um longo caminho a percorrer antes que suas embarcações navais possam derrotar uma frota norte-americana. E até mesmo os mísseis antinavais são extremamente vulneráveis às incursões aéreas e de mísseis norte-americanos. A marinha chinesa não expulsará os Estados Unidos dos mares da região na próxima década.

Hoje o Japão é, formalmente, uma potência pacífica, impedida, pelo artigo 9 de sua constituição, de ter uma Força Armada ofensiva, mas essa prerrogativa não impediu o país de manter a Marinha mais capacitada da parte oeste do Pacífico, nem de ter um exército e uma aeronáutica poderosos. No entanto, o Japão tem controlado o uso desses contingentes confiando, em contrapartida, nos Estados Unidos para proteger seus interesses nacionais, particularmente o acesso a recursos naturais.

A submissão japonesa aos Estados Unidos após a Segunda Guerra Mundial confirmou ser benéfica, pois os norte-americanos precisavam da ajuda japonesa na Guerra Fria e queriam que o país fosse o mais forte possível. A situação agora mudou sutilmente. Os Estados Unidos ainda controlam as rotas marítimas do Japão e estão prepara-

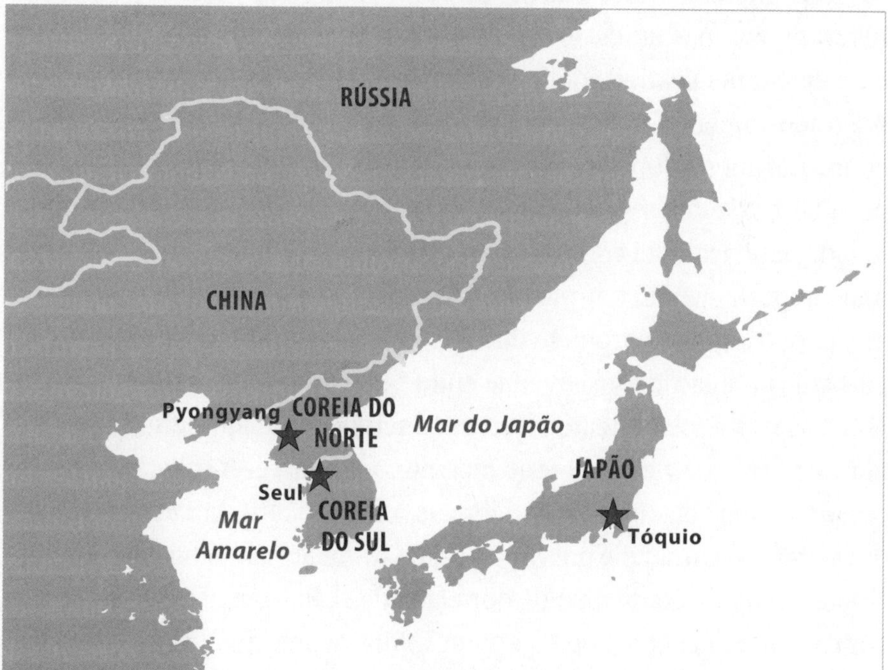

Nordeste Asiático

dos para garantir acesso, mas sua disposição de correr riscos por esse apoio tem colocado o Japão numa posição potencialmente perigosa. Por enquanto, durante a guerra entre os Estados Unidos e os jihadistas, os norte-americanos têm tido cautela de não pôr em risco a rota petrolífera pelo Estreito de Ormuz, da qual o Japão depende, mas isso poderia ser facilmente mal calculado. Simplesmente, os Estados Unidos podem aumentar riscos que o Japão talvez não suporte, de modo que as perspectivas dos dois países sobre o mundo e seus interesses nacionais podem divergir.

O problema interno do Japão é que o país atingiu o máximo que poderia em seu ciclo econômico. Eles devem aceitar a austeridade e o desemprego ou, ao contrário, permitir que a economia comece a se aquecer. Seu ponto mais fraco reside nos mercados de capitais, que ainda não operam livremente e, sobretudo, porque não têm um planejamento central efetivo. Essa situação não pode ser sustentada. Migrar para um mercado livre em capitais resolveria o problema japonês no longo prazo, mas ao custo da instabilidade. Como o país não pode ter uma economia de mercado legítima, partirá para uma economia em que o Estado imponha maiores eficiências (o que nunca será tão eficiente como um mercado, porém mais eficiente do que a situação atual) e na qual os *keiretsu* perderão em importância. Isso significará que o Estado japonês concentrará mais poder para si e assumirá um papel mais importante no controle das finanças.

O outro grande problema do Japão é demográfico. Trata-se de um país cuja população está envelhecendo e que precisa de mais trabalhadores, mas que é socialmente incapaz de gerenciar uma imigração pesada, que se mova contrária à coesão da cultura japonesa. A solução não é ter operários que venham para as fábricas, mas sim ter fábricas que vão até os operários. Durante a próxima década, o Japão será ainda mais agressivo na exploração de mão de obra fora de suas fronteiras, incluindo as com a China, dependendo da evolução dos acontecimentos.

Independentemente do que o futuro guarda, os japoneses desejarão continuar suas relações estratégicas essenciais com os Estados Unidos, e isso inclui sua dependência do país para assegurar as rotas marítimas. Para o Japão, isso tem melhor relação custo-benefício e é muito menos perigoso do que arriscar por conta própria.

A ESTRATÉGIA NORTE-AMERICANA: JOGANDO COM O TEMPO

Os Estados Unidos não têm os recursos ou a amplitude política para lidar com todos os equilíbrios de poder regionais ao mesmo tempo. A nação estará preocupada com a Rússia e com o Oriente Médio, o que não deixa muitos recursos disponíveis para lidar com o Pacífico ocidental. Dessa forma, por padrão, a estratégia norte-americana nessa região deverá ser a de adiar e contornar. Os Estados Unidos não podem realmente controlar os vastos processos que estão acontecendo, assim, o melhor que podem fazer é moldá-los um pouco. Felizmente, essa é uma região em que os processos em jogo mantêm os países numa trajetória relativamente sadia para os Estados Unidos, pelo menos até agora. Portanto, a política norte-americana deve ser suspender qualquer ação enquanto prepara o terreno para o que vem a seguir.

O perigo norte-americano não reside numa aliança forjada entre o Japão e a China. Essas duas nações competem entre si sob vários aspectos, e diferem também muito profundamente para terem uma cooperação estreita. Ao atingir os limites de seu ciclo econômico, o Japão não será o gigante tranquilamente passivo que tem sido nesses últimos vinte anos. A China, por outro lado, não será mais a força econômica tremenda que tem sido. O desafio para os Estados Unidos será gerenciar sua relação com ambos os jogadores neste sistema do Pacífico ocidental, cada um em sua própria e distinta fase. Ao mesmo tempo, devem recuar do centro e deixar que esses dois poderes asiáticos desenvolvam relações diretas entre si, encontrando seus próprios pontos de equilíbrio.

Nem a China nem o Japão emergirão como uma hegemonia regional na próxima década. O milagre da economia chinesa abrandará, como acontece com todos os milagres econômicos, e a China focará na manutenção da estabilidade sem um crescimento rápido. O Japão vai se reestruturar internamente e, paralelamente, começará a alinhar sua política externa com seus interesses globais. Mas será o Japão que os Estados Unidos deverão observar.

À medida que o Japão aumenta seu poder, deve necessariamente aumentar sua força marítima. Um princípio fundamental dos Estados Unidos é se oporem à ascensão de poderes marítimos, mas obviamente o país não entrará em guerra com o Japão sobre essa questão em 2015 ou 2020, do mesmo modo que foi feito em 1941. No entanto, terá de desenvolver uma estratégia para lidar com um Japão mais agressivo.

A primeira etapa na estratégia norte-americana em relação ao Japão deve ser assegurar que a China não se esfacele, pois quanto mais fraca a China se tornar, mais livre o Japão ficará para flexionar seus músculos. Na medida do possível, os Estados Unidos devem aliviar a pressão sobre a China, facilitando as exportações deste país para seu próprio território. Essa é uma inversão de papéis, é certo, e há problemas políticos óbvios em se fazer isso. O presidente terá de ser muito habilidoso ao justificar sua generosidade num momento de alto desemprego interno. Mas, qualquer medida que limite o Japão, mesmo marginalmente, é valiosa para os Estados Unidos.

Apenas uma China estável pode controlar investimentos estrangeiros em sua economia, e tanto a estabilidade como o controle serão necessários para cortar os interesses japoneses nas fábricas e operários chineses. Refrear a expansão japonesa irá, por sua vez, atrasar sua capacidade de lidar com seus problemas, e qualquer coisa que desacelere o ressurgimento econômico do Japão beneficiará os Estados Unidos, nem que seja somente até o ponto de ganhar tempo.

A segunda etapa na estratégia norte-americana deve ser manter as relações com os japoneses da forma mais cordial possível. Quanto mais confiantes eles estiverem em seu acesso a matérias-primas, menos ficarão motivados para reforçar sua própria força naval. Os japoneses, sempre dolorosamente conscientes do desequilíbrio de poder, não têm ficado tão confortáveis como podem parecer em suas relações de deferência com os Estados Unidos. Ao mesmo tempo, eles jamais quiseram investir as enormes somas de dinheiro e risco necessários para criar uma alternativa.

No longo prazo, um país tão economicamente grande e vulnerável, como o Japão, terá de procurar um meio de garantir seus próprios interesses. Todavia, isso não tem de ser na próxima década e a estratégia norte-americana deve ser prolongar a dependência do Japão pelo maior tempo possível. Quanto mais tempo o Japão continuar dependente dos Estados Unidos, mais influência este último terá na política japonesa e, assim, poderá modelá-la. Pressionado demais, o Japão poderá escolher um novo curso que retorne às políticas destrutivas da década de 1930, quando era uma nação economicamente adepta de um sistema estatizante e orientada por uma ênfase na defesa nacional. Os Estados Unidos devem ter cuidado para não pressionar.

Dois fatores tornarão essa estratégia para a Ásia mais fácil de ser vendida ao público norte-americano. O primeiro é que outros assuntos vão preocupá-los. O segundo é que os movimentos norte-americanos no Pacífico ocidental serão graduais e não repentinos. O presidente terá a vantagem de não precisar declarar uma mudança na política, e suas ações não terão efeito decisivo, pois os Estados Unidos são importantes, mas não essenciais, a qualquer um desses poderes asiáticos.

Ao mesmo tempo, os Estados Unidos devem reconstruir relações para a próxima fase da história, na qual podem querer recrutar o Japão, a China ou ambos, para cooperarem contra ameaças da Rússia ou de outros poderes. O apetite por risco nesses dois países não é muito grande e os Estados Unidos devem perceber que pressioná-los sem persuasões provavelmente não funciona.

Esse é o ponto em que a Coreia pode desempenhar um papel crítico. O país já é o espinho ao lado das duas partes do equilíbrio sino-japonês, mas é particularmente incômodo para os japoneses. Por razões históricas, a Coreia despreza o Japão e desconfia dos chineses. O país não se sente particularmente contente com os Estados Unidos, mas, pelo menos geograficamente, tem se tornado dependente dele.

À medida que o Japão aumente seu poder e a China enfraqueça, os coreanos vão precisar dos Estados Unidos mais do que nunca, e estes contarão com a Coreia para aumentar suas opções de lidar com ambos os países. Felizmente, a relação entre os dois países já existe, e por essa razão estendê-la não provocará maiores preocupações para o Japão ou para a China.

A Coreia também tem se tornado um parque tecnológico significativo. A China, em particular, estará ávida por essa tecnologia e ter algum controle sobre a taxa de transferência aumentaria a alavancagem norte-americana. Por sua parte, os coreanos precisarão de ajuda ao lidar com a situação incômoda da Coreia do Norte, particularmente para tratar dos aspectos financeiros de reunificação quando isso for inevitável. Uma Coreia unificada desejará especiais oportunidades de comércio com os Estados Unidos e, muito embora a Coreia não tenha nenhum outro país a quem possa recorrer, é o presidente norte-americano quem deve fazer tais concessões, pois durante a próxima década a Coreia pode muito bem ser a relação mais importante que os Estados Unidos terão no Pacífico ocidental. Mas a reunificação não é a questão principal. A Coreia do Norte, por todas suas ameaças vãs, está isolada, e suas instalações nucleares existem desde que os outros países o permitam. A Coreia do Sul, em contrapartida, continua um poder dinâmico por suas próprias forças e permanecerá nessa condição independentemente do que aconteça no Norte.

A segunda relação importante que os Estados Unidos terá na região é com a Austrália. Um dos últimos continentes a cair sob o domínio europeu, o país está certamente às margens do mundo sob o ponto de vista geográfico, e a maioria de sua população continua confinada a uma região relativamente pequena em seu Sudeste.

Geopoliticamente, a Austrália é mal compreendida e também não se compreende. O país aparenta ser isolado e seguro, mas seu isolamento é uma ilusão e sua vulnerabilidade, real. Por exemplo, seu vizinho mais próximo é a Indonésia, um país extremamente fragmentado e fraco, separado da Austrália por uma grande massa de água. Durante a Segunda Guerra Mundial, a Indonésia e seu vizinho ao Leste, a Nova

Guiné, serviram como função estratégica importante para a Austrália, absorvendo os ataques japoneses e enfraquecendo demais suas tropas para que pensassem em se estender ainda mais para o Sul. De maneira interessante, a Segunda Guerra Mundial e a proteção das ilhas ao Norte têm reforçado seu senso de segurança, apesar de gerar preocupações sobre imigrantes ilegais que chegam ao país por meio de barcos.

Apesar do aparente isolamento e segurança, a Austrália é, de fato, bastante dependente do comércio internacional, particularmente da venda de produtos alimentícios e de minerais para fins industriais, tais como o minério de ferro, para sustentar sua economia. Esses produtos são enviados por mar e a Austrália não tem qualquer controle sobre a segurança de suas rotas marítimas. Num certo sentido, então, a Austrália é como uma criatura cujas artérias e veias estão localizadas fora de seu corpo, desprotegidas e constantemente sob risco.

A estratégia australiana para lidar com sua vulnerabilidade tem sido a de se aliar com o poder naval dominante no Pacífico ocidental, no passado, a Grã-Bretanha, agora, os Estados Unidos. Toda aliança envolve custos e tanto os britânicos como os norte-americanos queriam a mesma base de troca: a participação, da Austrália, em seus conflitos. Os australianos se sacrificaram muito na Guerra de Boer, em ambas as guerras mundiais e na Coreia e no Vietnã. Entre 1970 e 1990, os australianos recuaram de seu papel como parceiros militares, mas durante esse período houve poucos chamados para sua participação. Em 1990, na Tempestade do Deserto, eles retornaram à sua estratégia de assistir em operações militares e, então, prosseguiram para lutar no Afeganistão e no Iraque.

Junto com a segurança das rotas marítimas, o bem-estar australiano depende de um regime de comércio internacional que possibilite termos que o país possa gerenciar. A estratégia da Austrália de dar apoio a seus primos anglo-americanos tem levado à sua participação na mesa junto com as grandes potências. Isso tem fornecido influência e segurança ao seu comércio, algo que a Austrália jamais poderia ter atingido sozinha.

Durante a Segunda Guerra Mundial, a Austrália serviu à Grã-Bretanha com o envio de tropas para o norte da África. Serviu aos Estados

Unidos como um depósito das forças norte-americanas no Pacífico. Certamente, as forças australianas também combateriam, mas somente se não houvesse forças disponíveis. O valor fantástico do país está em sua localização, por trás do escudo geográfico da Indonésia e da Nova Guiné. Caso qualquer grande potência emergisse no Pacífico ocidental para desafiar os Estados Unidos, a Austrália, mais uma vez, seria uma base estratégica para a estratégia norte-americana nessa região. A advertência é que a criação da infraestrutura de um depósito de retaguarda levou diversos anos, durante a Segunda Guerra Mundial, e qualquer conflito futuro talvez não permitisse esse tipo de intervalo entre a programação e a finalização do projeto.

Para os Estados Unidos, manter uma boa relação com a Austrália não deve ser algo difícil. A Austrália tem somente duas opções estratégicas.

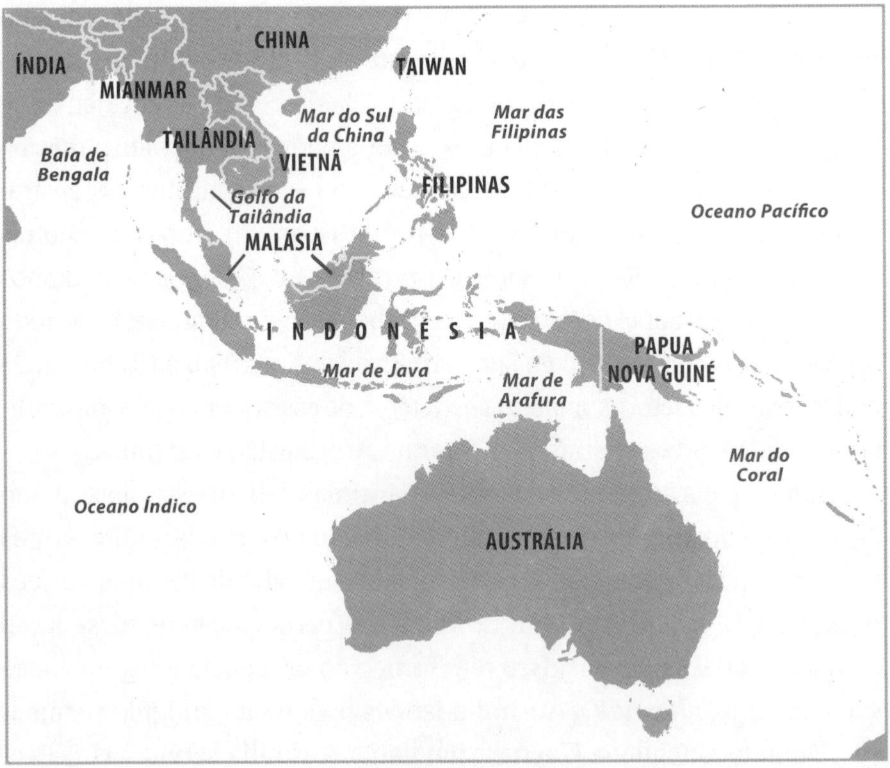

Sudeste Asiático

Uma é se abster dos compromissos de aliança e assumir que seus interesses serão abordados só de passagem. A outra é participar nas alianças e ter compromissos mais formais com os Estados Unidos. A primeira é mais econômica e mais arriscada. A última é mais cara e mais segura.

Caso houvesse uma ameaça mais perigosa, a Austrália provavelmente retornaria à influência norte-americana. Se um poder da região do Pacífico repentinamente ganhasse controle das rotas marítimas, no entanto, haveria sempre a chance de o país firmar um acordo, caso esse compromisso atingisse seus fins com menor risco do que os de lutar ao lado dos norte-americanos. Portanto, ter compromissos anteriores com a Austrália e instalações nesse país é de interesse dos norte-americanos.

Mesmo se a Austrália se tornar refém da proteção norte-americana, sua importância estratégica é tão significativa que os Estados Unidos devem ser o mais generosos e sedutores possível. Ser econômico no que diz respeito a compromissos militares australianos também faz sentido, pois os Estados Unidos podem precisar mais, e mais amplamente, da Austrália no futuro do que precisam das tropas australianas no presente.

De importância estratégica similar para os Estados Unidos temos a cidade de Cingapura, criada pelos britânicos na ponta da Península Malaia como uma base a partir da qual é possível controlar o Estreito de Malaca. Esse apertado istmo é ainda a principal rota entre os oceanos Índico e Pacífico, particularmente para o petróleo destinado à China e ao Japão vindo do Golfo Pérsico. Os navios de guerra norte-americanos, na rota para o Golfo Pérsico, também devem passar por esse estreito. Junto com os canais de Gibraltar e de Suez, ele é um dos maiores pontos de estrangulamento marítimo do mundo. O país que o controlar pode impedir a navegação geral ou garantir que ela flua.

Cingapura é, atualmente, uma cidade-Estado extremamente próspera em face de sua posição geográfica e sua indústria tecnológica. Precisa dos Estados Unidos como consumidor, mas, também, para proteger sua soberania. Quando os malaios se tornaram independentes, Cingapura, de maioria chinesa, separou-se da Malásia

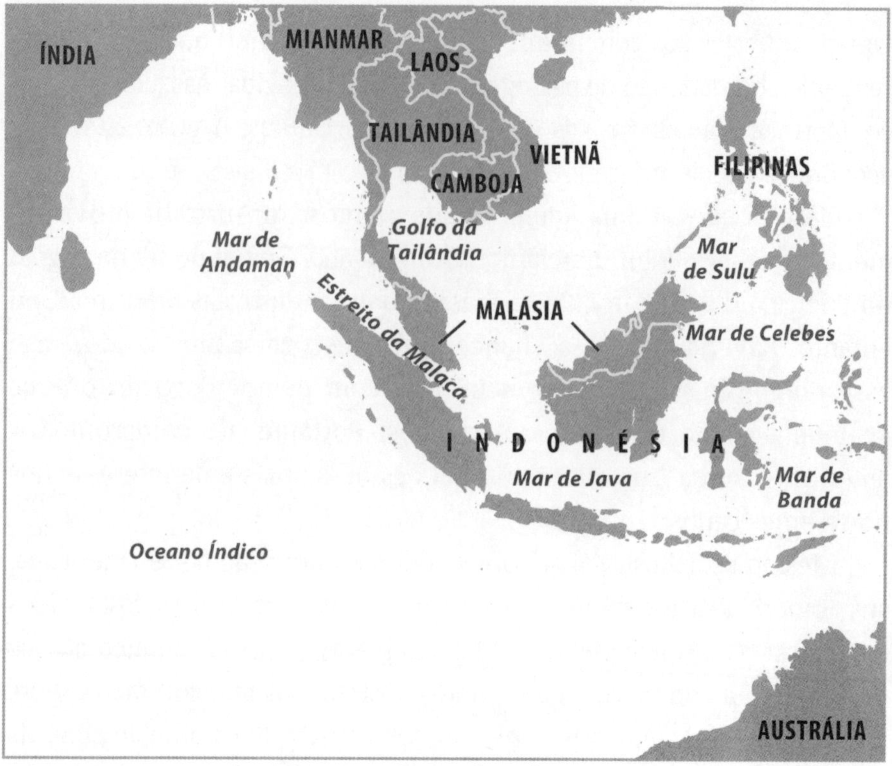

Rotas marítimas da Indonésia

predominantemente muçulmana. As relações têm variado e não tem havido muito risco de anexação, mas Cingapura reconhece duas realidades geopolíticas: que a pior coisa no mundo é ser rica e frágil, e que a segurança jamais é uma certeza. O que a Malásia ou, na verdade, a Indonésia pode querer daqui a uma geração ou duas não pode ser previsto.

Os Estados Unidos não podem simplesmente controlar Cingapura; em vez disso, devem ter relações cooperativas com essa cidade. Segundo o exemplo de seus esforços com a Coreia e com a Austrália, o presidente deve ser mais generoso com Cingapura do que, realmente, precisa ser a fim de assegurar sua aliança. O preço é pequeno e as oportunidades, muito boas.

ÍNDIA

No contexto do Pacífico ocidental é que devemos considerar a Índia. Apesar de seu tamanho, do desenvolvimento de sua economia e da constante discussão sobre a Índia tornar-se a próxima China, simplesmente não vejo esse país como um jogador com poder significativo na próxima década. Sob muitos aspectos, a Índia pode ser entendida como uma Austrália muito grande. Ambos têm uma economia poderosa, obviamente de diferentes formas, de maneira que devem ser considerados com bastante seriedade.

Pelo exemplo da Austrália, a Índia é um subcontinente geograficamente isolado, embora o isolamento australiano, baseado em milhares de quilômetros de volume de água, seja muito mais visível. Mas a Índia é, em seus próprios termos, uma ilha, cercada por obstáculos terrestres talvez mais intransponíveis que oceanos. A Cordilheira do Himalaia bloqueia o acesso no Norte, e selvas montanhosas, ao Leste. Ao Sul, o país é cercado pelo Oceano Índico, que é dominado pela Marinha norte-americana.

O maior problema para a Índia reside no oeste, região em que há um deserto e o Paquistão. Essa nação islâmica tem tido muitos conflitos com os indianos, predominantemente hindus, e as relações variam de extremamente neutras a hostis. Conforme vimos em minha abordagem sobre o Afeganistão, o equilíbrio de poder entre os dois países é a questão principal do subcontinente. Manter esse equilíbrio de poder é um objetivo significativo para os Estados Unidos na próxima década.

A Índia é chamada de a "China democrática" e, na medida em que isso é verdade, afeta seriamente o poder regional. Mas uma das grandes limitações ao crescimento econômico indiano é que, embora a Índia tenha um governo nacional, cada um de seus estados constituintes tem suas próprias normas, e algumas delas impedem o desenvolvimento econômico. Esses estados internos disputam por seus direitos e as lideranças protegem suas prerrogativas. Há muitos modos pelos quais essas regiões se vinculam, mas a garantia definitiva é sempre o Exército.

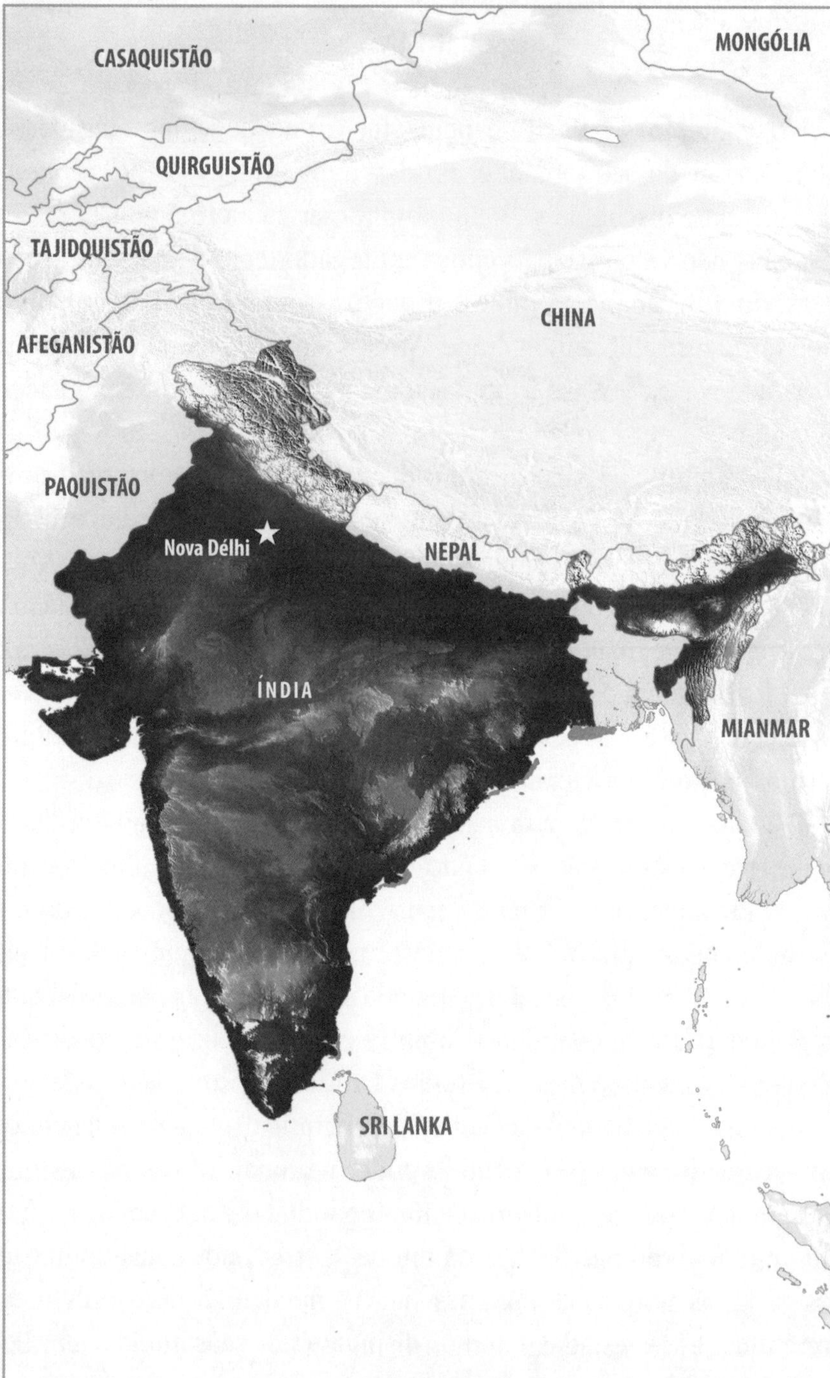

Terreno indiano

A Índia mantém uma força militar substancial que tem três funções. A primeira faz contrapeso ao Paquistão. A segunda protege a fronteira do norte contra uma incursão chinesa (difícil de imaginar pela topografia). E, a mais importante: as forças militares indianas, a exemplo das chinesas, garantem a segurança interna da nação, um valor fundamental num país tão diverso e com regiões extremamente divididas.

Nos mares, os indianos têm tido interesse no desenvolvimento de uma Marinha que poderia se tornar um jogador importante no Oceano Índico, protegendo suas rotas marítimas e seu poder. Mas os Estados Unidos não têm nenhum interesse em que a Índia prossiga nesse sentido. O Oceano Índico é a passagem, para o Pacífico, do petróleo do Golfo Pérsico, e os Estados Unidos organizarão e prepararão forças poderosas na região não importa como.

Para manter o desenvolvimento naval indiano abaixo de um limite que possa ameaçar seus interesses, os Estados Unidos batalharão com dificuldade para alocar os gastos de defesa indianos ao Exército e à Força Aérea Tática em vez de para a Marinha. O modo mais barato de atingir isso e prevenir um potencial problema de longo prazo seria os Estados Unidos apoiarem um Paquistão mais forte, mantendo, assim, os idealizadores da segurança indiana focados na terra e não no mar.

No mesmo sentido, a Índia está interessada em minar a relação entre os Estados Unidos e o Paquistão ou, no mínimo, manter os Estados Unidos no Afeganistão de modo a desestabilizar o Paquistão. Se fracassar nisso, a Índia pode recorrer a outros países, como fez com a União Soviética durante a Guerra Fria. O Paquistão não representa uma ameaça existencial à Índia, mesmo no evento improvável de um intercâmbio nuclear. Mas o Paquistão não se deixará fragilizar e, portanto, continuará o persistente problema de para onde a política estratégica indiana se voltará.

A Índia está atrasada em relação à China, mas a próxima década a verá despontar economicamente. Porém, poder econômico, em si, não se traduz em segurança nacional. Nem é traduzido pelo tipo de poder que pode dominar o Oceano Índico. Os interesses norte-americanos não serão alcançados se a Índia se sentir extremamente segura. Portanto, o relacionamento entre os Estados Unidos e a Índia se deteriorará nos próximos dez anos.

O JOGO ASIÁTICO

Na próxima década, enquanto os Estados Unidos estiverem preocupados com outras questões, os dois maiores poderes asiáticos, China e Japão, estarão apenas minimamente sujeitos à influência externa. Seus movimentos serão feitos de acordo com os caminhos de sua política interna. Dada esta paz, os Estados Unidos não devem investir pesadamente na administração do relacionamento sino-japonês. Na medida do possível, o país deve ajudar a manter uma China estável e trabalhar para manter seu relacionamento com o Japão.

No entanto, a paz no Pacífico ocidental não será mantida indefinidamente, e os Estados Unidos devem trabalhar para cimentar fortes relações com três jogadores-chave: Coreia, Austrália e Cingapura.

Esses três países se confirmariam aliados essenciais no evento de uma guerra com qualquer país da região, particularmente o Japão. Consolidar a Marinha coreana, criar instalações na Austrália e modernizar as forças de Cingapura não produzirão grande ansiedade. Essas são etapas que, empreendidas nesta década, criarão a estrutura para gerenciar qualquer conflito que possa surgir.

Capítulo 11

Um hemisfério seguro

Dado que os Estados Unidos compartilham um hemisfério e uma história tanto com a América Latina como com o Canadá, algumas pessoas podem assumir que essa região tem uma importância singular para o país. De fato, muitos latino-americanos consideram que os Estados Unidos são obcecados por dominá-los, ou pelo menos para explorar seus recursos. Mas, com poucas exceções, os casos do México e de Cuba, o que acontece na América Latina tem uma importância limitada para os Estados Unidos, e a região raramente tem ocupado uma posição significativa em seu modo de pensar. Parte disso tem relação com a distância. Washington fica muito mais distante do Rio de Janeiro do que de Paris. E, à diferença dos poderes europeus, os Estados Unidos jamais tiveram uma guerra extensa com o mundo latino ao sul do Panamá. Isso não quer dizer que não haja desconfianças mútuas e ocasionais hostilidades. Mas, ao final, e, mais uma vez, excetuando-se México e Cuba, os interesses fundamentais norte-americanos simplesmente não cruzam com os latino-americanos.

Os Estados Unidos têm uma limitada preocupação com a região em parte por causa de sua fragmentação, que tem evitado a ascensão de um poder transcontinental. A América do Sul se assemelha a uma única entidade geográfica, mas de fato o continente é dividido por significativas barreiras topográficas. Primeira, atravessando de Norte a Sul, estão os Andes, uma cadeia de montanhas muito mais alta que as Montanhas Rochosas ou os Alpes e com poucas passagens de fácil transposição. Em seguida, no centro do continente, a vasta floresta amazônica é, em si, uma barreira igualmente impenetrável.

Há, efetivamente, três regiões distintas na América do Sul, cada uma isolada das outras de forma que um básico comércio via terrestre é difícil, e uma unidade política, impossível. O Brasil faz um arco ao longo da costa atlântica, com a inóspita região amazônica em seu interior. Há uma região separada, ao Sul do país, junto com o Atlântico, e que consiste na Argentina, Uruguai e Paraguai, o último não no litoral, mas parte desse bloco de nações. A Oeste temos Chile, Bolívia, Peru, Equador, Colômbia e Venezuela. Distantes do continente e não completamente latinas, temos, é certo, as Ilhas Caribenhas, importantes como plataformas, mas sem peso próprio.

A única conexão entre o Brasil e as nações do Sul é uma passagem terrestre relativamente estreita que cruza o Uruguai. As nações andinas são unidas somente porque todas têm geografias impenetráveis. A região sul, ao longo do Atlântico, poderia se tornar integrada, mas há, realmente, nesta parte só um país: a Argentina. Além disso, não há nenhuma passagem por terra entre as Américas do Norte e do Sul, por causa da topografia de selva da América Central, e, ainda que houvesse alguma passagem, somente a Colômbia ou, talvez, a Venezuela poderiam se beneficiar dela.

O segredo da política norte-americana na América Latina tem sido que, para que os Estados Unidos ficassem preocupados, dois elementos teriam de convergir: uma área estrategicamente significativa (do tipo que há poucas na região) teria de estar nas mãos de uma potência capaz de utilizá-la para impor uma ameaça. A Doutrina Monroe foi proclamada de modo a deixar claro que uma eventualidade como essa seria o único desenvolvimento inaceitável por parte dos Estados Unidos.

Durante a Segunda Guerra Mundial, a presença de agentes e simpatizantes alemães na América do Sul tornou-se uma grave questão entre

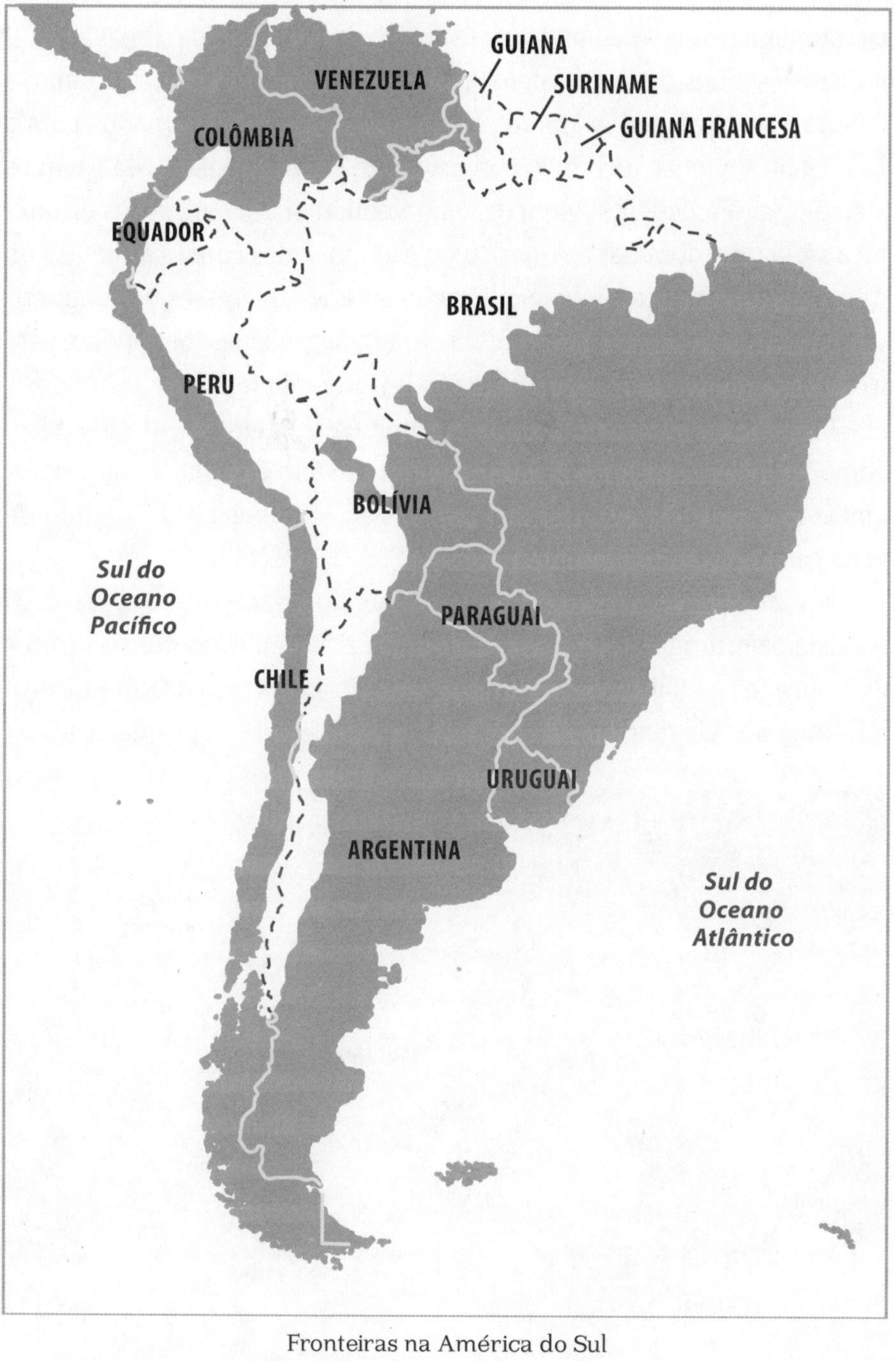

Fronteiras na América do Sul

os estrategistas em Washington que previram a chegada de tropas alemãs no Brasil vindas de Dacar, pelo Atlântico. Da mesma forma, durante a Guerra Fria, os Estados Unidos ficaram realmente preocupados com a influência soviética na região e intervieram para impedi-la. Mas nem os alemães, tampouco os soviéticos, empreenderam uma iniciativa estratégica séria para dominar a América do Sul, pois eles entendiam que, sob muitos sentidos, o continente era irrelevante aos interesses norte-americanos. Em vez disso, suas iniciativas foram desenhadas meramente para irritar Washington e desviar os recursos norte-americanos.

O único lugar em que um envolvimento externo tem sido visto como uma ameaça a ser considerada seriamente é Cuba, e sua importância peculiar é baseada em sua localização singular sob o ponto de vista estratégico.

No início do século 19, a prosperidade norte-americana se baseava no sistema hidrográfico que possibilitou aos agricultores dos territórios de Louisiana e Ohio enviarem suas safras agrícolas para a Costa Leste e a Europa por via marítima. Todos esses produtos eram, primeiro, trans-

Cuba e a região caribenha

portados para a cidade de Nova Orleans e, em seguida, transferidos de balsas para navios cargueiros. Os Estados Unidos lutaram para manter a segurança dessa cidade, primeiro na Batalha de Nova Orleans em 1814 e depois durante a Guerra da Independência Texana. Nova Orleans e os portos próximos permaneceram os maiores em tonelagem do país, dando vazão para que os cereais do Meio-Oeste fossem exportados ao mesmo tempo em que o aço e outros bens industriais, importados.

Como uma força naval em Cuba poderia controlar as rotas marítimas na entrada e saída do Golfo do México e, portanto, controlar Nova Orleans, os Estados Unidos sempre foram obcecados com a ilha. O presidente Andrew Jackson cogitou invadi-la e, em 1898, os Estados Unidos intervieram para expulsar os espanhóis. Passado meio século, quando emergiu um governo pró-soviético sob Fidel Castro, Cuba se tornou uma peça central na estratégia norte-americana. Uma Cuba antiamericana sem os soviéticos era uma matéria trivial, mas uma Cuba antiamericana com mísseis soviéticos representava uma ameaça mortal.

Quando visualizamos a próxima década, Cuba não tem nenhum poder de peso que a patrocine, de modo que o presidente pode arquitetar sua política cubana em resposta à opinião pública norte-americana. Mas ele deve lembrar-se de que, se os Estados Unidos enfrentarem um competidor global, Cuba será o ponto geográfico onde esse competidor poderá lhe colocar a maior pressão. Isso faz com que Cuba tenha um preço alto.

No longo prazo, atrair Cuba de volta à esfera de influência norte-americana é uma política racional e é extremamente desejável antes que algum competidor global apareça para aumentar as apostas e o preço. Fidel e Raul Castro morrerão ou se aposentarão durante esta década, e as elites políticas e de inteligência que controlam a ilha são mais jovens e céticas do que a geração que implantou o regime dos Castro. Em vez de apostar se elas conseguirão sobreviver às mortes dos fundadores, estarão abertas a acomodações, receptivas a acordos e concederão à América maior poder sobre suas políticas externas. A transição será o momento para os Estados Unidos tentarem negociar. Antes de os Castro deixarem o poder, eles podem ficar abertos a uma negociação que preserve seus legados e, simultaneamente, aceitar a influência norte-americana. Se isso fracassar, a insegurança da transição poderá ser o momento adequado para a aproximação de seus herdeiros. O interesse norte-americano é simples e não tem nenhuma relação com direitos humanos ou mudança de regime. Dirá respeito a ter garantias de que, independentemente dos futuros desafios, Cuba não se tornará uma base para poderes estrangeiros. Tendo atingido isso, os Estados Unidos terão conseguido muito.

A Venezuela é outro país latino-americano que tem procurado atrair atenção ao transmitir a ideia de que é uma ameaça importante para os Estados Unidos. E não é. Primeiro, a economia venezuelana depende da exportação de petróleo, e a realidade geográfica e logística torna inevitável que esse país exporte petróleo aos Estados Unidos. Segundo, o isolamento físico da Venezuela, com a Amazônia ao Sul, o Caribe (dominado pelos Estados Unidos) ao Norte e a hostil e estável Colômbia ao Oeste deixa o país em uma situação quase irrelevante, mesmo que os terroristas islâmicos, digamos, apareçam repentinamente e tentem explorar sua corrente desavença com os Estados Unidos. Até se um novo desafiador global procurar se alinhar com a Venezuela e utilizá-la como plataforma de lançamento para provocar danos aos Estados Unidos, a localização do país não possibilita uma base aérea ou naval significativa. Obviamente, seria desejável ter uma Venezuela que mudasse seu panorama estratégico, mas isso não é essencial para os interesses norte-americanos.

A Venezuela é um caso em que a política externa norte-americana deve se disciplinar com vistas a ignorar a ideologia e o aborrecimento e voltar-se para a estratégia. Com toda a probabilidade, Hugo Chávez perderá poder dentro do próprio regime que criou. De fato, se os Estados Unidos fossem celebrar um acordo com Cuba, parte desse compromisso poderia ser a retirada do apoio cubano para Chávez. Mas, ainda que Chávez permaneça no poder, esse governante não apresenta ameaça a ninguém, exceto ao seu próprio povo.

ESTRATÉGIA PARA O BRASIL E PARA A ARGENTINA

Há apenas um país latino-americano com potencial de competir com os Estados Unidos com suas próprias forças, e é o Brasil. O país é o primeiro poder importante, economicamente independente e potencialmente global que pode se desenvolver na América Latina, e tem protegido suas apostas de uma forma muito boa.

O país é a sexta maior economia do mundo e o quinto mais extenso tanto em tamanho como em população. A seguir o exemplo da maioria dos países em desenvolvimento, o Brasil é extremamente orientado para a exportação, mas seus produtos de exportação são bem balanceados. Dois terços deles são de *commodities* primárias (agrícolas e minerais) e o restante é de produtos manufaturados. A distribuição geográfica de suas exportações também impressiona muito com quantidades bem próximas voltadas à América Latina, à União Europeia e à Ásia. Uma quantia relativamente pequena, mas não insignificante, vai para os Estados Unidos. Essa postura equilibrada de exportações é menos vulnerável a quedas econômicas regionais.

Neste momento, o Brasil não é um poder particularmente ameaçador para os Estados Unidos, nem este representa um problema ao Brasil. Há desavenças econômicas mínimas e a geografia evita que o Brasil desafie os Estados Unidos. A expansão brasileira para o norte seria irracional, pois a topografia nessa direção oferece extrema dificuldade para ser transposta, e não há nada lá de que o Brasil necessite. O petróleo venezuelano, por exemplo, não pode ser transportado facilmente via marítima para o Brasil por causa da topografia e, de qualquer forma, o Brasil tem vastas reservas próprias.

O único perigo que o Brasil poderia oferecer para os Estados Unidos seria se sua expansão econômica continuasse a ponto de conseguir desenvolver poder aéreo e naval para dominar o Atlântico entre seu litoral e a África ocidental, uma região que não é patrulhada intensivamente pelos Estados Unidos, diferentemente do Oceano Índico ou do Mar do Sul da China. Isso não ocorrerá na próxima década, mas, à medida que os índices salariais brasileiros aumentarem, os fatores geográficos serão tais que os investimentos brasileiros na África poderão gerar menores custos de transporte do que os investimentos em outras partes da América Latina. Assim, haveria vantagens para o Brasil se conseguisse desenvolver relações com países subsaarianos, particularmente Angola, que, como o Brasil, tem como idioma nacional o português. Isso poderia resultar num Atlântico Sul não apenas dominado pelo Brasil, mas com forças navais brasileiras sediadas tanto no Brasil como nas costas africanas.

Ainda que o Brasil não seja, absolutamente, uma ameaça aos interesses norte-americanos, a estratégia norte-americana de criar e manter equilíbrios de poder em todo o mundo exige que os Estados Unidos comecem a trabalhar agora para criar um poder compensa-

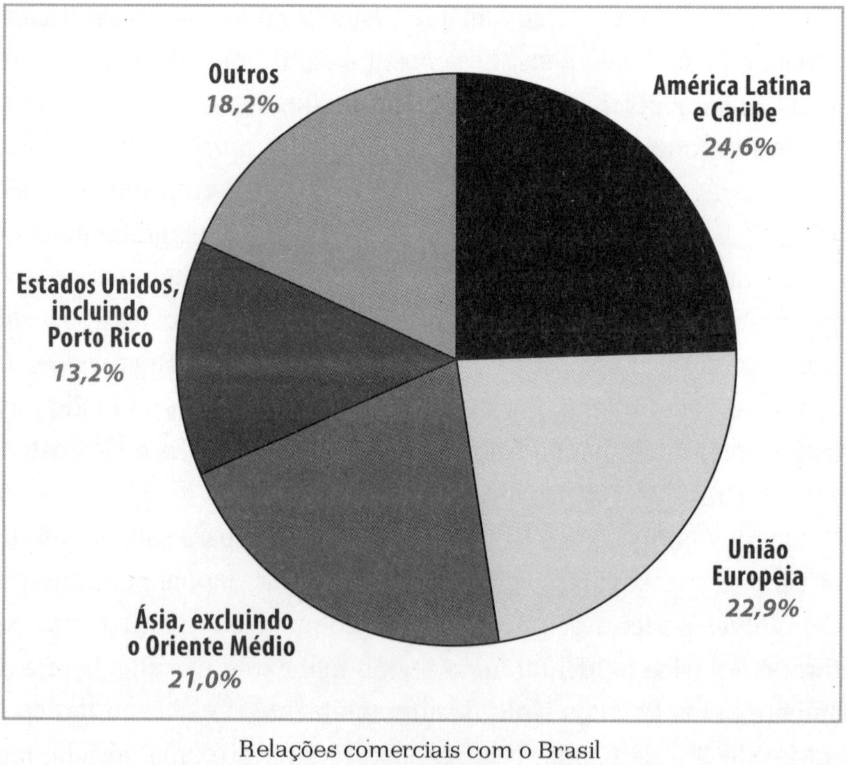

Relações comerciais com o Brasil

tório. Não há pressa em completar a estratégia, mas há interesse em começá-la.

Na próxima década, ao mesmo tempo em que mantêm relações amistosas com o Brasil, os Estados Unidos deveriam fazer o possível para fortalecer a Argentina, o único país que pode servir de contrapeso. Deve ser lembrado que, no começo do século 20, a Argentina era o maior poder da América Latina. Sua atual debilidade não é inevitável. Os Estados Unidos devem trabalhar para desenvolver um relacionamento especial com a Argentina, no contexto de um plano de desenvolvimento geral para a América Latina, que também inclua recursos devotados ao Uruguai e ao Paraguai.

Essa é uma região em que, agora, modestas somas de dinheiro podem render benefícios substanciais posteriormente. A geografia da Argentina é apropriada para o desenvolvimento, o país tem uma população adequada e espaço para abrigar ainda mais pessoas. Tem uma base agrícola forte e uma força de trabalho capaz de desenvolver uma base industrial. Fica protegida de todas as incursões militares, exceto as do Brasil, que deveria lhe dar um incentivo para que desempenhasse o papel desejado pelos Estados Unidos.

O desafio na Argentina é político. Historicamente, seu governo tem sido obrigado a abordar problemas sociais sob aspectos que, efetivamente, minam o desenvolvimento econômico. Em outras palavras, os políticos tendem a ganhar popularidade gastando dinheiro que não têm.

Os brasileiros considerarão uma ameaça de longo prazo o apoio norte-americano à Argentina, mas ficarão preocupados com seu próprio desenvolvimento e as tensões internas que isso gera. No entanto, os Estados Unidos devem estar preparados para os brasileiros oferecerem incentivos econômicos à Argentina, o que atará sua economia deixando-a mais próxima da deles. Todavia, dois fatores jogam a favor dos norte-americanos. Primeiro, o Brasil ainda necessita preservar seu capital de investimento para uso doméstico. Depois, a Argentina tem temido, há tempos, o domínio brasileiro, de modo que, dada uma escolha entre Brasil e Estados Unidos, optará pelos últimos.

O objetivo norte-americano deve ser fortalecer lentamente a economia da Argentina e seus recursos políticos de modo que, durante os próximos vinte ou trinta anos, caso o Brasil comece a emergir como um potencial perigo para os Estados Unidos, o crescimento argentino rivalize com o do Brasil. Isso exigirá que os Estados Unidos forneçam incentivos para que empresas norte-americanas invistam na Argentina, particularmente em setores distintos do agrícola, onde já há investimentos suficientes. Os Estados Unidos também devem ser preparados para atrair suas forças militares para mais perto das forças argentinas, mas por meio do governo civil, de modo que não incite medos de que os Estados Unidos estariam favorecendo as forças argentinas.

O presidente norte-americano deve tomar cuidado para não mostrar suas intenções verdadeiras nesse processo, e não deve se apressar. Um programa único para a Argentina poderia gerar uma resposta brasileira prematura, de modo que o Brasil deve ser incluído em todos os programas norte-americanos, se este país desejar participar. Se necessário, todo esse esforço de boa vontade pode ser apresentado como uma tentativa de conter Hugo Chávez na Venezuela. Tudo isso custa dinheiro, mas será muito mais econômico, em todos os sentidos, do que confrontar o Brasil nos anos 2030 ou 2040, no que se refere ao controle do Atlântico Sul.

MÉXICO

Assim como Cuba, o México é um caso especial nas relações norte-americanas, e a razão óbvia é que os dois países dividem uma longa fronteira, que se estende do Texas à Califórnia. E como o México está num estágio de desenvolvimento muito diferente em relação ao Canadá, o vizinho ao Norte, interage com os Estados Unidos de uma forma muito diferente. Em nenhuma outra parte a política doméstica e a geopolítica interceptam-se mais diretamente e, talvez, mais violentamente do que ao longo da região desértica ao Oeste e Sul de El Paso.

Esses dois países tiveram uma relação complexa e violenta ao longo de suas histórias. Em 1800, se fosse perguntado a qualquer pessoa sensata quem seria o poder dominante na América do Norte dali a dois séculos, a resposta lógica teria sido o México. O país era muito mais desenvolvido e sofisticado (e mais bem armado) que os Estados Unidos à época. Mas, após expandir extensamente seu território com a compra da Louisiana, os Estados Unidos foram empurrando o México para suas atuais fronteiras; primeiro ao se apoderarem do Texas e, depois, ao travarem a Guerra México-Americana, que forçou o México para fora de seus domínios, que se estendiam até lugares tão ao Norte como são, atualmente, as cidades de Denver e São Francisco.

A razão para o êxito norte-americano na apropriação dessas terras a Oeste foi definitivamente a geografia. Comparada à área circunvizinha à cidade do México, a região norte do país é pouco povoada e isso era ainda mais evidente no século 19. O motivo é que a terra que se estende da fronteira, tanto ao norte do México quanto ao sul dos Estados Unidos, é muito seca e desolada, e é especialmente inóspita do lado mexicano. Isso significa que os mexicanos tiveram dificuldades em assentar e manter populações ao Norte do deserto, e ainda mais dificuldades em mover exércitos para lá. Durante o levante dos colonos anglo-saxônicos no Texas, o presidente mexicano e líder militar Santa Anna moveu um exército de camponeses para o norte até San Antonio. Um período de tempo frio, então, incapacitou muitos de seus soldados, que eram das florestas do sul e nem usavam sapatos. O contingente dos mexicanos estava exausto quando lá chegou e, embora tivesse batido os defensores de Álamo, foram derrotados em San Jacinto, próximo à atual cidade de Houston, por uma força que tinha somente duas vantagens: eles não estavam exaustos e estavam calçados.

A criação de uma nova fronteira entre os Estados Unidos e o México gerou uma nova realidade em que as populações de ambos os lados eram capazes de se mover livremente de uma parte para a outra, migrando com base em oportunidades econômicas e se engajando em contrabandos independentemente se eram ou não ilegais no outro lado. Essas regiões de fronteira turbulentas existem mundo afora, entre quaisquer países cujas fronteiras políticas e culturais não combinam, e, normalmente, porque, como neste caso, a fronteira foi alterada. Às vezes, a exemplo do caso entre a Alemanha e a França, a questão da região fronteiriça gera guerras. Em outros casos, como entre os Estados Unidos e o Canadá, a fronteira é uma questão de pouca importância. A situação do México e dos Estados Unidos na próxima década será algo entre os dois extremos.

O México tem 100 milhões de habitantes, muitos dos quais vivem a centenas de quilômetros dos Estados Unidos. O país é, agora, a 13ª maior economia, considerando-se somente o comércio legal, com um PIB de mais de US$ 1 trilhão. Suas exportações ao ano chegam à casa de US$ 130 bilhões em produtos para os Estados Unidos, e suas importações, na casa de US$ 180 bilhões, fazendo do país o segundo maior parceiro comercial dos Estados Unidos, apenas atrás do Canadá. Os Estados Unidos, obviamente, não se dão ao luxo de se desatrelarem do México, certamente não num período menor ao de uma geração. Tampouco querem fazer isso.

Mas os Estados Unidos enfrentam dois problemas: a entrada ilegal de trabalhadores imigrantes e de drogas. Em ambos os casos, o que está por trás é o apetite do sistema econômico norte-americano por essas *commodities*. Sem esse desejo, essas exportações mexicanas seriam pontuais. Por causa do desejo e, particularmente, no caso das drogas, devido à sua ilegalidade, as exportações são vantajosas para os mexicanos, individualmente, e para o México como um todo.

É importante entender que a imigração mexicana é fundamentalmente diferente da de países distantes, como a chinesa e a polonesa. Nestes casos, as pessoas estão rompendo seus laços com uma terra natal a milhares de quilômetros de distância. Um certo nível de assimilação é inevitável, pois as alternativas são o isolamento ou a vida inclusa num grupo culturalmente segregado. Embora os imigrantes tenham assustado os norte-americanos desde que escoceses e irlandeses chegaram para conturbar os mercadores e a alta burguesia da América do século

18, há uma razão fundamentalmente geopolítica para não se comparar a imigração mexicana com essas outras.

Não apenas o México está ao lado dos Estados Unidos, mas em muitos casos a terra para onde os migrantes estão mudando é a terra que no passado pertencera ao México. Quando os mexicanos mudam para o Norte, não necessariamente estão rompendo os laços com sua terra natal. De fato, dentro da região fronteiriça, que pode se estender por centenas de quilômetros para os dois lados, a migração para o Norte pode exigir mínimos ajustes culturais. Quando os mexicanos mudam para cidades distantes, eles reagem como imigrantes tradicionais têm feito e assimilado. Na região fronteiriça, têm a opção de reter sua língua e sua identidade nacional, distintas de qualquer identidade legal que adotem. Essa situação pode gerar graves tensões entre as fronteiras legal e cultural.

Essa é a causa da ansiedade profunda que reina hoje nos Estados Unidos sobre a imigração ilegal mexicana. Os críticos dizem que o problema norte-americano é realmente uma aversão a todos os imigrantes mexicanos e que eles não estão completamente errados. Mas essa análise não aprecia completamente todas as raízes do medo. Os não mexicanos que vivem na região fronteiriça e, inclusive, além dela, estão receosos de serem esmagados pelos migrantes e de se encontrarem vivendo culturalmente no México. Eles também temem que o movimento para o norte seja o precursor para os mexicanos reivindicarem seus antigos territórios. Os medos podem ser exagerados, mas não são irracionais nem podem ser evitados.

O paradoxo, certamente, é que a economia norte-americana exige a presença desses migrantes como trabalhadores de baixa renda. A única razão por que os indivíduos correm o risco de migrar para os Estados Unidos é a certeza de que serão capazes de encontrar trabalho. Se não fossem requeridos para preencher essas vagas, eles não iriam.

O contra-argumento — de que os migrantes tiram o emprego de outros — ou de que sua demanda de serviços sociais supera quaisquer vantagens econômicas que forneçam — não é inteiramente frívolo, mas tem falhas. Primeira, 10% do desemprego nos Estados Unidos significa, aproximadamente, 15 milhões de pessoas fora do mercado. O Pew Hispanic Center estima que há cerca de 12 milhões de imigrantes ilegais nos Estados Unidos. Se a teoria de recolocação estivesse correta, livrar-se dos imigrantes ilegais geraria vagas para 12 milhões de empregos, deixando somente 3 milhões de desempregados e uma taxa de desemprego de cerca de 2%. Mas essa possibilidade de recolocação parece ilógica já que a maior parte desses trabalhadores não qualificados, de baixo salário, não compete com a força de trabalho nativa. A economia norte-americana exige mais trabalhadores, mas não quer aumentar a população dramaticamente. A economia mexicana tem excesso de mão de obra que necessita exportar. O resultado é previsível.

E esse problema apenas se intensificará, pois a fertilidade das mulheres de não imigrantes tem caído abaixo da taxa de substituição, e em uma época em que a expectativa de vida tem aumentado. Esses dados indicam que teremos o envelhecimento da população e uma retração da força de trabalho, condição essa que domina o mundo industrial avançado em geral. Isso significa que os países estarão importando trabalhadores tanto para cuidar dos idosos como para expandir sua força de trabalho. Em vez de diminuir, a pressão para importar trabalhadores aumentará, e mesmo que o México melhore sua economia doméstica, o país continuará a ter muita mão de obra exportável.

Agravando a turbulência existente ao longo da fronteira, há a lei da oferta e da procura, e o custo dos produtos que satisfazem o desejo dos norte-americanos por narcóticos. Heroína, cocaína e maconha, as drogas mais requisitadas, se originam de produtos agrícolas com custos extremamente baixos — ervas essencialmente que — não exigem praticamente nada além de seu cultivo. Como as drogas são ilegais nos Estados Unidos, nelas não se aplicam as regras normais de mercado. O risco da venda de drogas elimina competidores eficientes do mercado, permitindo que organizações criminosas montem monopólios regionais por meio da violência, que inibe ainda mais a concorrência e inflaciona ainda mais o custo das drogas.

A ilegalidade faz com que o mero transporte de um produto a algumas centenas de quilômetros de distância, do México a Los Angeles, aumente o preço ao usuário a valores extremamente altos. Estimativas oficiais da quantidade de dinheiro que é despejada no México com as vendas de narcóticos oscilam de US$ 25 bilhões a US$ 40 bilhões ao ano. As não oficiais calculam uma quantidade muito maior, mas, mesmo assumindo que o número de US$ 40 bilhões esteja correto, a quantidade é inacreditavelmente alta. Quando se examina a receita de um produto, não é a quantidade vendida que importa, é sua margem de lucro. Para um produto manufaturado, tal como componentes eletrônicos que o México exporta legalmente aos Estados Unidos, uma margem de lucro de 10% seria relativamente alta. Vamos assumir que esta seja a margem de lucro para todos os produtos importados do México para os Estados Unidos. As exportações mexicanas de US$ 130 bilhões então gerariam cerca de US$ 13 bilhões de lucro.

A margem de lucro em vendas de drogas é enormemente mais alta que 10%, pois o custo inerente da mercadoria é extremamente baixo. A maconha não precisa de nenhum processamento e os custos de processar heroína e cocaína são insignificantes. Uma estimativa razoável e até conservadora para a margem de lucro em narcóticos é de 90%, o que significa que os US$ 40 bilhões do comércio ilegal de drogas geram um lucro de cerca de US$ 36 bilhões. As drogas, então, geram praticamente o triplo do que o montante de US$ 13 bilhões em exportações legais.

Mesmo se o México ganhasse US$ 25 bilhões ao ano numa margem de 80%, isso ainda significaria um lucro de US$ 20 bilhões ao ano, que é inclusive US$ 7 bilhões superior ao lucro auferido em exportações legais. Jogue com os números o quanto quiser — até demonstrando que as drogas rendem apenas metade do lucro das exportações legais — e ficará evidente que o dinheiro das drogas ajuda tremendamente na liquidez do sistema financeiro mexicano. O México é, por exemplo, um dos poucos países que continuaram a fazer empréstimos para a construção de imóveis comerciais após a crise financeira de 2008.

Portanto, o governo mexicano seria tolo se tentasse parar o comércio de drogas. Certamente há a violência das disputas entre cartéis, mas elas ficam concentradas ao longo da fronteira, não no coração populoso do México. Contrabalançando, a enorme soma de dinheiro que é despejada no país, e que encontra seu caminho pelo sistema bancário e pela economia geral de alguma forma, beneficia mais o país do que a violência e a ilegalidade possam prejudicá-lo. Como consequência, a abordagem racional deveria ser a de que o governo mexicano desse a impressão de tentar parar o comércio de drogas, enquanto assegurasse que todos os esforços mais importantes falharam. Essa política conseguiria tranquilizar os Estados Unidos, e continuaria garantindo que o dinheiro continuasse a ser injetado em sua economia.

A ESTRATÉGIA NORTE-AMERICANA PARA O MÉXICO

A economia norte-americana está tão integrada com a do México que é impossível haver uma interrupção do comércio legal, o que significa que grande número de caminhões estará trafegando entre os dois países indefinidamente. O volume de tráfego é excessivamente alto para que os agentes da fronteira inspecionem todas as cargas, e, portanto, mesmo que a fronteira seja murada, estrangeiros e drogas ilegais continuarão a se infiltrar por passagens internacionais e outros locais. Dado o baixo custo dos narcóticos antes de eles chegarem aos Estados Unidos, a interceptação de cargas tem muito pouco efeito no comércio. As cargas são facilmente substituíveis com pouco impacto nas receitas agregadas.

Deve ser muito mais cômodo deter os imigrantes ilegais do que as drogas, pois é fácil detectar imigrantes uma vez que já estejam no país. O meio mais simples de fazer isso é instituir um cartão de identificação nacional com papel especial e códigos que dificultem sua falsificação. Nenhuma pessoa poderia ser empregada até que seu empregador desbloqueasse o cartão por meio de um sistema usado para transações via cartão de crédito. Qualquer estrangeiro sem o cartão seria deportado. Todo empregador que o contratasse seria detido e indiciado por delito grave.

Mas esse método simples dificilmente seria utilizado, em parte porque a maioria das pessoas que tem maior oposição à imigração ilegal também tem uma profunda desconfiança do Governo Federal. Um cartão como esse poderia ser utilizado para acompanhar o movimento de dinheiro e pessoas, para detectar fraudes tributárias e parasitas habituais, bem como para monitorar organizações políticas que poderiam levar a abusos governamentais. A dissensão dentro da coalizão anti-imigrantes sobre essas questões impediria o suporte para tal sistema.

Mas há uma razão mais profunda para que essa medida relativamente simples não seja adotada: o segmento da sociedade que se beneficia do grande número de trabalhadores de baixa renda é maior e mais influente que o segmento prejudicado por isso. Portanto, no que diz respeito ao governo mexicano e às drogas, a melhor estratégia norte-americana é aparentar fazer tudo o que é possível para parar o movimento dos imigrantes e, ao mesmo tempo, garantir que esses esforços fracassem. Essa tem sido a estratégia dos Estados Unidos há muitos anos, criando uma tensão entre interesses econômicos de curto e médio prazo, e interesses políticos de longo prazo. O problema de longo prazo é a mudança na demografia, e das potenciais lealdades, na região da fronteira. Dadas as forças interessadas em manter o *status quo*, qualquer presidente que tome as medidas necessárias para deter a imigração ilegal rapidamente perderia poder. Portanto, a melhor estratégia para o presidente é continuar na atual hipocrisia.

Por outro lado, a questão das drogas tem uma solução relativamente simples que não será implementada: a legalização. Se as drogas fossem legalizadas e medidas fossem tomadas para inundar o país de narcóticos, o preço de rua despencaria, a economia dos contrabandistas colapsaria e a violência ao longo da fronteira, estimulada por todo o dinheiro a ser lucrado, declinaria rapidamente. Junto com isso, haveria uma queda da violência nas ruas causada por dependentes que procuram roubar dinheiro para se drogar.

O aspecto negativo dessa estratégia é que haveria um aumento desconhecido na quantidade de consumo de drogas e no número de usuários. Os usuários habituais, não mais limitados pelos preços, aumentariam sua indulgência, e é praticamente certo que alguns indivíduos não dispostos a usar drogas ilegalmente começariam a usá-las assim que elas fossem descriminalizadas.

O presidente — e, neste caso, é função do Congresso também, pois que não é realmente uma decisão de política externa — teria de calcular os benefícios de parar o fluxo de dinheiro para o México e limitar a violência na região da fronteira contra o aumento do uso de drogas e, pior, teria de simular ser a favor ou, pelo menos, indiferente a esse problema. Não há nenhuma coalizão política de maior peso nos Estados Unidos preparada para abraçar o princípio de esmagar o comércio ilegal de drogas pela legalização. Assim, a exemplo dos cartões de identidade nacional, a legalização não vingará por razões ideológicas internas.

Assumindo que não surgirá nenhuma solução mágica para reprimir o desejo nacional por narcóticos, o presidente deve aceitar três realidades: as drogas continuarão a entrar nos Estados Unidos, vastas somas de dinheiro continuarão a ingressar no México e a violência neste país continuará até que os cartéis atinjam uma paz estável, como tem ocorrido com o crime organizado em outros países, ou até que um único grupo elimine todos os outros.

A outra estratégica que os Estados Unidos poderiam utilizar para lidar com essa batalha é a intervenção. Quer uma pequena incursão do FBI ou uma grande ocupação militar da região norte do México, são ideias péssimas. Primeiro, é improvável que aconteçam. Os Estados Unidos são incapazes de policiar as drogas em seu território, então a ideia de que poderia fazê-lo em um país estrangeiro não é plausível. Quanto a uma ocupação militar de grande monta, os Estados Unidos têm aprendido que suas Forças Armadas são excepcionalmente posicionadas para destruir exércitos inimigos, mas pouco aptas para esmagar guerrilhas que resistam à ocupação em seus próprios terrenos.

Uma intervenção norte-americana uniria os cartéis de drogas ao nacionalismo mexicano, um pensamento que já está presente em alguns distritos do México e, portanto, imporia uma ameaça aos dois lados da fronteira. Ataques repentinos nas forças norte-americanas, inclusive nos Estados Unidos, não seriam mero banditismo, mas atos patrióticos. Dadas as complexidades que os Estados Unidos enfrentam no restante do mundo, a última coisa de que o país necessita é de uma disputa absoluta na fronteira com o México.

A principal prioridade do presidente deve ser garantir que a violência no norte do México e a corrupção dos policiais não migrem para os Estados Unidos. Ele deve, portanto, enviar forças substanciais para a região fronteiriça norte numa tentativa de conter a violência, muito embora seja uma estratégia incompleta. Suas falhas incluem lutar numa guerra em que se tem o santuário inimigo no outro lado da fronteira, que, como aprendemos no Vietnã, é uma ideia muito ruim. Trata-se ainda de uma estratégia puramente defensiva, que não dá ao país o controle sobre eventos no México. Porém, visto que ganhar controle sobre tais eventos é extremamente improvável, uma postura defensiva talvez seja a melhor opção.

A estratégia norte-americana continuará a ser inerentemente desonesta. Ela não pretende parar a imigração, e também não espera deter as drogas, mas deve comprometer-se com as duas operações. Para muitos norte-americanos, essas são questões críticas que, supostamente, afetam suas vidas pessoais. Eles não devem ser informados sobre o esquema maior das coisas ou sobre que os Estados Unidos são incapazes de solucionar algo que eles achem importante. Seu senso do que é importante não interessa.

É muito melhor que o presidente dê a impressão de estar absolutamente comprometido com esses objetivos e, quando eles não forem cumpridos, recorra ao fracasso de alguns subordinados para agir vigorosamente. Na ocasião, membros de sua equipe ou do FBI, DEA, CIA ou das Forças Armadas devem ser demitidos de forma desonrosa, e investigações importantes serão conduzidas para identificar as falhas no sistema que tenham permitido que drogas e estrangeiros ilegais continuassem a cruzar a fronteira. Durante os próximos dez anos, o presidente estará engajado em constantes investigações para dar a ilusão de atividade num projeto que não dará certo.

Deter a violência para que ela não se dissemine para o Norte da fronteira é, em si, suficientemente importante para derrubar qualquer presidente que deixe de fazer isso. Felizmente, não permitir que a violência se espalhe está no interesse também dos cartéis. Eles entendem que uma violência extrema nos Estados Unidos desencadearia uma reação que viria a prejudicar seus interesses nos negócios. Ao reconhecer que os Estados Unidos não se moveriam para o Sul nem, realmente, interfeririam em seus negócios, os cartéis de drogas seriam irracionais se espalhassem a violência para o Norte, e contrabandistas que lidam com somas vultosas de dinheiro não são irracionais.

Uma palavra final deve ser incluída agora sobre o Canadá, que certamente compartilha a fronteira mais extensa com os Estados Unidos e é seu maior parceiro comercial. O país não tem requerido preocupações imediatas aos Estados Unidos desde que o interesse britânico na América do Norte continental diminuiu. Não é que o Canadá não seja importante para os Estados Unidos, trata-se simplesmente de que o país está preso pela geografia e pelo poder norte-americanos.

Olhando no mapa, o Canadá parece ser um vasto país, embora em termos de território povoado seja efetivamente bastante pequeno, com sua população distribuída numa faixa ao longo da fronteira com os Estados Unidos. Muitas partes do Canadá têm uma orientação Norte-Sul em vez de uma Leste-Oeste. Falando de outro modo, sua economia e vida social são orientadas em relação aos Estados Unidos, contrárias ao próprio país, que opera numa base Leste-Oeste.

O desafio do Canadá é que os Estados Unidos são um mercado gigante, bem como fonte de produtos. Há também uma afinidade cultural profunda. Isso gera problemas para os canadenses, que se consideram, e querem ser, uma cultura e um país distintos. Mas, a exemplo do que acontece com o restante do mundo, o Canadá sofre uma enorme pressão da cultura norte-americana e a resistência é difícil.

Para os canadenses, há várias linhas falhas em sua confederação e, a mais importante é a divisão entre Quebec, de fala francesa, e o resto do país, onde predomina a língua inglesa. Houve um sério movimento separatista nas décadas de 1960 e 1970, que conseguiu concessões importantes para o uso da língua francesa, mas jamais atingiu a independência. Hoje, esse movimento é moderado e a independência está fora de cogitação.

Para os Estados Unidos, o Canadá em si não impõe nenhuma ameaça. O maior perigo ocorreria se o Canadá se aliasse a um poder importante global, o que só aconteceria se o país se fragmentasse. Mas como há muita integração econômica e social entre Estados Unidos e Canadá, é difícil imaginar uma situação em que uma só província canadense mudasse esse relacionamento. O único caso em que isso poderia ser imaginado seria em um Quebec independente, que poderia se abster de manter relações econômicas por razões culturais ou ideológicas.

Na próxima década, certamente não haverá nenhuma potência global que possa explorar alguma abertura, e não há aberturas prováveis de aparecer. Isso indica que o relacionamento entre os dois países permanecerá estável, com o Canadá fortalecendo seu poder à medida que o gás natural, concentrado na região oeste do país, passe a ser mais importante. A relação entre os Estados Unidos e o Canadá é tremendamente significativa para ambos os países, com o Canadá muito mais vulnerável aos Estados Unidos do que o inverso, simplesmente por causa do tamanho e das opções. Mas essa importância não exigirá maior atenção ou decisões por parte dos Estados Unidos na próxima década.

A relação norte-americana com o hemisfério divide-se em três partes: Brasil, Canadá e México. O Brasil está distante e isolado. Os Estados Unidos podem estruturar uma estratégia no longo prazo de contenção, mas não existe pressa para isso. O Canadá não está indo a lugar algum. O México, com seus problemas conjugados de migração e drogas, é que é o problema imediato para os Estados Unidos. Além da legalização das drogas, que abaixaria os preços, a única solução seria permitir que os conflitos entre cartéis acabassem eliminando-os um a um, como inevitavelmente ocorrerá. Uma intervenção seria desastrosa. Quanto à migração, trata-se de um problema do momento, mas, quando houver uma alteração na demografia, isso estará solucionado.

Os Estados Unidos têm uma posição segura no hemisfério. O signo de um império é sua segurança na região, e os conflitos ocorrem a grandes distâncias sem perigo para seu território natal. Os Estados Unidos têm conseguido isso.

No final, o maior perigo no hemisfério é o que a Doutrina Monroe já previra: a possibilidade de uma outra grande potência usar a região como base para ameaçar os Estados Unidos.

Portanto, a estratégia essencial norte-americana deve ser focada na Eurásia, onde surgem essas potências globais, em vez de na América Latina: vamos tratar primeiro das primeiras coisas.

Acima de tudo, os governos da América não devem perceber intromissões dos norte-americanos em suas questões, percepção essa que acirra o sentimento antiamericano, o que pode ser problemático. Certamente, os Estados Unidos estarão engajados nas questões latino-americanas, particularmente na Argentina. Mas esse processo deve estar embutido numa discussão interminável sobre direitos humanos e progresso social. De fato, particularmente no caso da Argentina, ambos serão promovidos, e isso precisa ser ocultado do Brasil.

Historicamente, os Estados Unidos têm negligenciado questões hemisféricas a menos que uma potência global se torne envolvida, ou que elas afetem diretamente seus interesses, como os problemas com o México no século 19. Diferentemente desse cenário, a América Latina se comporta como uma arena para relações comerciais. O cenário básico não se alterará na próxima década, exceto se, e se necessário, forem implantados planos para a contenção do Brasil.

Capítulo 12

África: um lugar para deixar em paz

A estratégia norte-americana de manter o equilíbrio de poder entre nações-Estado em cada região do mundo prioriza duas coisas: primeiro, que instituições existam na região, e, segundo, que algumas delas tenham poder suficiente para se impor. Na falta desses fatores, não há tecido de poder regional para se administrar. Esse é o destino da África, uma região que pode ser dividida de muitos modos, mas que ainda não é unida sob nenhum.

Geograficamente, a África se enquadra facilmente em quatro regiões. Primeiro, há a África setentrional, que forma a costa ao sul da bacia do Mediterrâneo. Segundo, há o litoral oeste do Mar Vermelho e do Golfo de Aden, conhecido como o Chifre da África. Depois, há a região entre o Atlântico e o sul do Saara, conhecida como África ocidental, e, finalmente, uma extensa região ao Sul, que se estende ao longo de uma linha desde o Gabão, passando pelo Congo, Quênia, e que vai até o Cabo da Boa Esperança.

Utilizando o critério religioso, a África pode ser dividida em apenas duas partes: muçulmana e não muçulmana. O islamismo domina a África setentrional, as regiões norte da África ocidental e o litoral oeste da bacia do Oceano Índico até países distantes como a Tanzânia. Essa vertente religiosa não domina a costa norte do Atlântico na África ocidental, nem faz grandes incursões no cone sul além do litoral do Oceano Índico.

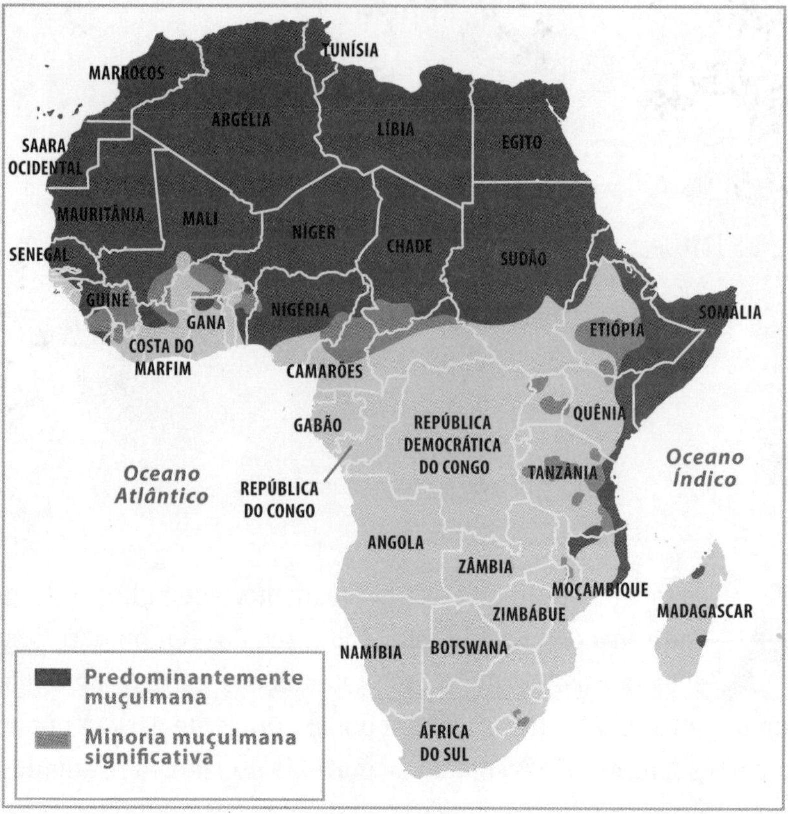

Islã na África

O mapa linguístico, provavelmente, nos oferece a melhor percepção das amplas regiões da África. Mas, a língua é um meio infinitamente complexo de se examinar o continente, pois centenas de idiomas são amplamente utilizados e muitos mais são falados por pequenos grupos. Dada essa diversidade linguística, é surpreendente que a língua comum entre as nações seja frequentemente a usada pelos imperialistas: árabe, inglesa, francesa, espanhola ou portuguesa. Mesmo na África setentrional, em que a língua árabe domina todas as outras, há regiões em que as línguas europeias dos impérios passados permanecem como resíduo anacrônico.

Um paradoxo similar cerca o que é, provavelmente, o modo menos significativo de tentar fazer sentido na África, que diz respeito a suas fronteiras contemporâneas. Muitas delas também são remanescentes das divisões entre impérios europeus que bateram retirada do conti-

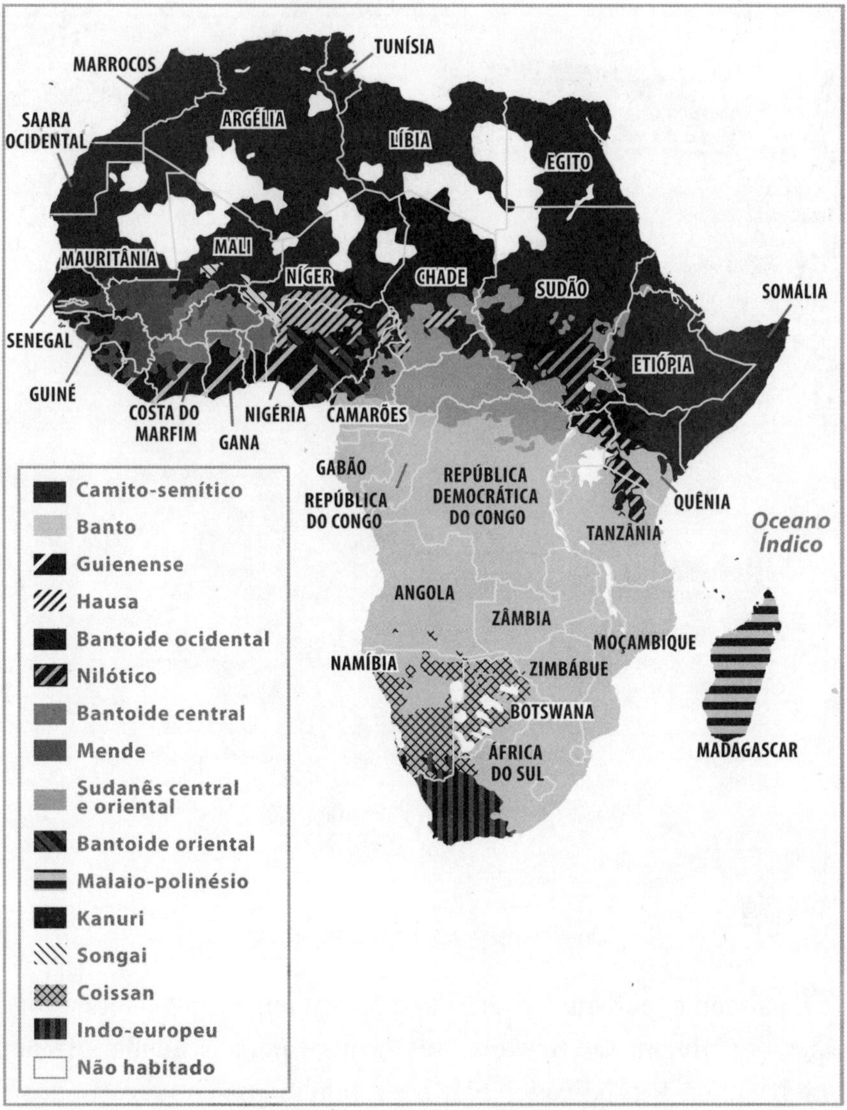

Grupos etnolinguísticos na África

nente, deixando para trás suas fronteiras administrativas. A dinâmica real africana começa a emergir quando se considera que essas fronteiras não apenas definem Estados que tentam presidir múltiplas e hostis nações contidas internamente, mas, geralmente, dividem nações entre dois países contemporâneos. Assim, embora possa haver poucos Estados africanos, há, excetuando-se a região da África setentrional, poucas nações-Estado.

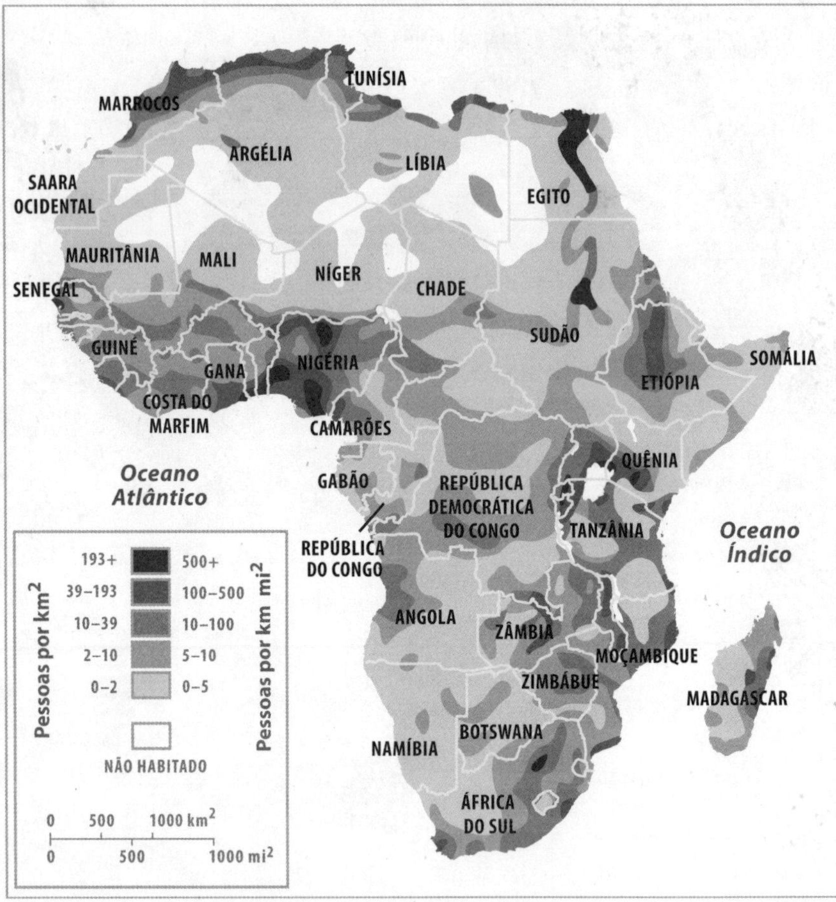

Densidade populacional na África

Finalmente, podemos examinar a África em termos de lugar onde as pessoas vivem. Os três maiores centros populacionais africanos são a bacia do Rio Nilo, a Nigéria e a região dos Grandes Lagos da África central, incluindo Ruanda, Uganda e Quênia. Eles podem dar a impressão de que o continente é superpovoado, e é verdade que, em relação ao nível de pobreza, é possível muito bem haver um número exagerado de pessoas tentando tirar a subsistência da fraca economia africana. No entanto, uma grande parcela do continente tem, de fato, uma população dispersa em comparação ao resto do mundo. A topografia africana composta de desertos e florestas tropicais torna essa ocorrência inevitável.

Mesmo quando observamos esses centros populacionais, constatamos que as fronteiras políticas e nacionais têm muito pouca relação entre si. Longe de ser uma base para o poder, então, a densidade populacional, unida por características culturais e separada por fronteiras políticas, aumenta a instabilidade e a fragilidade. Acontece a instabilidade quando populações divididas ocupam os mesmos espaços.

A Nigéria, por exemplo, deveria ser o maior poder regional, visto que é um dos grandes exportadores de petróleo e, portanto, tem receita para construir poder. Mas, para esse país, a mera existência de petróleo tem gerado constantes conflitos internos, a riqueza não é destinada a uma infraestrutura central de Estado e negócios, mas sim é desviada e dissipada por rivalidades provincianas. Em vez de servir como uma base de identidade nacional, a riqueza petrolífera tem financiado o caos com base em diferenças culturais, religiosas e étnicas entre a população nigeriana. Isso faz da Nigéria um Estado sem ser uma nação. Para ser mais preciso, trata-se de um Estado que preside várias nações hostis, algumas das quais são divididas por fronteiras estaduais. Do mesmo modo, os grupos populacionais em Ruanda, Uganda e no Quênia são divididos, em vez de unificados, pelas identidades nacionais a eles atribuídas. Às vezes, os conflitos têm criado Estados convulsionados, como em Angola, e uma estabilidade no longo prazo é difícil de se encontrar nessas paragens.

Somente no Egito a nação e o Estado efetivamente coincidem, e esta é a razão pela qual, de tempos em tempos, esse país torna-se um poder de peso. Mas a dinâmica da África setentrional, que é predominantemente uma parte da bacia do Mediterrâneo, é muito diferente da do restante do continente. Portanto, quando eu utilizar o termo “África” a partir de agora, excluo a África setentrional, que foi tratada num capítulo anterior.

Outro paradoxo é que, embora os africanos tenham um intenso senso de comunidade, que o Ocidente geralmente denigre o tratando como percepção tribal ou de clãs, sentimentos voltados para um destino único jamais se estenderam a maiores agregações de compatriotas. Isso porque o Estado não tem crescido organicamente fora da nação. Ao contrário, os arranjos instituídos pelo imperialismo árabe e europeu têm deixado o continente num caos.

A única saída do caos é o poder, e um poder efetivo deve estar localizado num Estado que derive de, e controle, uma nação coesa. Isso não quer dizer que não possam existir Estados multinacionais, como a Rússia, ou até Estados que representem somente parte de uma nação, como as duas Coreias. Mas significa que o Estado tem de presidir as pessoas com um genuíno senso de identidade comum e interesse mútuo.

Há três alternativas possíveis, dignas de nota para a África. O primeiro é o caminho atual da caridade global, mas o sistema de ajuda internacional que no momento domina uma grande parcela da vida pública africana não pode ter qualquer impacto duradouro, pois ele não aborda o problema fundamental da irracionalidade das fronteiras africanas. Na melhor das hipóteses, consegue melhorar alguns problemas locais. Na pior, pode se tornar um sistema que aumente a corrupção tanto entre os beneficiados como entre os doadores. O último é o caso mais frequente e, verdade seja dita, poucos doadores realmente acreditam que a ajuda que fornecem resolve os problemas.

A segunda trajetória é o ressurgimento de um imperialismo estrangeiro que crie alguma base para uma vida estável, mas isso não é provável. O motivo pelo qual as fases imperiais, árabe e europeia, terminaram de forma tão rápida como o fizeram foi que, embora existissem lucros a serem obtidos no continente, o custo era alto. O resultado econômico africano é essencialmente em matérias-primas, e há modos mais simples de obter essas *commodities* do que enviar forças militares e administradores coloniais. As corporações que fazem acordos com governos, ou senhores de guerra existentes, podem finalizar o trabalho de modo muito mais econômico sem assumir a responsabilidade de governar. Hoje em dia, o imperialismo corporativo permite a participação de poderes estrangeiros que extraem o que querem ao menor custo possível e se retiram assim que terminam.

A terceira e mais provável trajetória é a de diversas gerações de guerras, a partir da qual se desenvolverá um continente em que as nações são forjadas em Estados com legitimidade. Por mais duro que possa parecer, as nações nascem de conflitos, e é pela experiência de guerra que as pessoas ganham uma ideia de destino comum. Isso é verdade não apenas na fundação de uma nação, mas durante o curso de sua história. Os Estados Unidos, a Alemanha e a Arábia Saudita são nações que foram forjadas em batalhas que as fizeram nascer. A guerra não é suficiente, mas a tragédia da condição humana é que o elemento que nos torna mais humanos, que nos torna comuns, uma comunidade, origina-se na desumanidade da guerra.

As guerras africanas não podem ser evitadas e elas aconteceriam mesmo se jamais existisse o imperialismo estrangeiro. De fato, elas estavam sendo travadas quando o imperialismo as interrompeu. A criação de uma nação não se dá em reuniões do Banco Mundial ou durante a construção de escolas por engenheiros militares estrangeiros, pois as nações são construídas com sangue. O mapa da África deve ser redesenhado, mas não por um comitê de pessoas prestativas e racionais sentadas numa sala de conferências.

O que ocorrerá, no seu devido tempo, é que a África, em seus próprios termos, transformará seus problemas em um número pequeno de poderes importantes e um grande número de Estados sem muito poder. Isso fornecerá a estrutura para um desenvolvimento econômico e, com as gerações, criará nações que podem ser tornar potências globais, mas não num ritmo que afete a próxima década. A emergência de uma nação-Estado que possa introduzir um imperialismo nativo na África poderia acelerar o processo, mas todos os candidatos a um poder imperial estão internamente divididos, de tal forma que é difícil imaginar uma evolução rápida. De todos eles, a África do Sul é o mais interessante, pois o país combina o conhecimento europeu com uma estrutura política africana. Trata-se do mais capaz entre os países africanos. Mas até mesmo esse simples fato deixa-o com divisões que tornam sua emergência em um poder regional mais difícil de imaginar a cada ano que se passa.

Consequentemente, os Estados Unidos não têm nenhum interesse expressivo na África. O país obviamente se interessa pelo petróleo na Nigéria ou em Angola, e se interessa em controlar a influência do islamismo no Norte, bem como na Somália e na Etiópia. Portanto, se preocupa com a estabilidade da Nigéria e do Quênia, poderes que podem ajudar com essas questões. Mas o envolvimento intenso do país na África durante a Guerra Fria, na Guerra Civil Congolesa no início da década de 1960, na Guerra Civil Angolana na década de 1980, na Somália e na Etiópia foi uma tentativa de impedir uma penetração soviética. Esse problema não existe mais.

Nos últimos anos, os chineses têm se envolvido na África e comprado minas e outros recursos naturais. Mas, conforme discutimos, a China não representa a mesma ordem de perigo que os soviéticos representaram, tanto por causa dos limites de sua projeção de poder como também pela debilidade interna chinesa. A China não pode explorar estrategicamente a posição da África, como os soviéticos fizeram no passado, e não pode carregar as minas para casa. O principal efeito dos investimentos chineses é a exposição mais intensa à instabilidade africana, o que deixa os Estados Unidos livres para ficarem indiferentes.

Ao mesmo tempo, as corporações norte-americanas são tão hábeis como qualquer outra ao firmar contratos que lhes permitam extrair petróleo, outros minerais ou produtos agrícolas sem um compromisso norte-americano significativo com a região. Dados todos os outros interesses dos Estados Unidos, identificar uma região em que o país possa permanecer indiferente é estrategicamente benéfico.

No entanto, há uma oportunidade na África. A condição estratégica dos Estados Unidos, que os faz envolvidos em manipulações sistemáticas em muitas partes do mundo, também faz com que o país seja detestado e tratado com desconfiança. É impossível evitar isso por meio de políticas, mas é possível confundir, ou suavizar, a questão, e a África é o lugar para isso.

Os Estados Unidos, como todas as outras nações, são brutalmente interesseiros. Mas há algum valor em não aparecer dessa forma, e algum valor em ser gostado e admirado, contanto que ser gostado não seja confundido com o objetivo principal. Doar somas vultosas de ajuda para a África serviria ao propósito de melhorar a imagem norte-americana. Numa década em que os Estados Unidos precisariam gastar centenas de bilhões de dólares ao ano em defesa, gastar entre US$ 10 bilhões e US$ 20 bilhões em ajuda para o continente seria uma tentativa razoável de comprar admiração.

Mais uma vez, a ajuda em si não resolve os problemas africanos, mas pode aliviar alguns deles, pelo menos por um período. É possível que isso cause algum dano, como muitos programas de ajuda que tiveram consequências negativas e não pretendidas, mas o gesto voltaria como benefícios para o país e a um custo relativamente baixo.

Um dos pensamentos de Maquiavel diz que a bondade deriva da perseguição implacável do poder, não de se tentar ser bom. Mas, se essas ações bondosas convencem a Europa para que envie mais tropas na próxima intervenção norte-americana, elas serão investimentos que valem a pena.

CAPÍTULO 13

O DESEQUILÍBRIO TECNOLÓGICO E DEMOGRÁFICO

Este livro trata dos desequilíbrios do poder norte-americano na próxima década e o efeito que eles têm no mundo. Voltei-me para questões econômicas e geopolíticas e defendi que esses desequilíbrios são transitórios e podem ser corrigidos. Mas o livro estaria incompleto sem uma consideração sobre os outros dois principais temas que emergem na próxima década, a saber, demografia e tecnologia.

Os ciclos econômicos podem ser estimulados por especulação e manipulação financeira, como foi o que aconteceu na década que acabou de terminar. Mas, num nível mais profundo, a expansão e a contração econômicas são orientadas por forças demográficas e pelas inovações tecnológicas.

Durante a próxima década, veremos a baixa da onda demográfica que ajudou a impelir a prosperidade do período imediato pós-guerra. O grupo etário conhecido como *baby boom,* as crianças nascidas durante as administrações Truman e Eisenhower, estará na faixa de 60 anos, começando a se aposentar, a reduzir suas funções, a ficar mais idoso. Como resultado, o mesmo pico demográfico que ajudou na criação de abundância há meio século provocará um ônus econômico no futuro.

Nos anos 1950, a geração dos *baby boomers* ajudou a criar demanda para milhões de carrinhos de bebê, casas de condomínio, carros, bicicletas e secadoras. Durante os anos 1970, começaram a procurar emprego numa economia ainda não preparada para eles. À medida que se candidatavam ao mercado de trabalho, casavam e tinham filhos, compravam e tomavam emprestado, seu comportamento coletivo provocou o aumento das taxas de juro, da inflação e do desemprego.

Quando a economia absorveu essas pessoas nos anos 1980 e à medida que amadureciam, na década de 1990, essa geração empurrou a economia a níveis extraordinários de crescimento. Mas, durante os próximos anos, os acessos tremendos de criatividade e produtividade que essa geração trouxe para a vida norte-americana serão arrastados para baixo e a economia começará a sentir os primeiros rumores de uma crise demográfica. A passagem dessa geração acentua, ao mesmo tempo, uma crise nas inovações tecnológicas que, definitivamente, pode ser mais significativa. Com o envelhecimento, não apenas o consumo despencará e a produção desaparecerá, mas eles exigirão cuidados de saúde e de final de vida num nível jamais visto antes.

A próxima década será um período em que a tecnologia ficará em descompasso em relação às necessidades. Em alguns casos, as tecnologias existentes atingirão seus limites e não haverá tecnologias substitutas no mercado. Isso não quer dizer que não haverá amplas mudanças tecnológicas. Carros elétricos e novas gerações de telefones celulares abundarão. Mas haverá logo a escassez de tecnologias revolucionárias para resolver necessidades emergentes, haverá escassez do tipo de revolução que impulsiona um real crescimento econômico.

O primeiro impedimento é financeiro, pois o desenvolvimento de tecnologias radicalmente novas é inerentemente arriscado, tanto em termos de implementar novos conceitos como em termos de adequar o produto ao mercado. A crise financeira e a recessão de 2008-2010 reduziram o montante de capital disponível para desenvolvimentos tecnológicos junto com o apetite pelo risco. Os primeiros anos da próxima década serão marcados não apenas pela escassez de capital, mas por uma tendência de alocar o capital disponível em projetos de baixo risco, com a dotação de dinheiro fluindo para tecnologias já estabelecidas.

Isso melhorará globalmente na segunda metade da década, e mais brevemente em países como os Estados Unidos. No entanto, dado o tempo de maturação em desenvolvimentos tecnológicos, a próxima leva de avanços tecnológicos notáveis não emergirá até os anos 2020.

O segundo problema nessa taxa de inovações, por mais estranho que possa parecer, reside nas Forças Armadas. No século 19, os desenvolvimentos do motor a vapor e da Marinha britânica (e seu alcance imperial) caminharam lado a lado. No século 20, os Estados Unidos foram o motor do desenvolvimento tecnológico global, muitas dessas inovações foram criadas e estimuladas por aquisições militares e praticamente todas elas tiveram alguma aplicação como subprodutos para fins civis. O desenvolvimento das aeronaves e dos rádios foi pesadamente subsidiado pelos militares e resultou no nascimento subsequente das indústrias aeronáutica e de difusão. O sistema rodoviário interestadual foi primeiramente concebido como um projeto militar para facilitar o movimento rápido de tropas no caso de um ataque soviético ou de uma catástrofe nuclear. O *microchip* foi desenvolvido para uso em pequenos computadores digitais que orientavam tanto mísseis nucleares como foguetes necessários para lançar cargas úteis no espaço. E, certamente, a internet, adotada pelo público nos anos 1990, começou como um projeto de comunicação militar.

As guerras são tempos de intensas transformações tecnológicas, pois as sociedades investem — às vezes, com uma tomada de empréstimos maciça — quando e onde questões de vida e morte estão em jogo. A guerra entre os Estados Unidos e os jihadistas tem impulsionado algum desenvolvimento em aviões de ataque e monitoramento automatizado bem como em tecnologia de banco de dados, mas estão faltando as profundas transformações da Segunda Guerra Mundial (radar, penicilina, motor a jato, armas nucleares) e da Guerra Fria (computadores, internet, fibra óptica, materiais avançados). A razão é que, ultimamente, os conflitos no Afeganistão e no Iraque são de infantaria leve que exigiram bastante das tecnologias existentes, porém poucas inovações transformadoras do jogo.

À medida que o financiamento para essas guerras se exaure, os orçamentos para desenvolvimento e pesquisa tornam-se os itens mais importantes. Com uma quantidade reduzida de outros países trabalhando em tecnologias militares avançadas, essa fonte tradicional de inovações não começará a render frutos para a população civil até os anos 2020 ou depois.

O sentimento de vida ou morte que deve impelir inovações tecnológicas na próxima década é a crise demográfica e seus custos associados. O declínio na população sobre o qual escrevi em *Os próximos 100 anos* começará a aparecer em alguns locais nesta década. No entanto, seu precursor, uma população envelhecida, se tornará um fato onipresente na vida. A força de trabalho diminuirá, não apenas como função da aposentadoria, mas à medida que maiores requisitos educacionais manterão as pessoas fora do mercado até que atinjam idades na faixa de 20 e poucos anos.

Agravando os efeitos econômicos de uma população que está envelhecendo, haverá um aumento na expectativa de vida associado a um aumento de atendimentos relativos à incidência de doenças degenerativas. À medida que mais pessoas vivem mais tempo, a doença de Alzheimer, de Parkinson, doenças cardíacas, câncer e diabetes passarão a ser uma carga esmagadora sobre a economia e exigirão tratamentos que impliquem tecnologias extremamente sofisticadas.

Felizmente, uma das áreas de pesquisa amplamente financiada é a da pesquisa médica. Coalizões políticas robustecem a aplicação de verbas federais para que se possa migrar das pesquisas básicas às aplicações tecnológicas por meio das indústrias farmacêutica e biotecnológica. No entanto, permanece a possibilidade de um desequilíbrio. O mapeamento do genoma não tem fornecido curas rápidas para doenças degenerativas, de modo que nos próximos anos o foco será em medidas paliativas.

Prover tratamentos como esses encerra custos de mão de obra que terão um efeito substancial na economia. Uma alternativa é a robótica, mas seu desenvolvimento efetivo depende de avanços científicos em duas áreas-chave que não evoluem há muito tempo: microprocessadores e baterias. Os robôs, que podem fornecer tratamento básico para os idosos, exigem quantidades tremendas de potência computacional bem como melhorias na mobilização, mas o *chip* de silício está atingindo os limites da miniaturização. Nesse ínterim, os programas básicos precisam orientar um robô, processar seus dados sensoriais e atribuir tarefas que não podem ser suportadas nas atuais plataformas de informática. Há várias e potenciais soluções, de materiais biológicos à computação quântica, mas o trabalho nessas áreas não tem estimulado muito a pesquisa básica.

Duas outras faixas convergentes de tecnologia ficarão atoladas na próxima década. A primeira é a revolução em comunicações que começou no século 19. Essa revolução derivou de um entendimento profundo do espectro eletromagnético, um desenvolvimento científico orientado em parte pela ascensão de impérios e mercados globais. O telégrafo forneceu comunicação praticamente instantânea a grandes distâncias, contanto que a infraestrutura necessária, linhas telegráficas, estivesse implantada. Seguiram-se as comunicações de voz analógicas na forma de telefone, depois comunicações isentas de infraestrutura desenvolveram-se na forma de rádio sem fio. Essa inovação subsequentemente se dividiu em voz e vídeo (televisão), que teve um profundo efeito no modo como o mundo opera. Esses meios criaram novas relações políticas e econômicas, possibilitando tanto as comunicações de duas vias, como as comunicações de transmissão centralizada, um meio de "um-para-muitos" que carregava, implicitamente, grande poder para qualquer um que controlasse o sistema. Mas a hegemonia da transmissão centralizada, na modalidade "um-para-muitos", chegou ao seu fim, superada pelas possibilidades expandidas da era digital. A próxima década marca o fim de um período de sessenta anos de crescimento e inovações na tecnologia digital mais avançada e revolucionária.

A era digital começou com uma revolução em processamento de dados requerida pelos enormes desafios do gerenciamento de pessoas durante a Segunda Guerra Mundial. Os dados sobre cada um dos soldados foram digitados como código binário não eletrônico em cartões de perfuração de computador para fins de seleção e identificação. Após a guerra, o Departamento de Defesa pressionou a transformação dessa forma primitiva de computação em sistemas eletrônicos, criando uma demanda para *mainframes* maciços construídos em torno de tubos de vácuo. Esses equipamentos tiveram o ingresso no mercado facilitado essencialmente pelas equipes de vendas da IBM, servindo aos negócios em todas as atividades, desde a impressão de faturas a folhas de pagamento.

Após o desenvolvimento do transistor e do *chip* à base de silício, que permitiram uma redução no tamanho e no custo dos computadores, as inovações mudaram para a Costa Oeste e voltaram-se para o computador pessoal. Enquanto os *mainframes* estavam interessados principalmente na manipulação e análise de dados, o computador pessoal foi primariamente utilizado para criar analogias eletrônicas de itens já existentes: máquinas de escrever, planilhas, jogos etc. Isso, por sua vez, evoluiu para dispositivos de computação manuais e *chips* inseridos numa série de aplicações.

Na década de 1990, os dois setores tecnológicos — comunicações e dados — se fundiram num único setor, com informações na forma binária eletrônica que podiam ser transmitidas por meio de circuitos telefônicos existentes. A internet, que o Departamento de Defesa tinha desenvolvido para transmitir dados entre *mainframes*, se adaptou rapidamente à computação pessoal e à transmissão de dados por linhas telefônicas via *modems*. A inovação seguinte foi a fibra óptica, para transmitir grandes quantidades de dados binários bem como arquivos gráficos extremamente grandes.

Com o advento de gráficos e dados permanentemente exibidos em sites na web, a transformação foi completa. O mundo de transmissões controladas, de “um-para-muitos”, tinha evoluído até um sistema de transmissão em nicho infinitamente difuso de “muitos-para-muitos”, e a noção de realidade, que tinha sido formalmente imposta e fornecida pelos noticiários e tecnologias de comunicação do século 20, se tornou uma cacofonia de realidades.

O computador pessoal tinha passado a ser não apenas uma ferramenta para portar uma série de funções tradicionais mais eficientemente, mas também um dispositivo de comunicação. Com isso, passou a ser um substituto do correio convencional e das comunicações por telefone, além de servir como instrumento de pesquisa. A internet se tornou um sistema que combinava informações com marketing e vendas, desde dados sobre astronomia até os últimos materiais colecionáveis no eBay. A rede se tornou a praça e o mercado público, unificando a sociedade de massa e fragmentando-a ao mesmo tempo.

O computador portátil e o telefone celular analógico já tinham trazido a mobilidade para certas aplicações. Quando eles se fundiram ao assistente digital pessoal, com recursos computacionais, acesso à internet, mensagens de texto e voz e mais sincronização instantânea com computadores pessoais de maior porte, atingimos acessos globais instantâneos a dados. Quando chego em Sidney ou Istambul, meu smartphone instantaneamente faz downloads para minha caixinha de e-mails de todas as partes do mundo, possibilitando, assim, que eu leia as últimas notícias enquanto meu avião taxia até o portão. A revolução nas comunicações tem atingido um ponto extremo.

Estamos agora num estado em que o foco primário é expandir a capacidade e encontrar novas aplicações para a tecnologia desenvolvida anos atrás. Essa é uma posição similar ao nível atingido pelos computadores pessoais no fim da bolha das empresas da internet. A estrutura básica estava implantada, do hardware às interfaces. A Microsoft tinha criado um conjunto abrangente de aplicações de escritório, a conectividade sem fio tinha emergido, o *e-commerce* estava no auge e rodando na Amazon e em outros portais, e o Google tinha lançado sua ferramenta de busca. Mas é muito difícil pensarmos em um avanço tecnológico realmente transformador como o que ocorreu nos últimos dez anos. Em vez de revolucionar, o foco tem sido desenvolver novas aplicações, como as redes sociais, e mover recursos prévios para plataformas móveis. Conforme demonstrado pelo iPad, esse esforço continuará. Mas, definitivamente, essa tendência é reformar o móvel em vez de construir uma nova estrutura. A Microsoft, que transformou a economia na década de 1980, é hoje uma corporação relativamente acomodada, protegendo seus feitos. A Apple está inventando novos dispositivos que fazem, de modo mais eficaz, o que já fazemos. O Google e o Facebook estão descobrindo novos meios de vender anúncios publicitários e lucrar na internet.

Inovações tecnológicas radicais estão dando lugar a uma batalha por fatias de mercado, descobrir meios de ganhar dinheiro pela introdução de pequenas melhorias como eventos de grande monta. No entanto, os aumentos dramáticos na produtividade estimulados, no passado, pela tecnologia, que ajudou, por sua vez, a impelir a economia, estão declinando e isso terá um impacto significativo nos desafios que enfrentaremos na próxima década. Com a queda na pesquisa básica e no desenvolvimento e os esforços corporativos focados em fazer melhorias incrementais na tecnologia essencial da última geração, o ímpeto do crescimento global primário está limitado a disponibilizar as tecnologias existentes para mais pessoas. Um exemplo de estagnação está entre os celulares. A venda de telefones celulares já tem atingido o ponto de saturação e as empresas estão relutantes em investir em atualizações desnecessárias — essa é uma prescrição problemática para o crescimento.

Isso não quer dizer que o mundo da tecnologia digital esteja moribundo. No entanto, a computação ainda é essencialmente passiva, restrita à manipulação e transmissão de dados. A próxima e necessária fase é a de se tornar ativa, usando esses dados para manipular e transformar a realidade, tendo a robótica como um exemplo principal. Mudar para essa fase ativa é necessário para que se atinja o enorme impulso na produtividade que compensará as alterações econômicas com a mudança demográfica que está a ponto de ocorrer.

O Departamento de Defesa norte-americano tem trabalhado em robôs militares durante um longo tempo, e os japoneses e sul-coreanos fizeram avanços em aplicações para a vida civil. Todavia, ainda resta uma grande parcela de trabalhos científicos e tecnológicos a ser feita para que essa tecnologia fique pronta quando será urgentemente necessária, nos anos 2020.

Ainda assim, confiar na robótica para resolver problemas sociais pede outra ação, que é como ativar essas máquinas. O trabalho humano em si tem um consumo de energia relativamente baixo. Máquinas que imitam o trabalho humano utilizarão grandes quantidades de energia e, à medida que proliferarem na economia (da mesma forma que os computadores pessoais e os telefones celulares fizeram), o aumento no consumo de energia será enorme.

Questões sobre ativar as inovações tecnológicas, por sua vez, aumentam o grande e acirrado debate sobre se a maior utilização de hidrocarbonetos está afetando o meio ambiente e provocando mudanças climáticas. Embora essa questão envolva paixões, ela realmente não é o tema mais saliente. A questão da mudança climática levanta duas outras questões que exigem que o presidente lidere com astúcia: primeira, é possível cortar o uso de energia? E segunda: será possível continuar crescendo utilizando hidrocarbonetos e, particularmente, petróleo?

Há uma expectativa inserida na política pública que diz que é possível abordar a questão do consumo de energia pela conservação. Mas uma grande parcela do crescimento recente do consumo de energia deriva do mundo desenvolvido, o que impõe, na melhor das hipóteses, resolver o problema eliminando-se todos os sonhos.

Os países recém-industrializados na Ásia e América Latina ainda não estão preparados para cortar seu consumo de energia de modo a resolver questões energéticas ou evitar que certas nações-ilha sejam inundadas pelo aumento das águas de mares mais aquecidos. De seu ponto de vista, a conservação os relegaria, permanentemente, para a posição terceiro mundista, o que têm combatido arduamente e durante muito tempo. Em sua visão, o mundo industrial avançado dos Estados Unidos, da Europa ocidental e do Japão deve reduzir sua utilização de energia a fim de compensar mais de um século de consumo esbanjador.

Em 2010, houve um congresso em Copenhague para abordar a questão do consumo de energia, ou, mais precisamente, das emissões de dióxido de carbono. Foi feita uma proposta para o corte de emissões. Numa época em que o consumo de energia está crescendo, cortar todas as emissões coloca um desafio significativo. Exceto por uma drástica e nova fonte de energia, essa espécie de corte pode ser atingida somente por diminuições substanciais no consumo de combustíveis fósseis. Andar de bicicleta até o trabalho ou fazer uma reciclagem cuidadosa não conseguirá isso.

A iniciativa de Copenhague não deu certo, pois era politicamente insustentável. Nenhum dos líderes do mundo industrial avançado poderia persuadir o público para que aceitasse cortes significativos no padrão de vida que a redução na utilização de combustíveis fósseis teria requerido. As pessoas, ao se recusarem a esses cortes, não estão sendo irracionais. Elas estão medindo uma certeza contra uma probabilidade. A certeza é que suas vidas seriam significativamente limitadas por essas reduções no consumo, o que poderia levar a um deslocamento econômico disseminado. A resposta a essa questão, que é discutida por alguns, é que ocorrerão mudanças climáticas, com resultados igualmente devastadores, caso não se faça nada. Que a mudança climática será mais danosa que benéfica pode muito bem ser verdade, mas a questão é se os prováveis, ou possíveis, efeitos nas crianças e nas próximas gerações serão mais críticos do que as consequências imediatas da redução de consumo de energia. Isso explica por que os encontros de Copenhague e Kyoto, sobre mudança climática, fracassaram no sentido de desenvolver estratégias eficazes para reduzir as emissões do gás de efeito estufa.

Para a próxima década, a premissa deve ser que o consumo de energia continuará a subir e, portanto, a questão não é cortar o consumo de combustíveis fósseis, mas sim se haverá combustíveis fósseis suficientes para lidar com esse aumento de demanda. Os combustíveis não fósseis não podem se alinhar com suficiente rapidez como substitutos para o uso de energia no curto prazo. Leva-se bem mais de dez anos para a construção de uma usina de energia nuclear. A energia hidroelétrica e a eólica conseguem dar conta de apenas uma fração do consumo. O mesmo é válido para a energia solar. Para a próxima década, independentemente das soluções de longo prazo que possam existir, o problema será encontrar o combustível para aumentar o consumo energético enquanto, idealmente, se restringem os aumentos da produção de carbono.

O uso de energia recai sobre quatro grandes categorias: transportes, geração elétrica, utilização industrial e usos residenciais (aquecimento e ar-condicionado). Durante a próxima década, a energia para os transportes continuará a ser baseada na gasolina. O custo de mudar a frota global existente para outra fonte de energia é proibitivo e não acontecerá num espaço de dez anos. Alguns tipos de transportes mudarão para o elétrico, mas isso simplesmente move o consumo de combustível dos veículos para as usinas de energia. A geração elétrica é mais flexível, pois ela aceita petróleo, carvão e gás natural. O mesmo é possível para utilizações industriais. O aquecimento e o ar-condicionado caseiros podem ser convertidos, com um certo custo.

Há boatos de que a produção global de petróleo tenha atingido sua alta histórica e agora siga em declínio. Certamente, a produção de petróleo tem se movido para áreas cada vez menos favoráveis, tais como as águas profundas distantes da costa e em xistos, que exigem uma tecnologia relativamente cara. Isso nos informa que, ainda que a extração de petróleo não tenha atingido seu pico, mantendo-se a mesma situação, os preços do barril de petróleo continuarão a aumentar. A perfuração em alto-mar tem problemas de custo e manutenção. Conforme vimos com o desastre recente da BP, longe do litoral da Louisiana, qualquer acidente que ocorra uma milha abaixo do nível da água é difícil de ser reparado. E, além do prejuízo ambiental, os poços são muito caros. As instalações nos poços também são caras, e quando o preço do petróleo cai abaixo de um certo ponto, a extração passa a ser de pouco retorno e o investimento é interditado ou perdido. Mas, deixando de lado as questões mais amplas de preços de pico, o aumento no consumo energético que veremos na próxima década não pode ser propelido pelo petróleo, ou pelo menos não inteiramente.

Isso deixa duas opções para esse período. Uma é o carvão, a outra é o gás natural. Uma preservação grande o suficiente para reduzir o consumo energético em termos absolutos não ocorrerá nos Estados Unidos, sem falar no mundo como um todo. A capacidade de produção de mais petróleo é limitada e as vulnerabilidades, numa economia de petróleo, quanto às interdições impostas por países como o Irã, tornam-na uma proposição muito arriscada. A competência de fontes de energia alternativa para ter um impacto decisivo nessa década é, na melhor das hipóteses, mínima. Nenhuma usina de energia nuclear que começasse neste momento seria operacional em cinco ou seis anos. Mas uma opção entre mais carvão e mais gás natural não é a escolha que o presidente desejará fazer. Ele desejará uma solução mágica de rápida disponibilidade, sem impacto ambiental e com baixo custo. Nesta década, no entanto, será forçado a contrabalançar o que é necessário e o que está disponível. No fim, escolherá as duas opções e dará maior aplicação ao gás natural.

O fracionamento hidráulico — ou *fracking,* na produção de gás natural — abre a possibilidade de aumentos drásticos na disponibilidade de energia. O que essa tecnologia faz é recuperar gás natural de até cerca de 4,2 quilômetros abaixo do solo (onde ele está interno na rocha de forma tão comprimida que não se libera). O rompimento da rocha possibilita que o gás se una e seja recuperado, mas esse método, como o de todas as produções de energia no solo, acarreta riscos ambientais. A vantagem para os Estados Unidos é que há amplas fontes domésticas e, portanto, voltar-se para essa fonte de energia reduz a chance de guerra. O gás natural substitui comodamente muitos usos do petróleo e, em muitos casos, a um custo relativamente baixo. Isso reduz a necessidade de se importar petróleo, que, por sua vez, diminui a força de uma potência estrangeira que poderia bloquear o fluxo de petróleo e desencadear uma guerra.

Essa tecnologia também permite obter uma quantidade suficiente de gás natural em um período curto de forma a torná-la viável ainda nesta década. Esperamos que outras tecnologias se tornem disponíveis daqui a cinco ou seis décadas, mas na próxima década as opções se reduzem ao carvão e ao gás natural.

Esse será um tempo de tratar de problemas que ainda não se transformaram em crises e de buscar soluções ainda não existentes. Considere o problema da disponibilidade de água. Com o crescimento da industrialização e de uma população que desfruta de melhores padrões de vida, já se vê a escassez regional deste mineral. Essas faltas já criaram confrontações políticas entre nações que podem muito bem desencadear guerras. Acrescente a essa possibilidade o fato de que a mudança climática pode alterar padrões climáticos, que essas mudanças podem reduzir a precipitação pluviométrica em áreas povoadas e de que o problema pode se tornar uma crise.

Não há, naturalmente, escassez de água. A água está simplesmente misturada com o sal e localizada inconvenientemente, mas ela existe em quantidades assustadoramente gigantescas. A tecnologia precisa ser aperfeiçoada, mas temos o *know-how* para dessalinizar a água. Também sabemos como transportar água por tubulações. O problema é que a dessalinização e o transporte de água são processos extremamente caros e que exigem grandes quantidades de energia. Esse tipo de energia não será encontrado em soluções disponíveis. Como eu disse em *Os próximos 100 anos*, precisaremos de energia solar de base espacial ou de outros métodos muito radicais para aumentar a energia disponível por ordens de magnitude.

Quando examinamos os maiores problemas que temos de resolver, tais como envelhecimento da população, redução da força de trabalho e falta de água, encontramos um padrão consistente. Primeiro, o problema está emergindo nesta década, mas logo se tornará um ônus pesado. Segundo, as tecnologias para lidar com isso — curas para doenças degenerativas, passando pela robótica e dessalinização — já estão disponíveis ou devem ser concebidas, mas não estão totalmente implantadas. Terceiro, implementar praticamente todas elas (exceto a cura para doenças degenerativas) exige tanto uma solução de curto prazo como uma de longo prazo.

O perigo é que o problema e a solução se tornem desbalanceados, que o problema chegue no estágio de crise antes que as soluções técnicas sejam implantadas. A tarefa do presidente na abordagem dessas questões na próxima década não é dramática. Terá de facilitar soluções de curto prazo enquanto assenta os alicerces para soluções de prazo mais longo. A tentação será visualizar a solução de longo prazo e fingir que o problema esperará ou que a solução surgirá mais rapidamente do que é possível. As soluções de longo prazo são mais atrativas e causam muito menos controvérsia que as de curto prazo, que afetarão pessoas que ainda vivem e votam. O problema com o qual os presidentes nesta década terão de lidar é que a crise não acontecerá em suas administrações, mas sim na próxima década. A tentação de especular a questão será substancial. Aqui outra pitada de sabedoria de Maquiavel torna-se especialmente importante: os governadores bem-sucedidos desejam fazer mais que regras, eles querem ser lembrados para sempre. John Kennedy não teve tempo para fazer muito, mas todos nós lembramos de sua decisão de levar o homem à Lua.

No curto prazo, o problema mais decisivo é assentar os alicerces para a preparação dos requisitos energéticos para a próxima década. Para fazer isso, devem acontecer duas coisas. O presidente deve escolher o equilíbrio entre os dois combustíveis fósseis disponíveis: o carvão e o gás natural. Então, deve informar às pessoas que estas são as únicas opções. Se ele deixar de persuadir a população, não haverá energia para as tecnologias que surgirem na próxima década. Ele deve, certamente, estruturar seu argumento no contexto do aquecimento global, nas mudanças climáticas e no desejo de proteger todas as espécies. O movimento ambientalista tem apoiado Obama e todos os presidentes devem manter sua base política. Mas, embora agradando ao bloco verde, deve defender o aumento do uso do carvão e do gás natural para a geração de eletricidade. Ele pode ser capaz de estruturar seu apelo em termos de viabilização de mais carros elétricos, mas, independentemente de como o faça, essa é sua tarefa. De outro modo, ele será visto como alguém que negligenciou uma crise que poderia prever.

Ao mesmo tempo, deve se preparar para aumentos na geração de energia de fontes distintas de hidrocarbonetos no longo prazo, fontes mais baratas e localizadas em áreas que os Estados Unidos não precisarão controlar com o envio de exércitos. Em minha visão, seria a energia solar de base espacial. Portanto, o que deve ser encaminhado, e o que está sendo encaminhado, é o desenvolvimento de foguetes propulsores não dispendiosos pelo setor privado. A Mitsubishi tem investido em energia solar de base espacial com a importância de US$ 21 bilhões. A EAB, da Europa, também está investindo, e a californiana Pacific Gas & Eletric assinou um contrato para a compra de energia solar do espaço em 2016, embora eu pense que o cumprimento desse contrato nesse nível de programação seja improvável.

Todavia, seja a fonte energia solar de base espacial ou de alguma outra tecnologia, o presidente deve garantir que o trabalho ao longo de diversos eixos esteja sendo feito e que o potencial para comprá-lo é realista. Enormes quantidades de energia são necessárias e a fonte provável de tecnologia, se nos basearmos na história, é o Departamento de Defesa norte-americano. Assim, o governo absorverá o custo do desenvolvimento inicial e investimentos privados colherão os frutos.

Estamos em um período em que o Estado é mais poderoso que o mercado, e no qual o Estado tem mais recursos. Os mercados são extraordinários na exploração da ciência existente e de uma tecnologia inicial, mas não chegam perto desse desempenho em pesquisa básica. Desde aeronaves passando por energia nuclear, voos à Lua, internet e satélites de posicionamento global, o Estado é muito melhor em investir em inovações de longo prazo. O governo é ineficiente, mas essa ineficiência e a habilidade de absorver seu custo estão no cerne das pesquisas básicas. Quando examinamos os projetos que precisamos executar na próxima década, a organização com mais chance de ser bem-sucedida é o Departamento de Defesa.

Não há nada particularmente novo nesse entrelaçamento de tecnologia, geopolítica e bem-estar econômico. Os filisteus dominaram a Costa Levantina porque eram ótimos na manufatura de armaduras. Para conectar e controlar seu império, o Exército romano construiu estradas e pontes que ainda hoje estão em uso. Durante uma guerra que mirava a dominação global, as forças alemãs criaram a base dos trabalhos modernos com foguetes para contra-atacar; os britânicos surgiram com o radar. Potências de ponta e aquelas que lutam por poder se veem sob pressão econômica e militar. Elas respondem a isso inventando tecnologias novas e extraordinárias.

Os Estados Unidos são, obviamente, essa espécie de potência. O país se encontra atualmente sob pressão econômica, mas sob menor pressão militar. Trata-se de um período em que, tradicionalmente, os Estados Unidos não empreendem novas e dramáticas aventuras.

O governo está financiando pesadamente uma área que temos discutido: está encontrando curas para doenças degenerativas. O Departamento de Defesa está financiando muitas pesquisas em robótica. Mas o problema fundamental, a energia, ainda não recebeu o mesmo empenho. Para esta década, as opções são prosaicas. O perigo é que o presidente dissipe sua autoridade em projetos como preservação, energia eólica e energia solar de base terrestre, que não podem render a magnitude dos resultados requeridos.

Entretanto, a exemplo de muitas coisas que ocorrerão nesta década, aceitar o ordinário e óbvio é uma primeira necessidade.

Capítulo 14

O império, a república e a década

Ao discutir a política externa norte-americana, examinei cada continente e vários países, mas de modo algum tentei esgotar o assunto. Devido à natureza global do império norte-americano, cada país é, de alguma forma, importante para os Estados Unidos. Desde a ameaça islâmica no Níger, ou o efeito que o Nepal possa ter no equilíbrio sino-indiano, até o papel do Equador no combate às drogas, é difícil imaginar um país que os Estados Unidos possam ignorar a ponto de ficarem totalmente indiferentes.

Há muitas pessoas que argumentariam que os Estados Unidos já têm um território muito grande e que esses complexos envolvimentos internacionais não são do interesse do país. Esse não é um argumento pouco convincente, exceto pelo fato de não deixar claro como os Estados Unidos poderiam se desfazer de seus interesses globais. Durante a próxima década, o país deve administrar o caos do mundo islâmico, o retorno da Rússia, uma Europa pessimista e dividida, e uma China imensa envolta em problemas profundos. Além disso, deve encontrar uma saída para os atuais problemas econômicos, não somente para si próprios como para o mundo.

Devemos também lembrar que, embora a economia norte-americana possa estar em baixa no momento, ela ainda responde por cerca de 25% da economia mundial, e os investimentos e tomadas de empréstimos norte-americanos inundam o mundo. Simplesmente por ser esse país o que é, são criados os envolvimentos invasivos que devemos lutar para controlar. Os Estados Unidos podem, de fato, ter uma política expansionista, e ela seria preferível se o país jamais atingisse o *status* de imperialista e, por causa disso, se retraísse. No entanto, desejos não configuram a política. A política é feita pela realidade, e a realidade do que tem sido criado, quer ou não intencionalmente, não pode ser abandonada sem consequências severas e de se tirar o fôlego. Os Estados Unidos entraram no caminho para ser um poder global com a guerra Hispano-Americana de 1898. O país tem estado nessa trajetória por mais de um século. Mudar o curso na velocidade em que os Estados Unidos estão percorrendo não é uma opção. Pedir isso é uma fantasia.

A única opção é gerenciar o que foi criado. Isso começa com a reconciliação entre os princípios morais e o exercício de poder. Começar com os princípios morais é o início mais prático. Uma grande parcela dos conflitos internos sobre entrar em guerras se baseia na falta de transparência sobre o relacionamento entre o que é moral e o que é poder. O que é necessário é um entendimento comum da realidade e da moralidade.

O exercício de poder é moralmente ambíguo e os princípios morais dos Estados Unidos não significam nada se o país estiver destruído. A busca de direitos universais exige mais do que discursos. Ela exige poder. "Ninguém ficará ferido" não é realista, e o melhor que podemos fazer é tomar decisões difíceis sobre quem ficará ferido e quando. Lincoln teve de apoiar a escravidão no Kentucky. Isso não era correto, mas ou era isso ou perder a batalha, e, se ele perdesse a batalha, todo seu projeto moral estaria destruído.

Ao mesmo tempo, simplesmente visar ao poder sem qualquer propósito moral não leva a nada. Nixon exercia o poder sem propósito e foi sua falta de perspectiva moral que o levou ao Watergate e à destruição.

Uma coisa é justificar os meios para atingir uma finalidade. Outra coisa é quando os meios se tornam a finalidade.

Durante a próxima década, os Estados Unidos devem superar o desejo de simplificar, pois não há frase única ou fórmula simples que resolvam o problema. O problema moral no cerne do exercício de poder repete-se de formas inesperadas e intermináveis, e devem ser solucionadas cada vez que ocorram. Nenhum líder consegue resolvê--las apropriadamente em todas as oportunidades. O máximo que pode se dizer de cada líder é que, no todo, ele ou ela, dadas as circunstâncias, tiveram bom desempenho.

Para atingir esse ponto, a população norte-americana deve amadurecer. Somos um grupo adolescente, esperando soluções para problemas insolúveis e confiando na perfeição de nossos líderes. Churchill não poderia ser eleito presidente dos Estados Unidos: ele era, sob qualquer medida razoável, um alcoólatra, e certamente um elitista no sentido mais esnobe do termo. E é claro que Roosevelt teve pelo menos um caso amoroso enquanto foi presidente e um outro antes de assumir o cargo. Lincoln é exibido em algumas biografias como tendo sofrido de desordem bipolar, uma doença mental. Reagan estava provavelmente nos estágios iniciais da doença de Alzheimer no final de sua presidência. Mas esses foram homens que, para dizer o mínimo, dadas as circunstâncias, tiveram bons desempenhos. A menos que o povo norte-americano possa atingir a maturidade para se disciplinar de modo a esperar isso e nada mais, a república não sobreviverá. As demandas de um império não planejado e as expectativas imaturas sobre nossos líderes destruirão o regime antes que isso possa ser feito pelo militarismo ou pela corrupção.

Obviamente, a sociedade norte-americana está sendo fragmentada em discursos rancorosos. Esse problema não é novo. As coisas ditas sobre Andrew Jackson e Franklin Roosevelt não eram agradáveis. Tendo resistido às disputas sobre direitos civis, à Guerra do Vietnã e ao escândalo de Watergate, não podemos realmente afirmar que somos, hoje, piores do que fomos em termos de civilidade. Mas o Iraque, o Afeganistão e a recente crise financeira têm levantado questões sobre os interesses globais da elite norte-americana e se estes extirquem os interesses do público geral. Às vezes é difícil distinguir vilões de santos, de modo que não há um enfoque simples para essa discussão. As calúnias do *Tea Party* contra Obama e vice-versa não contribuem muito para a criação de um guia político coerente.

A última década colocou desafios aos Estados Unidos para os quais o país não estava preparado e que não conseguiu gerenciar muito bem. Foi, como dizem, uma experiência de aprendizado valiosa, pois os erros não ameaçaram a sobrevivência norte-americana. Mas a ameaça que surgirá no próximo século sobrepujará àquelas da década passada. Veja retroativamente o que aconteceu em meados do século 20 para imaginar o que os Estados Unidos poderão enfrentar no futuro.

Os Estados Unidos têm a sorte de poder contar com uma próxima década na qual podem fazer a transição de uma política externa obsessiva para um exercício de poder mais equilibrado e com maior número de nuances. Mas, com isso, não quero dizer que o objetivo norte-americano deva ser utilizar mais a diplomacia que a força. A diplomacia tem seu lugar, mas o que estou dizendo é que, quando iniciativas passam a ser intromissões, os Estados Unidos devem aprender a escolher cuidadosamente seus inimigos, se certificar de que podem ser derrotados e, então, travar uma guerra efetiva que provoque suas capitulações. É importante não disputar batalhas que não possam ser vencidas e disputar batalhas de modo a vencer. Disputá-las de forma irracional não é permitido para um país com tão vastos poderes e interesses.

Os Estados Unidos têm passado dezesseis anos, entre os últimos cinquenta, disputando batalhas na Ásia. Após sua experiência na Coreia, Douglas MacArthur, que pouco tinha de pacifista, alertou aos norte-americanos para que evitassem essas aventuras. A razão era simples: assim que os norte-americanos pusessem os pés no continente, haveria um número muito maior de oponentes. Os problemas logísticos de abastecimento de forças a milhares de quilômetros de casa, e de lutar contra um inimigo que não tem para onde ir é intimamente familiar e assustador. No entanto, os Estados Unidos continuam a tomar algumas atitudes equivocadas na esperança de que na próxima vez será diferente. De todas as lições extraídas da década passada, essa é a mais importante para a próxima década.

A lição que devíamos ter aprendido com os britânicos é que há meios muito mais efetivos, para não dizer hipócritas, de gerenciar guerras na Ásia e na Europa. Um deles é desviar os recursos de potenciais inimigos para longe de si e em direção a um vizinho. Manter o equilíbrio de poderes deve ser tão fundamental para o país como o é a Carta dos Direitos para sua política doméstica. Os Estados Unidos devem entrar numa guerra no hemisfério leste somente na mais terrível das circunstâncias: se uma opressiva potência ameaçar o domínio de um vasto território e não restar mais nenhuma nação que possa resistir.

A base do poder norte-americano são os oceanos. O domínio dos oceanos evita que outras nações ataquem os Estados Unidos, permite que o país intervenha quando é necessário, além de dar controle sobre o comércio internacional. Os Estados Unidos jamais devem utilizar esse poder, mas também devem negá-lo a qualquer outra nação. O comércio global depende dos oceanos. A nação que controlar os oceanos controlará o comércio global. A estratégia de equilíbrio de poderes é uma forma de batalha naval, evitando que desafiadores consigam consolidar forças que possam ameaçar o controle norte-americano dos mares.

As forças armadas norte-americanas agora estão obcecadas em construir uma força que possa lutar no mundo islâmico. Alguns dizem que atingimos um ponto no qual todas as guerras serão assimétricas. Alguns descrevem o futuro em termos da "longa batalha", um conflito que se estenderá por gerações. Se isso for verdade, então os Estados Unidos já perderam, pois é impossível que o país possa pacificar mais de um bilhão de muçulmanos.

Mas eu discutiria que essa avaliação está mal conduzida e que um objetivo como esse é uma fantasia. Embora a guerra ainda esteja sendo travada, todas as guerras no futuro se assemelharão à que estamos lutando agora. Nunca deve ser esquecido que as guerras sistêmicas, guerras nas quais as maiores potências lutam para redefinir o sistema internacional, ocorrem em praticamente todos os séculos. Se contarmos a Guerra Fria e seus subconflitos, então houve três guerras sistêmicas no século 20. A certeza virtual é que haverá guerras sistêmicas neste século. O que deve sempre ser lembrado é que você pode ganhar uma dezena de batalhas de menor monta, mas, se perder a de maior, perde tudo.

As forças norte-americanas talvez sejam convocadas para lutar em qualquer parte. Era difícil acreditar, em 2000, que os Estados Unidos passariam nove dos dez próximos anos numa guerra no Afeganistão, mas foi o que aconteceu. Modelar as forças para que continuem entrando nesses conflitos seria um erro tremendo, mas dizer que o país não quer travar guerras nunca mais também achataria o orçamento da defesa.

O primeiro foco de investimento deve ser no mar. A Marinha norte-americana é a base estratégica do país, seguida de perto pela aeronáutica. Numa era em que pesquisar um novo sistema armamentista pode levar vinte anos, a próxima década será o período de intensa preparação para o que vier no futuro. A próxima década é o tempo para a transição.

Os britânicos tinham o administrador colonial. Os romanos, o procônsul. Os Estados Unidos têm um arranjo caótico de instituições que lidam com a política internacional. Há dezesseis serviços de inteligência com sobreposições de responsabilidade. O Departamento de Estado, o Departamento de Defesa, o Conselho de Segurança Nacional, e o diretor nacional de inteligência acabam lidando com os mesmos problemas, coordenados até o ponto em que o presidente controla-os todos. Dizer que há muitos *chefs* na cozinha não capta o aspecto principal, mesmo porque há muitas cozinhas servindo a mesma refeição. As disputas burocráticas internas em Washington podem servir de inspiração para comediantes, mas não podem destruir vidas mundo afora. O aparato da política externa norte-americana deve ser racionalizado. O presidente gasta muito de seu tempo tentando controlar sua própria equipe. Isso deve mudar na próxima década, antes que a situação perca o controle.

Os norte-americanos gostam de culpar todo mundo pelos problemas do país, exceto eles próprios. O problema supostamente é do canal Fox News, dos especiais interesses ou da mídia liberal. No fundo, o problema é que não há consenso nos Estados Unidos sobre termos um império e o que fazer com isso. Os norte-americanos preferem se difamar em vez de enfrentar diretamente os fatos, preferem discutir sobre o que deveria ser em vez de sobre o que é. O que tenho tentado expor é a realidade como a vejo, em termos tanto do regime como da próxima década. Ao afirmar que os Estados Unidos, não intencionalmente, se tornaram um império, também defendi o ponto que o império impõe uma ameaça profunda à república.

Também defendi o que chamo de "presidente maquiavélico", um líder que entende o poder e tem um núcleo moral. O presidente é o único baluarte prático da república, pois ele é eleito pelo povo. Sua função é liderar de modo que possa gerenciar, mas o presidente, independentemente de sua habilidade, não pode liderar sozinho. Ele deve contar com todas as outras instituições consolidadas pelos fundadores da nação funcionando de forma plenamente desenvolvida e, acima de tudo, deve ter um público maduro que assuma responsabilidade pelo estado da nação. O Novo Testamento inclui essa passagem: "Quando eu era uma criança, conversava como criança, pensava como criança, raciocinava como criança. Quando me tornei um homem, deixei meu lado infantil bem lá no passado". Os Estados Unidos cresceram. Sua população deve fazer o mesmo.

Lincoln, Roosevelt e Reagan lideraram nações turbulentas. Cada um deles teve a habilidade necessária de montar coalizões que foram suficientemente fortes para suportar a tempestade. Mas, olhando para o futuro, precisamos não apenas de líderes habilidosos, mas também de uma população habilidosa. Uma mulher perguntou a Benjamin Franklin, após a convenção da Constituição, sobre o tipo de governo que os delegados tinham dado à nação. "Uma república", ele replicou, "se você puder mantê-la."

Acredito, realmente, que os Estados Unidos são mais poderosos do que a maioria das pessoas imagina. Seus problemas são reais, mas triviais se comparados à extensão de seu poder. Também sou genuinamente temeroso, não sobre a sobrevivência, mas sobre a capacidade de o país manter a república concedida pelos fundadores. As demandas e tentações do império podem, facilmente, destruir instituições já assediadas por um público que perdeu tanto a civilidade como a perspectiva, e por políticos que não podem liderar, pois não são capazes nem do exercício de poder nem da busca por fins morais.

Quatro ações são necessárias. Primeira, implantar uma nação que tenha um entendimento não sentimental da situação. Segunda, líderes que estejam preparados para suportar o ônus de reconciliar a realidade com os valores norte-americanos. Terceira, presidentes que entendam de poder e princípios, e saibam o lugar de cada um deles. Mas, acima de tudo, o que é necessário é um público norte-americano maduro que reconheça o que está em risco e quão pouco tempo há para desenvolver uma cultura e instituições necessárias para gerenciar o modelo republicano dentro de um contexto imperialista. Sem isso, nada mais é possível. A situação está muito longe da desesperança, mas exige um enorme ato de vontade para que o país cresça.

Agradecimentos

Todos os autores de todos os livros ficam em débito com várias pessoas em cujas ideias e escritos se basearam. Minhas dívidas mais imediatas recaem em Rodger Baker, Peter Zeihan, Colin Chapman, Reva Bhalla, Kamran Bokhari, Lauren Goodrich, Eugene Chausovsky, Nate Hughes, Marko Papic, Matt Gertken, Kevin Stech, Emre Dogru, Bayless Parsley, Matt Powers, Jacob Shapiro e Ira Jamshidi. Cada uma delas me ajudou a fazer este livro melhor do que poderia ter sido de outra forma. Gostaria também de agradecer a Ben Sledge e T. J. Lensing por produzirem os mapas, o que, aliás, aprendi que não é uma tarefa fácil. Meus agradecimentos à Army & Navy Club Library, em Washington, D. C., por toda a sua ajuda.

Meus agradecimentos especiais a Jim Hornfischer, meu agente literário, por seu apoio e estímulo; ao meu editor na Doubleday, Jason Kaufman, por sua confiança interminável em mim e suas críticas sempre proveitosas; e a Rob Bloom. Bill Patrick me ajudou a transformar minha prosa "inchada" numa prosa muito melhor. Susan Copeland manteve-me focado e organizado. Sou grato a todos na STRATFOR, inclusive nossos leitores, por seus apoios animados e críticas. E, acima de tudo, agradeço a minha esposa, Meredith, como sempre, minha rocha e meu guia.